A FILHA DO LOUCO

MEGAN SHEPHERD

TRADUÇÃO
Ivar Panazzolo Júnior

Novo Conceito

Título original: *The madman´s daughter*
Direitos de tradução sob acordo com Sandra Bruna Agencia Literaria, SL, em associação com Adams Literary

1ª Impressão - 2014

Produção Editorial:
Equipe Novo Conceito
Impressão e Acabamento RR Donnelley 150114

Este livro segue as regras da Nova Ortografia da Língua Portuguesa.

Dados Internacionais de Catalogação na Publicação (CIP)
(Câmara Brasileira do Livro, SP, Brasil)

Shepherd, Megan
A filha do louco / Megan Shepherd ; tradução Ivar Panazzolo Junior. -- Ribeirão Preto, SP: Novo Conceito Editora, 2014.

Título original: The madman's daughter
ISBN 978-85-8163-154-7

1. Ficção norte-americana I. Título.
13-0450 CDD-813

Índice para catálogo sistemático:
1. Ficção : Literatura norte-americana 813

Novo Conceito

Rua Dr. Hugo Fortes, 1885 — Parque Industrial Lagoinha
14095-260 — Ribeirão Preto — SP
www.grupoeditorialnovoconceito.com.br

Para **Jesse**

Te amo Loucamente.

Capítulo 1

Os CORREDORES DO SUBSOLO DA ala de pesquisa médica do King's College eram escuros, mesmo durante o dia.

À noite, eles eram como uma sepultura.

Ratos rastejavam pelos corredores, e a umidade escorria fria pelas paredes. A temperatura mais baixa nas salas subterrâneas impedia que os espécimes apodrecessem e entorpecia até a minha carne ao atravessar as camadas puídas do meu vestido. Quando eu limpava aquelas salas, tarde da noite, depois que os alunos de medicina voltavam para as suas camas quentes e confortáveis, o som do meu escovão ecoava nas salas cirúrgicas, passando pelos corredores tortuosos e indo até os depósitos onde eles armazenavam coisas que pareciam ter saído de pesadelos. Pesadelos de outras pessoas, para falar a verdade. Tecidos mortos e bisturis afiados não me incomodavam. Ser filha do meu pai fazia com que eu não me impressionasse com aquilo. Meus pesadelos continham coisas mais tenebrosas.

Meu escovão parou quando eu, paralisada pelo som familiar que vinha do corredor, encostei-o contra a parede de alvenaria: o desagradável "tap-tap-tap" das pegadas que indicavam que o Dr. Hastings havia ficado em seu laboratório até mais tarde. Esfreguei o chão com mais força, com fúria até, mas o sangue tinha essa característica incomum de se entranhar em meio às lajotas de tal maneira que era impossível removê-lo, mesmo depois de horas de trabalho.

Os passos se aproximaram até pararem bem atrás de mim.

— Como estão as coisas, Juliet? — perguntou ele. Senti seu hálito quente na minha nuca.

"Não levante os olhos", disse a mim mesma, esfregando as lajotas de concreto com tanta força que meus dedos começaram a sangrar.

— Estou bem, doutor — respondi, sem me estender, esperando que ele fosse embora. Mas ele não foi.

No teto, as lâmpadas elétricas zuniam e estalavam. Olhei para as pontas prateadas dos sapatos que ele usava, polidas a tal ponto que eu podia ver o reflexo de sua cabeça calva e os olhos esbranquiçados me observando. Ele não era o único professor que trabalhava até tarde, nem o único que olhava por muito tempo para o meu traseiro enquanto eu estava de quatro esfregando o chão. O cheiro de soda cáustica e de outros produtos químicos nas minhas roupas era o bastante para afastar os outros. Mas o Dr. Hastings parecia se sentir ainda mais atraído.

Ele deslizou os dedos pálidos e os fechou ao redor do meu pulso. Deixei o escovão cair.

— Seus dedos estão sangrando — disse ele, levantando-me.

— É o frio. Faz a minha pele ressecar e rachar — declarei. Tentei puxar a minha mão e me desvencilhar, porém ele me segurou com força. — Não é nada.

Os olhos dele deslizaram pela manga do meu vestido de musseline até o avental manchado e com a barra puída; um vestido que nem mesmo as empregadas mais pobres do meu pai usariam. Mas isso aconteceu há muitos anos, quando morávamos na enorme casa em Belgrave Square, onde meu guarda-roupa era abarrotado de peles, sedas e trajes rendados que eu usaria apenas uma ou duas vezes, pois minha mãe jogava fora aquilo que havia sido moda no ano anterior como se fosse água suja.

Isso foi antes do escândalo.

Agora, os homens raramente olhavam para as minhas roupas durante muito tempo. Quando uma garota perde tudo o que tem na vida, os homens ficam menos interessados em suas saias puídas do que naquilo que há por baixo delas, e o Dr. Hastings não era exceção à regra. Seus olhos estavam fixos no meu rosto. Lucy, uma amiga, disse que eu parecia a estrela do teatro Brixton, uma francesa de maçãs do rosto proeminentes e pele muito clara, que ficava ainda mais pálida por causa de seus cabelos escuros, presos num coque em estilo *chignon* suíço. Eu prendia o meu cabelo em uma trança simples, embora algumas mechas sempre acabassem se soltando. O Dr. Hastings estendeu a mão para colocá-los por trás da minha orelha, deslizando os dedos ásperos como pergaminho na pele da minha têmpora. Por dentro eu estava quase tremendo, mas lutei para não deixar nenhuma emoção transparecer no meu rosto. Melhor não esboçar reação, melhor não estimulá-lo. Mas as minhas mãos trêmulas me traíam.

O Dr. Hastings abriu um sorriso fino. A ponta da sua língua surgiu por entre seus lábios como se fosse uma serpente.

De repente, o som de dobradiças rangendo acabou por assustá-lo. Meu coração bateu com força quando percebi aquela chance de escapar. A Sra. Bell, chefe das faxineiras, enfiou a cabeça pela porta entreaberta. Com a boca recurvada naquela expressão séria que parecia nunca se desfazer, seus olhos saltados se moviam rapidamente entre mim e o professor. Nunca fiquei tão feliz por ver aquele rosto enrugado.

— Juliet, saia daí — disse ela, ríspida. — Mary foi embora, uma lâmpada queimou e precisamos de outro par de mãos.

Afastei-me do Dr. Hastings sentindo uma onda de alívio tomar conta de mim. Meus olhos cruzaram com os da Sra. Bell rapidamente, antes de eu ir para o corredor. Eu conhecia aquele olhar. Ela não podia cuidar de mim o tempo todo. Um dia ela poderia não estar por perto para interceder.

No momento em que me vi livre daqueles corredores escuros, corri para a rua, indo em direção a Covent Garden, enquanto a lua se aproximava do contorno dos prédios contra o céu de Londres. O vento cortante castigava as minhas canelas, atravessando a lã gasta das meias enquanto eu esperava que uma carruagem passasse. Do outro lado da rua havia uma figura solitária na plataforma do imenso coreto de madeira.

— Sua criatura desprezível — disse Lucy, saindo das sombras. Ela apertou as lapelas do seu casaco de pele contra o pescoço esguio. Suas bochechas e seu nariz estavam avermelhados, cobertos por uma leve camada de ruge francês. — Faz uma hora que estou esperando.

— Desculpe — falei, inclinando-me e pressionando meu rosto contra o dela. Os pais de Lucy ficariam horrorizados se descobrissem que ela havia escapulido de casa para vir me encontrar. Eles aprovavam nossa amizade quando meu pai era o cirurgião mais famoso de Londres, mas rapidamente a impediram de conversar comigo depois que ele foi proibido de exercer a medicina.

Para minha sorte, Lucy adorava desobedecer.

— Eles me fizeram trabalhar até tarde a semana inteira, e tive que abrir e limpar algumas salas que estavam fechadas havia tempos — disse eu. — Vai demorar alguns dias até eu conseguir tirar todas as teias de aranha dos meus cabelos.

Ela fingiu remover algo desagradável que estaria preso aos meus cabelos e fez uma careta. Nós duas rimos.

— Honestamente, não sei como você consegue suportar aquele trabalho, com os ratos e os besouros, ou... meu Deus, qualquer outra coisa que esteja escondida lá embaixo — disse ela, com os olhos azuis brilhando maliciosamente. — Bem, de qualquer forma, vamos sair daqui. Os rapazes estão esperando.

Lucy agarrou minha mão e nós corremos pelo pátio até uma casa de tijolos vermelhos com uma escadaria de pedra. Ela segurou no batedor metálico, em forma de cabeça de cavalo, e bateu duas vezes.

A porta se abriu, e um homem jovem com uma farta cabeleira castanha e um terno refinado apareceu. Ele tinha a mesma pele clara e os mesmos olhos espaçados de Lucy; provavelmente era o primo sobre o qual me falara. Timidamente, eu observei nele a testa alta e o contorno das orelhas, bem próximas do crânio. Concluí que era bonito. Por sua vez, ele me estudou em silêncio, analisando meu casaco, que já havia pertencido a outras duas pessoas antes de chegar às minhas mãos, com os cotovelos desgastados e os rebordos de cetim tão puídos que contrastavam com os trajes finos de Lucy, feitos sob medida. Mesmo assim, percebi que o sorriso dele não se alterou nem por um momento. Provavelmente, ela o avisara de que traria uma pobretona consigo e de que ele não deveria fazer comentários rudes.

— Deixe-nos passar, Adam — disse Lucy, empurrando-o para entrar na casa. — Os dedos dos meus pés estão congelando.

Entrei logo atrás dela. Livrando-se do casaco, ela disse:
— Adam, esta é a amiga de quem lhe falei. Não tem um tostão no bolso, não sabe cozinhar, mas... meu Deus, dê uma olhada nela.

Meu rosto corou e eu lancei para Lucy um olhar reprovador, mas Adam apenas sorriu.

— A única coisa que se pode dizer sobre Lucy é que ela é muito direta — declarou ele. — Não se preocupe, estou acostumado. Já ouvi coisas muito piores saírem dessa boca. E ela tem razão, pelo menos sobre a última parte.

Virei o rosto para encará-lo, esperando que ele estivesse me olhando com uma expressão lasciva. Mas Adam estava sendo sincero, o que me deixou ainda mais sem jeito.

— Onde estão os outros? — perguntou Lucy, ignorando-nos. Ouvi gritos de pessoas alegres vindo de uma das salas da casa. Lucy sorriu e foi em direção ao som. Esperei que Adam a seguisse, mas seu olhar permaneceu fixo em mim. Ele sorriu novamente.

Assustada, esperei um momento sem saber o que fazer. Aquilo era novidade. Nada de piscadelas vulgares, nada de olhares para os meus peitos. Eu devia dizer algo agradável. Em vez disso, simplesmente inspirei fundo como se houvesse alguma coisa que eu precisasse manter em segredo. Eu sabia lidar com a crueldade, não com a gentileza.

— Posso pegar seu casaco? — perguntou ele. Percebi que eu estava apertando os braços com força ao redor do meu peito, embora o interior da casa estivesse agradavelmente quente.

Forcei-me a abrir os braços e tirei o casaco.

— Obrigada — disse-lhe, com a voz quase inaudível.

Seguimos Lucy pelo corredor até uma sala de estar onde um grupo de esguios estudantes de medicina estava espalhado por sofás de couro, bebendo um líquido cor de mel. As provas daquele inverno haviam se encerrado, e eles estavam certamente celebrando o fato. Esse era o tipo de coisa que Lucy adorava fazer: invadir um clube de garotos, beber gim, jogar cartas e se divertir com as expressões de choque que causava neles. Ela conseguia justificar aquilo dizendo que estava visitando seu primo, embora aquela situação fosse muito diferente da casa da tia idosa onde Lucy supostamente deveria encontrá-lo.

Adam deu um passo à frente para se juntar ao grupo, rindo de algo que alguém dissera. Tentei me sentir à vontade em meio àquele grupo de pessoas estranhas, um pouco constrangida pelo meu vestido envelhecido e as mãos maltratadas pelo trabalho. "Sorria", é o que minha mãe teria sussurrado.

"Você já fez parte desse grupo da sociedade". Ainda assim, eu precisaria saber o quanto eles estavam bêbados, o formato da sala, a disposição dos móveis e qual daquelas pessoas provavelmente não riria das minhas roupas velhas. Analisando, analisando sempre. Eu não conseguia me sentir segura até conhecer cada faceta do que iria enfrentar.

Minha mãe sempre fora muito confiante quando estava em meio a outras pessoas. Era capaz de conversar tanto sobre o sermão da igreja naquela manhã quanto sobre o aumento no preço do café. Mas, em situações sociais, eu puxei meu pai. Desajeitada. Tímida. Mais apta a estudar o grupo como algum tipo de experimento social do que a me misturar a ele.

No sofá, Lucy havia se enfiado entre um garoto loiro e outro com o rosto tão vermelho quanto uma maçã. Uma garrafa de rum com apenas metade de seu conteúdo estava presa entre os dedos finos de Lucy. Quando viu que eu estava perto da porta de saída, ela se levantou e veio até onde eu estava.

— Quanto mais rápido você encontrar um marido, mais rápido você vai poder parar de esfregar o chão — afirmou ela, colocando um rosnado inofensivo na voz. — Por isso, escolha algum deles e diga algo encantador.

Engoli em seco. Meus olhos se fixaram em Adam.

— Lucy, homens como esses não se casam com garotas como eu.

— Você não faz a menor ideia do que os homens querem. Eles não querem uma fedelha esnobe criada a mingau de aveia que passa o dia inteiro bordando.

— Sim, mas eu sou uma faxineira.

— É uma situação temporária — disse ela, gesticulando como se aquilo não tivesse importância. Ou como se os meus últimos anos, os quais passei fazendo trabalhos extenuantes, não fossem piores do que um passeio no parque. Ela me cutucou nas costelas com o punho fechado. — Você vem de uma família rica. Pessoas que têm classe. Portanto, comece a demonstrar isso.

Ela estendeu a garrafa para mim. Eu quis dizer-lhe que beber rum direto da garrafa não era exatamente uma demonstração de classe, mas tudo o que eu ganharia com isso seria outro cutucão.

Olhei rapidamente para Adam. Nunca fui muito boa em perceber as emoções das pessoas. Em vez disso, eu tinha que estudar suas reações. E, nessa situação, não precisei de muito tempo para perceber que eu não era o que aqueles homens queriam, apesar da insistência de Lucy.

Mesmo assim, talvez eu pudesse fingir que era. Hesitando um pouco, tomei um gole.

O garoto loiro puxou Lucy para o sofá, ao lado dele.

— Você precisa nos ajudar a concluir um debate, Senhorita Radcliffe. Cecil diz que o corpo humano contém duzentos e dez ossos, e eu digo que são duzentos e onze.

Lucy piscou os olhos, sedutora. — Bem, tenho certeza de que eu não sei a resposta.

Eu suspirei e me apoiei contra o batente da porta.

O garoto colocou a mão no queixo dela.

— Se você se comportar bem, sem se mexer, eu poderei fazer a contagem, e encontraremos a resposta — disse ele, encostando um dedo na testa de Lucy. — Um.

Eu revirei os olhos enquanto o rapaz deslizava os dedos mais para baixo, até os ombros dela. — Dois. E três.

O dedo dele deslizava devagar, sedutor, sobre as clavículas. — Quatro — prosseguiu ele. Em seguida, baixou ainda mais, até a pele fina que cobria o esterno. — Cinco — disse ele, com a voz tão arrastada que eu podia sentir o cheiro de rum em seu hálito.

Limpei a garganta. Os outros rapazes observavam, imóveis, conforme o dedo do rapaz baixava cada vez mais, deslizando pela pele de Lucy, por sobre o colo. Por que ele não deixava aquela farsa de lado e simplesmente lhe agarrava o seio? Lucy não fazia menção de reagir, ria como se estivesse gostando daquilo. Exasperada, eu dei um tapa na mão do rapaz, afastando-a do peito de Lucy.

O silêncio tomou conta da sala.

— Espere pela sua vez, doçura — declarou o garoto, e todos riram. Ele voltou a observar Lucy, levantando aquele dedo ridículo.

— Duzentos e seis — disse eu.

Aquela frase chamou a atenção deles. Lucy se recostou contra o sofá de couro com um suspiro enfastiado.

— Como é? — perguntou o rapaz.

— Duzentos e seis — repeti, sentindo minhas bochechas esquentando. — Há duzentos e seis ossos no corpo. Eu imaginava que um estudante de medicina soubesse disso.

Lucy balançou a cabeça com o meu comentário despropositado, mas, mesmo assim, seus lábios se entreabriram em um pequeno sorriso. O queixo do rapaz loiro caiu.

— Se duvida de mim, é só me dizer quantos ossos existem na mão de um ser humano — continuei antes que ele pudesse pensar. Os outros rapazes não se ofenderam com o meu comentário. Pelo contrário, pareceram prestar ainda mais atenção em mim. Talvez eu realmente fosse o tipo de garota que eles queriam, afinal de contas.

O único indício de reconhecimento que Lucy me deu foi inclinar levemente a garrafa de rum na minha direção.

— Eu aceito a aposta — interrompeu Adam, virando seus belos olhos verdes na minha direção.

Lucy se levantou do sofá em um salto e colocou um braço ao redor dos meus ombros.

— Ah, que maravilha! E o que vamos apostar? Não vou aceitar que Juliet arrisque a sua reputação por qualquer coisa. No mínimo, a aposta deve valer um beijo.

Fiquei imediatamente ruborizada, mas Adam apenas sorriu. — Meu prêmio, se eu estiver certo, será um beijo. E, se eu estiver errado...

— Se você estiver errado... — interrompi-o, sentindo-me atrevida. Peguei a garrafa de rum das mãos de Lucy e levei o gargalo até a boca, virando a garrafa para cima e deixando que o calor do líquido afastasse a minha insegurança. — Nesse caso, você deve vir me visitar usando um chapéu feminino.

Ele deu a volta ao redor do sofá e pegou a garrafa. O ar de confiança e a firmeza de seus passos me diziam que ele não tinha intenção de perder. Deixou a garrafa sobre a mesa que estava ao lado do sofá e deslizou o seu indicador, de maneira insinuante, ao longo dos ossos delicados do dorso da minha mão. Aquilo fez com que eu entreabrisse os lábios, flexionando os dedos dos pés para não afastar a minha mão. Disse a mim mesma que ele não era o Dr. Hastings. Adam não estava nem perto de enfiar as mãos por baixo do meu decote. Era apenas um toque inocente.

— Vinte e quatro — disse ele.

Senti uma euforia triunfante. — Errado. Vinte e sete.

Lucy me deu um beliscão na perna. Aquela situação deveria ser um flerte. E divertida.

Os olhos de Adam pareciam dançar, maliciosamente. — E como uma garota pode saber dessas coisas?

Eu me endireitei.

— Estar certo ou errado não tem nada a ver com o fato de eu ser mulher — disse-lhe, fazendo uma pequena pausa. — Além disso, a minha resposta está correta.

Adam abriu um sorriso torto.

— Garotas não estudam ciências.

Senti minha autoconfiança vacilar. Eu sabia quantos ossos havia na mão de um ser humano por causa da profissão do meu pai. Quando eu era criança, ele dava lições de fisiologia a Montgomery, nosso criado, para espanto daqueles que afirmavam que as classes inferiores eram incapazes de aprender. No entanto, ele considerava as mulheres naturalmente deficientes, e eu tinha que me esconder no armário do laboratório durante as lições, enquanto Montgomery me passava os livros, às escondidas, para que eu estudasse. Mas eu não podia dizer isso àqueles rapazes. Todos os estudantes de medicina conheciam o nome Moreau. Eles se lembrariam do escândalo.

Lucy veio em minha defesa.

— Juliet sabe mais do que todos vocês juntos. Ela trabalha no prédio da escola de medicina. Ela provavelmente passou mais tempo em meio a cadáveres do que vocês, garotinhos sensíveis.

Eu apertei os dentes, desejando que ela não houvesse dito aquilo. Ser faxineira era uma coisa. Outra coisa era limpar o laboratório após cirurgias fracassadas. Mas Adam levantou uma sobrancelha, demonstrando interesse.

— É verdade? Bem, então eu tenho uma aposta diferente para propor a você, senhorita — disse ele. Seus olhos dançavam com a antecipação de algo mais perigoso do que um simples beijo. — Tenho uma chave que abre o prédio da faculdade, e você provavelmente sabe andar lá dentro. Vamos encontrar um esqueleto e fazer a contagem.

Os outros rapazes trocavam olhares que se espalhavam como faíscas em uma fogueira. Cada um deles cutucava algum outro, entusiasmando-se com a ideia de uma viagem clandestina até as entranhas do prédio da escola de medicina.

Lucy deu de ombros, maliciosamente. — Por que não?

Hesitei. Já havia passado tempo demais naqueles corredores embolorados. A escuridão que havia ali já ficara impregnada nos espaços que havia entre meus ossos. Era uma escuridão que tomava conta dos corredores como se fosse a sombra do meu pai, com o cheiro do formol misturado ao de seus damascos em conserva favoritos. Naquela noite eu queria simplesmente escapar das trevas, se não para cair nos braços de um futuro marido, pelo menos para ter alguns momentos felizes.

Balancei a cabeça negativamente.

Mas os rapazes estavam decididos, e não havia como convencê-los do contrário.

— Está tentando escapar de um beijo? — provocou Adam.

Eu não respondi. Meu desejo por um flerte se evaporou assim que os porões da faculdade foram mencionados. Mas, se Lucy não se intimidou com a possibilidade de estar frente a frente com um esqueleto, eu também não faria isso. Eu limpava as teias de aranha que cobriam aqueles ossos velhos todas as noites. Então, o que havia para recear?

Lucy se aproximou e sussurrou no meu ouvido.

— Adam está querendo impressioná-la mostrando o quanto ele é corajoso, sua idiota. Desmaie quando você vir o esqueleto e caia nos braços dele. Os homens adoram esse tipo de coisa.

Senti meu estômago virar. Meu Deus, era isso que as garotas normais faziam? Fingiam ser frágeis? Por outro lado, eu era incapaz de imaginar uma mulher comum, como a minha mãe, com seu rígido senso moral, fazendo algo tão escandaloso quanto invadir corredores proibidos para cumprir um desafio. Mas o meu pai... ele não hesitaria nem por um segundo. Seria a pessoa que incitaria todos os outros a fazê-lo.

“Dane-se”. Peguei o rum e despejei os últimos goles em minha garganta. Os rapazes gritaram, animados. Ignorei o enjoo — não por causa do rum, mas por pensar nos corredores escuros onde estávamos prestes a entrar.

Capítulo 2

VESTIMOS NOSSOS CASACOS E SAÍMOS pela noite fria, atravessando a Strand em direção ao pórtico em forma de arco da universidade. Tão tarde da noite havia apenas algumas lâmpadas acesas nas janelas dos andares superiores. Os rapazes passavam uma garrafa entre si, abafando o riso que sobrevinha da ideia de estarem na área da universidade após o horário de fechamento. Enlacei meu braço ao de Lucy e tentei me mesclar àquela alegria, porém não consegui esboçar nada além de um sorriso. Para os garotos, a possibilidade de estarem envolvidos em um pequeno escândalo era incrivelmente estimulante. Eles nunca souberam o que é um verdadeiro escândalo, ou como isso pode destruir uma pessoa.

Adam nos levou para a lateral de um dos prédios, passando por uma fileira de cercas vivas, até uma pequena porta preta que eu havia usado apenas uma ou duas vezes. Ele a destrancou e a abriu. A hesitação fez com que meus pés ficassem pregados ao chão, mas um puxão gentil de Lucy me conduziu para dentro. A porta se fechou, jogando-nos em meio a uma quase total escuridão não fosse pela luz que entrava pelo alto de uma das janelas.

O corredor se encheu com o silêncio inquietante das salas vazias. Minhas mãos procuravam um pedaço de pano e um esfregão, uma razão legítima para estar ali. Ir até aquele lugar para pagar uma aposta, arriscar o meu emprego... nada daquilo parecia certo.

Lucy apertou os olhos para tentar enxergar em meio à escuridão, mas eu mantive os olhos pregados no chão. Eu já sabia o que havia no final do corredor.

— E então? — perguntou Adam. — Onde ficam guardados os esqueletos, Madame Guilhotina?

Comecei a me dirigir para a pequena porta que levava às câmaras de armazenamento, e uma luz do outro lado do corredor atraiu a minha atenção. Era a sala de cirurgia. Estranho, ninguém deveria estar lá a essa hora da noite. Havia alguma coisa naquela luz que fazia o meu sangue gelar. Só podia ser sinal de problemas.

— Não estamos sozinhos — disse eu, indicando a porta com a cabeça. Os rapazes olharam em direção à porta e ficaram quietos. Lucy tirou a luva e encontrou a minha mão no escuro.

Adam foi em direção à sala de cirurgia, porém eu agarrei a manga do seu casaco para contê-lo. Os corredores tinham os cheiros habituais — produtos químicos e coisas apodrecidas. Geralmente aquilo não me incomodava, mas, naquela noite, tudo era tão intenso que a minha cabeça começou a girar. Uma onda de fraqueza me atingiu, e eu agarrei o pulso dele com mais força.

— Está tudo bem com você?

Esperei alguns segundos até que a tontura passasse. Episódios como aquele não eram raros. Eles me sobrevinham repentinamente, quase sempre tarde da noite, embora eu não estivesse disposta a explicar o motivo a Adam.

— Os esqueletos ficam do outro lado.

— Alguém está na sala de cirurgia a essa hora da madrugada. Seja lá o que estiverem fazendo, deve ser algo incrível

— comentou ele, com a voz carregada. Percebi que, para eles, isso não passava de um jogo. Se fossem apanhados, o reitor não faria mais do que repreendê-los. Quanto a mim, perderia o meu sustento.

Ele inclinou a cabeça. — Não está com medo, está?

Fiz uma careta e soltei a manga dele. É claro que eu não estava com medo. Andamos em silêncio pelo corredor. Quando chegamos à porta fechada, um som fez doer os meus ouvidos. Aquilo me levara de volta à minha infância, quando eu observava o laboratório do meu pai, escondida do lado de fora da porta, escutando e tentando imaginar o que estava acontecendo lá dentro antes que os empregados me mandassem embora.

O som ficou mais alto, algo que arranhava e batia, arranhava e batia. Lucy, que não estava habituada a estar em um laboratório, olhou-me com uma expressão confusa. Mas eu conhecia aquele som. Alguém estava deslizando a lâmina de um bisturi contra uma pedra. Um gesto que os cirurgiões faziam para soltar a carne da lâmina entre os cortes.

Adam abriu a porta. Havia meia dúzia de alunos agrupados ao redor de uma mesa no centro da sala, sobre a qual uma única lâmpada criava uma ilha de luz. Eles olharam para nós quando entramos, e, após alguns segundos, seus rostos relaxaram quando perceberam quem estava ali.

— Adam, seu palhaço. Entre e feche a porta — exigiu um dos estudantes. Ele olhou para Lucy e para mim, parecendo se aborrecer com a nossa presença. — O que elas estão fazendo aqui?

— Elas não vão nos atrapalhar. Não é mesmo, senhoras? — disse Adam, levantando uma sobrancelha, mas eu não respondi. Uma parte de mim estava contemplando a possibilidade de sair correndo pela porta e abandonar aqueles rapazes e sua aposta doentia. Mesmo assim, não o fiz. Conforme nos aproximamos a passos hesitantes, eu podia sentir a rigidez se esvaindo dos meus ossos, como se liberasse uma curiosidade armazenada e escorregadia que estivesse nas minhas juntas.

"Por que eles estão na sala de cirurgia a esta hora da noite?"

Adam olhou por cima do ombro do cirurgião. Os corpos estavam apinhados ao redor da mesa, mas o cheiro metálico do sangue fresco me alcançou, fazendo minha cabeça girar. Lucy cobriu a boca com um lenço. Lembranças do meu pai tomaram conta de mim. Sendo um cirurgião, o sangue era o meio com o qual ele trabalhava, assim como é a tinta para um escritor. Nossa fortuna fora construída sobre sangue, seu cheiro acre impregnado nos tijolos da nossa casa e até nas roupas que usávamos.

Para mim, o cheiro do sangue era como o cheiro da minha própria casa.

Afastei aquela sensação. "Meu pai nos abandonou", fiz questão de me lembrar. "Ele nos traiu". Mas eu ainda não conseguia ignorar a saudade que sentia dele.

— Eles não deveriam estar aqui — murmurei. — Esse prédio fica fechado para os alunos durante a noite.

Antes que Lucy pudesse responder, o som do bisturi raspando nas pedras surgiu outra vez, atraindo o meu olhar para a mesa de maneira irresistível. Demos um passo à frente. Os rapazes mal prestavam atenção em nós, com exceção de Adam, que se afastou um pouco para deixar que olhássemos. Prendi a respiração. Sobre a mesa havia um coelho morto. Seu pelo, branco como a neve, estava manchado com sangue. Sua barriga fora aberta, e havia vários órgãos sobre a mesa de cirurgia. Lucy soltou um gemido e cobriu os olhos.

Meus olhos estavam arregalados. Eu sentia um pouco de pena pelo coelho morto, contudo era um pensamento distante, algo que talvez minha mãe pudesse ter sentido. Eu não era ingênua. Dissecações eram uma parte necessária da ciência. Era a maneira pela qual os médicos conseguiam desenvolver a medicina e o modo pelo qual os cirurgiões salvavam vidas. Eu só havia visto dissecações umas poucas vezes — olhando pelo buraco da fechadura do laboratório do meu pai, ou limpando a sala depois que os alunos de medicina saíam. Após o trabalho, no pequeno quarto onde eu morava no prédio dos alojamentos, eu estudava os diagramas no velho exemplar do meu pai do *Compêndio de Referência Anatômica Longman*, mas ilustrações em preto e branco não eram um substituto à altura para a realidade.

Agora os meus olhos devoravam o corpo do coelho, tentando associar os pedaços intumescidos de órgãos e ossos aos diagramas impressos que eu já conhecia de cor. Um impulso correu pelas minhas veias. Queria tocar o músculo estriado do coração, sentir a extensão lisa do intestino.

Lucy levou as mãos à barriga. Parecia estar pálida. Eu a observei curiosamente. Nunca sentira essa necessidade de desviar os olhos, como uma dama comum faria. Minha mãe até me treinara nos procedimentos e comportamentos aceitáveis para uma jovem senhora, mas meus impulsos nem sempre obedeciam, e eu aprendera a escondê-los.

Voltei a olhar para o coelho. Senti que a preocupação se enrodilhava ao redor dos meus tornozelos e subia pelas minhas pernas.

— Algo está errado aqui.

O estudante que comandava a cirurgia levantou os olhos, irritado, antes de selecionar outro bisturi e voltar ao trabalho.

— Psiu... — sussurrou Adam no meu ouvido. Senti meu peito apertar enquanto eu observava o coelho. "Ali". A pata traseira do coelho se moveu em um espasmo. "E ali". O peito do animal se movia para cima e para baixo. Agarrei a mão de Lucy com força, sentindo o sangue correr para a base do meu crânio.

Meu cérebro processou os movimentos independentemente, com uma estranha sensação de *déjà vu*, e eu soltei um gemido baixo. — Ele está vivo.

O olho do coelho piscou. Senti meu coração parar por um instante. Virei-me na direção de Adam, estupefata, e depois de volta à mesa, onde os rapazes continuavam com a operação. Eles me ignoravam, assim como ignoravam os movimentos do coelho. Alguma coisa branca e quente preencheu a minha cabeça, e eu agarrei a beirada da mesa, dando-lhe um tranco. — Ele não está morto!

O cirurgião se virou para Adam, aborrecido.

— É melhor mantê-las caladas.

— Ele não deveria estar vivo — gaguejou Lucy, com o rosto pálido. O lenço escorregou das suas mãos, flutuando lentamente até cair no chão, como num sonho. — Por que ele está vivo?

— Vivisseção. — A palavra saiu da minha boca como se fosse algo vil tentando escapar. — A dissecação de criaturas vivas.

Dei um passo para trás, sem querer me envolver com aquilo. Dissecação era uma coisa. O que eles estavam fazendo naquela mesa era apenas crueldade.

— É só um coelho — sibilou Adam. Lucy começou a cambalear. Eu não conseguia afastar os olhos da operação. Será que haviam se preocupado em anestesiar o animal?

— É contra a lei — murmurei. A minha pulsação tinha o mesmo ritmo da do coelho assustado, cujo coração ainda batia. Olhei para a disposição dos órgãos na mesa. Para o equipamento cuidadosamente preparado. Tudo aquilo era familiar para mim.

Familiar demais.

— A vivisseção é proibida pela universidade — disse eu, mais alto.

— E a presença de mulheres na sala de cirurgia também — retrucou o cirurgião, olhando nos meus olhos. — Mas vocês estão aqui, não é?

— Bando de menininhas — disse um garoto de cabelos escuros, com uma expressão de desprezo no rosto. Os outros riram, e ele colocou um papel enrolado e coberto de diagramas sobre a mesa. Consegui ver o contorno do desenho de um coelho com o abdome aberto, e os locais das incisões marcados com linhas pontilhadas. Aquilo também era familiar. Com um movimento rápido, peguei o papel. O rapaz protestou, mas eu virei de costas. Parecia haver estalidos nos meus ouvidos. De repente, toda aquela sala pareceu estar distante, como se eu estivesse observando as minhas próprias reações. Eu conhecia aquele diagrama. A caligrafia estreita. As linhas de incisão, pontilhadas em preto. Em algum lugar, no fundo de mim mesma, eu o reconheci.

Atrás de mim, o cirurgião comentava com outro rapaz, aos sussurros: — Os intestinos têm um tom rosado. Exibem uma pulsação leve, provavelmente devido a uma digestão incompleta. Sim, olhe ali; estou vendo o conteúdo se movendo.

Com os dedos trêmulos, eu levantei a dobra no canto do papel. Havia iniciais rabiscadas no diagrama: H. M. O sangue correu pelas minhas orelhas, abafando o som dos rapazes, do coelho e da lâmpada elétrica. H. M.: Henri Moreau.

Meu pai.

Por meio daquele velho diagrama, aqueles garotos haviam ressuscitado o fantasma do meu pai exatamente na sala em que ele costumava lecionar. Senti-me preenchida por uma inquietação que me fazia tremer. Quando criança eu adorava meu pai, e agora o odiava por ter nos abandonado. Minha mãe negara veementemente que os rumores fossem verdadeiros, mas eu perguntava a mim mesma se ela fazia aquilo apenas por não suportar o fato de ter se casado com um monstro.

De repente, o coelho se moveu com um espasmo, e soltou um grito tão forte que eu, instintivamente, fiz o sinal da cruz.

— Meu Deus — disse Adam, observando com os olhos arregalados. — Jones, seu palhaço, ele está acordando!

Jones correu até a mesa, coberta de lâminas de metal e agulhas do tamanho do meu antebraço.

— Eu apliquei a dose correta — gaguejou ele, procurando alguma coisa por entre os frascos de vidro.

Os gritos do coelho pareciam perfurar minha cabeça. Bati as mãos contra o tampo da mesa, e o papel caiu no chão.

— Dê um fim nisso — gritei. — Ele está sentindo muita dor!

Lucy chorava. O cirurgião não se moveu. Frustrado, eu o agarrei pelas mangas. — Faça alguma coisa! Acabe com essa agonia.

Ainda assim, nenhum dos rapazes se moveu. Como estudantes de medicina, eles deveriam ter sido treinados para qualquer situação. Mas estavam todos paralisados. Assim, eu tive que agir.

O conjunto de instrumentos cirúrgicos estava na mesa ao meu lado. Fechei os dedos ao redor do cabo do machado, normalmente usado para separar o esterno de cadáveres. Respirei fundo, concentrando-me no pescoço do coelho. Com um movimento, que eu sabia que deveria ser rápido e forte, desci a lâmina do machado.

Os gritos do coelho cessaram.

Toda a tensão acumulada no meu peito se esvaiu para o chão molhado. Olhei fixamente para o machado, distante. Meu cérebro ainda não fazia a conexão entre o instrumento e o sangue em minhas mãos. Deixei o machado cair, e ele bateu no piso com um som alto. Todos os que estavam ali se encolheram por um momento.

Todos, menos eu.

Lucy agarrou meu ombro.

— Vamos embora daqui — disse ela, com a voz estrangulada. Engoli em seco. O diagrama estava sobre a mesa, uma lembrança fria da mão do meu pai naquilo tudo. Eu agarrei o papel e me virei para o rapaz de cabelos escuros.

— Onde você conseguiu isso? — exigi saber.

Ele apenas me olhava, com o queixo caído.

Eu o segurei e lhe dei um tranco, mas o cirurgião o interrompeu.

— Em Billingsgate. Na Hospedaria Blue Boar — disse ele, olhando rapidamente para o machado no chão. — Há um médico hospedado lá.

A mão de Lucy apertou a minha. Olhei fixamente para o machado. Alguém se abaixou para pegá-lo, hesitantemente. Adam. Nossos olhares se cruzaram, e eu vi que ele estava horrorizado com o que eu fizera. E mais: estava enojado. Lucy estava errada. Ele nunca iria querer se casar comigo. Eu era fria, estranha e monstruosa aos olhos desses rapazes, assim como o meu pai. Ninguém seria capaz de amar um monstro.

— Vamos — disse ela, puxando-me pelos corredores até voltarmos para a rua. Estava frio, no entanto minha pele entorpecida mal era capaz de sentir. Algumas pessoas passavam por nós, encasacadas, preocupadas demais com o tempo para perceber o sangue em nossas roupas. Lucy se apoiou contra uma parede de tijolos e pressionou uma mão contra o peito. — Meu Deus, você cortou a cabeça daquele coelho!

O sangue estava em minhas mãos, nas rendas esfarrapadas ao redor dos meus pulsos, e havia até mesmo alguns respingos no anel de diamante que minha mãe me dera. Eu olhava para o papel que segurava com firmeza na mão. *Hospedaria Blue Boar. Hospedaria Blue Boar.* Não podia me esquecer daquele nome.

Lucy pegou minhas mãos, sacudindo-me.

— Juliet, diga alguma coisa!

— Eles não deviam ter feito aquilo — declarei, sentindo-me febril no ar frio da noite. O papel estava ficando úmido com o suor das minhas palmas. — Eu tinha... tinha que fazer aquilo parar.

Senti a mão dela em meu ombro. — É claro que tinha. Nosso cozinheiro mata coelhos para o jantar o tempo todo. Foi isso que você fez. Matou um coelho que estava prestes a morrer.

Mesmo assim, a voz de Lucy estava estremecida. O que eu fizera não tinha nada de natural, e nós duas sabíamos.

Uma brisa gelada soprava pelo Tâmisa, trazendo o cheiro pungente de suor e do perfume de Lucy. Tentei respirar fundo. Os rumores iniciados havia tanto tempo se esgueiravam pelas ruas, voltando à vida. Tudo o que eu tinha eram fragmentos de lembranças do meu pai: a textura do seu paletó de lã, o cheiro de tabaco nos seus cabelos quando ele vinha me dar um beijo de boa-noite. Eu não conseguia acreditar que meu pai era o mesmo louco que todos diziam ser. Mas eu era jovem demais quando aquilo aconteceu, tinha 10 anos. Conforme fui crescendo, outras lembranças afloraram. Coisas mais profundas, envolvendo uma sala fria e estéril, assim como outros sons no meio da noite... recordações que nunca desapareceram completamente, não importava o quanto eu as empurrasse para a parte mais escondida de minha mente.

Não contei a Lucy sobre o diagrama com as iniciais dele no canto. Não falei que ele guardava aquele documento cuidadosamente dentro de um livro em seu laboratório, um lugar que eu só conseguia ver quando os criados entravam lá para fazer a limpeza. Não disse a Lucy que, após todos aqueles anos tentando aceitar o fato de que ele provavelmente havia morrido, uma parte de mim suspeitava de que aquilo não era verdade.

Meu pai podia estar vivo.

Capítulo 3

A SOCIEDADE LONDRINA NÃO ERA gentil com a filha de um louco. Muito menos no caso da órfã de um pai louco. Meu pai fora o fisiologista mais célebre da Inglaterra, fato que a minha mãe não tardava a mencionar rapidamente a qualquer pessoa disposta a ouvir. Meus pais costumavam dar festas elegantes para os outros professores que trabalhavam com ele. Muito tempo depois da minha hora de dormir, eu descia as escadas, ainda vestida com a minha camisola, e espiava pelo buraco da fechadura da sala de artes da casa onde morávamos para absorver os sons dos risos e o aroma do tabaco refinado. É irônico perceber que aqueles mesmos homens foram os primeiros a tachá-lo de monstro.

Após o escândalo vir a público e meu pai desaparecer, eu e minha mãe passamos a ser ignoradas pelas companhias que chamávamos de amigos. Até mesmo a igreja fechou suas portas para nós. O governo confiscou nossa casa e o patrimônio da família, alegando que meu pai era um criminoso. Passamos vários meses sem nenhum dinheiro, confiando apenas nas orações da minha mãe e no senso de dever de alguns familiares que resmungavam com a nossa presença. Eu era pequena naquela época, com apenas 10 anos de idade, e não entendi o que acontecera. Até que, de repente, tínhamos um apartamento outra vez. Era um lugar pequeno, mas ricamente decorado, no segundo andar de um prédio perto da Charing Cross. Minha mãe me levava às aulas de piano e a uma costureira, para que ela tirasse minhas medidas para fazer vestidos. Ela também voltou a comprar ruge e outros produtos de maquiagem caros, além de roupas íntimas de cetim. Um homem mais velho vinha até o apartamento uma vez por semana, sempre no mesmo dia e hora, e a minha mãe me mandava para a cafeteria, que ficava no térreo, para fazer um lanche com biscoitos de chocolate. Ele usava uma colônia forte que mascarava um cheiro acre e pungente, contudo minha mãe nunca falou nada a respeito. Foi assim que eu percebi que ele devia ser rico. Ninguém dizia que os ricos fediam.

Quando minha mãe finalmente sucumbiu à tuberculose, aquele senhor não teve o menor interesse em continuar sustentando a filha magricela de sua amante. Ele pagou o funeral da minha mãe, embora não tenha comparecido, e me deixou continuar no apartamento por uma semana. Em seguida, enviou uma faxineira severa que encaixotou e vendeu as nossas coisas, e ela me entregou em dinheiro o valor da venda. Não tenho dúvidas de que ele se considerava generoso. Eu tinha 14 anos na época e estava completamente sozinha.

Felizmente, o professor Von Stein, um ex-colega do meu pai, ouviu a respeito da morte da minha mãe e perguntou aos administradores do King's College se havia algum emprego adequado para uma mulher jovem com uma criação refinada. Quando descobriram quem era o meu pai, entretanto, a melhor oferta que eu recebi foi me tornar parte da equipe de limpeza da Sra. Bell. O salário mal dava para pagar por um quarto em uma pensão com outras 20 garotas da minha idade. Algumas eram órfãs; outras vinham para a cidade para ajudar a sustentar irmãs e irmãos mais novos, e algumas ficavam ali por apenas uma semana antes de desaparecerem. Todas nós tínhamos histórias diferentes. Mas todas estávamos sozinhas.

Eu dividia o quarto com Annie, uma garota de 15 anos que viera de Dublin e trabalhava em uma loja. Ela tinha o hábito de mexer nas minhas coisas, independentemente de eu estar no quarto ou não. Certa vez ela descobriu a caixa de madeira, lacrada e trancada a chave, que eu guardava no fundo do nosso armário. Eu nunca disse a ela o que havia lá dentro, não importava o quanto ela me implorasse para saber.

Na noite em que matei o coelho, escondi o diagrama manchado de sangue debaixo do meu travesseiro. No trabalho, no dia seguinte, eu o enfiei por dentro das minhas roupas, como um talismã. Ele enchia cada um dos meus pensamentos com lembranças do meu pai. Cada memória, cada gesto, cada palavra gentil dele foi encoberto pelos rumores horríveis que eu ouvira nos últimos anos.

Consegui escapar do meu esfregão para encontrar a Sra. Bell na lavanderia, torcendo toalhas. Seus olhos azuis, estreitados como se soubesse que eu estava aprontando alguma coisa, cruzaram os meus em meio às nuvens de vapor.

Peguei uma barra de sabão e comecei a arranhá-la com a ponta do dedo. O que eu esperava encontrar naquela hospedaria? Meu pai, de volta da terra dos mortos, fumando um charuto e vestindo seu casaco de lã enquanto esperava para me contar uma história para dormir?

— Senhora Bell — perguntei, deixando a barra mutilada de sabão sobre um dos balcões. — A senhora sabe onde fica a Hospedaria Blue Boar?

Tive que esperar até depois da missa de domingo para poder seguir as instruções que a Sra. Bell me dera e, então, desci pela Cable Street, na direção sul, evitando os dejetos que eram jogados pelas janelas das pensões. Quando parei em uma das esquinas, tentando encontrar a rua certa, percebi que alguém me observava. Era uma garota da minha idade, embora o rosto coberto com pó e ruge a fizesse parecer mais velha. Ela usava um vestido listrado de cetim, que ficava um pouco largo no seu corpo magro. Olhava para mim com uma expressão vazia. Desviei rapidamente o olhar. Se não fosse pelo emprego que conseguira no King's College, provavelmente seria eu quem estaria naquela esquina, esperando o próximo cavalheiro chegar. Eu me encostei contra uma parede de tijolos, sentindo-me enjoada. Lucy me dissera o que acontecia nos prostíbulos. Aquilo fora a solução desesperada que minha mãe encontrara, apesar dos valores que sempre tentou manter. Eu poderia não ter tantas virtudes a perder, mas estava determinada a não permitir que aquilo se tornasse o meu futuro.

A prostituta andou lentamente pela rua, vindo despreocupadamente na minha direção, e eu apressei meus passos na direção oposta, até que, de repente, dei de cara com uma placa azul desbotada balançando sobre uma pesada porta, pintada com um animal com dois dentes proeminentes que, conforme imaginei, deveria ser um javali.

A hospedaria era uma construção de três andares que pendia levemente sobre o prédio vizinho. Eu puxei a enorme maçaneta de ferro e entrei. Levou um momento até que meus olhos se ajustassem ao ambiente. Pouca luz conseguia atravessar as janelas cobertas com resíduos esfumaçados. Eu vi que estava em um salão de jantar, em meio a clientes taciturnos que murmuravam coisas em voz baixa durante a refeição do meio-dia. A mobília parecia desgastada, mas era feita de carvalho pesado, e fora lustrada recentemente. Nenhum dos clientes olhou para mim, exceto um homem magro, com o dobro da minha idade e o rosto marcado por cicatrizes de varíola, que olhava de modo fixo para o meu vestido dominical. Parecia que a Blue Boar não era frequentada por damas jovens.

Uma mulher corpulenta saiu da cozinha e levantou as sobrancelhas. Ela enxugou as mãos no avental e olhou para mim, para meu rosto de traços aristocráticos e roupas que indicavam pobreza. — Quer um quarto?

— Não, eu... — comecei a gaguejar. — Vim procurar um homem. Um médico — disse eu. Meu coração batia com força, alertando-me para não alimentar falsas esperanças. — O nome dele é Henri Moreau.

Ela me observou com estranheza. Provavelmente eu estava da cor de um tomate maduro. — Não temos o hábito de dar informações sobre os nossos hóspedes. Você entende, não é? — retrucou ela. Era uma ordem, não uma pergunta. Será que ele estaria ali, naquele mesmo prédio, talvez bem acima das nossas cabeças?

— Não venho causar problemas. Quero apenas conversar com ele.

O rosto dela continuou impassível.

— Não há ninguém com esse nome aqui.

Tive a sensação de que o chão se abria sob meus pés. Ela estava enganada. Tinha que estar. Ou, então, eu fora uma idiota ao pensar que um papel velho significaria que o meu pai estaria aqui, em Londres, na cidade de onde ele fora expulso.

Os contornos da boca da mulher perderam um pouco da sua dureza. Ela me pegou pelo cotovelo e conduziu-me para longe dos clientes, até uma escadaria que levava à escuridão do andar superior.

— Não há ninguém aqui com esse nome, mas um dos hóspedes é médico.

Meu coração saltou dentro do peito. — Onde ele está? Como ele é?

— Acalme-se, garota. Você diz que não quer causar problemas, e eu também não quero — disse ela, desviando o olhar nervosamente para o salão de jantar. — Entretanto, se você veio procurar o médico, é bom que saiba que o Dr. James tem nos causado muitos problemas desde que chegou.

Dr. James, não Dr. Moreau. Um pseudônimo, talvez? Minha cabeça estava agitada, tentando juntar as partes da equação em uma solução razoável, mas havia apenas uma conclusão lógica: o Dr. James era outra pessoa, um entre centenas de médicos que visitava Londres. E, mesmo assim, minha curiosidade não seria satisfeita sem provas.

— Lamento ouvir isso. Se eu puder falar com ele, talvez...

— Veja bem, o jovem médico até que é um bom homem. O problema é o outro que o acompanha. Deixa os outros hóspedes nervosos, entende?

— Certamente — assenti, sem fôlego. Ninguém diria que meu pai era um jovem. Assim, será que o companheiro estranho que ela mencionara poderia ser o meu pai?

Ela concentrou sua atenção no meu vestido, estreitando os olhos e falando em voz baixa. — Não vou perguntar o que uma dama jovem e bonita quer com aquele par, mas eu duvido que você seja parente deles. E este é um estabelecimento respeitável e de boa reputação. Não quero problemas aqui, está me ouvindo?

— Sim, senhora — respondi. Um rubor nervoso tingiu as minhas bochechas quando percebi o que ela estava insinuando sobre uma mulher jovem sozinha com dois homens estranhos.

Ela indicou as escadas com o queixo.

— Segundo andar. O quarto à esquerda.

Eu subi rapidamente até o corredor do segundo andar, agarrando o corrimão para me manter em pé. À minha esquerda havia apenas uma porta, que dava em um quarto. Um espelho enegrecido, ao lado da porta, refletia o meu rosto de olhos arregalados e tez pálida. Eu parecia uma louca desvairada. Parei por um momento. O que eu estava fazendo ali, perseguindo uma intuição? Eu deveria estar com as outras garotas na pensão, fofocando e discutindo quais dos garotos que estavam na igreja eram os mais bonitos.

Mas era ali que eu estava. Coloquei minha Bíblia na bolsa e bati na porta com cuidado.

Não houve resposta. Será que eu deveria esperar? Bati outra vez, mais forte. Atrás de mim, vozes abafadas e os sons de copos tilintando subiam do salão de jantar.

Uma ideia maluca tomou conta de mim. Tentei a maçaneta. Estava trancada, é claro. Não era uma tranca sofisticada, e uma chave-mestra qualquer poderia dar um jeito naquilo. Abri a minha bolsa em busca da chave que abria a caixa de madeira que eu guardava na pensão. Finalmente, encontrei a pequena chave de bronze e a comparei com a fechadura da porta. Pequena demais. Ajoelhei-me e espiei pelo buraco. O quarto era pequeno, com uma cama desarrumada e baús de viagem empilhados. Tentei enfiar a chave novamente, desejando que ela conseguisse alcançar o mecanismo da fechadura, e, quando estava quase conseguindo, ela escapou das minhas mãos.

— Diabos! — resmunguei. Afastei o cabelo que cobria os meus olhos, e o espelho refletiu o movimento. Olhei novamente para o meu rosto, estudando as bochechas encovadas e a sombra ao redor dos olhos e imaginando se meu pai conseguiria me reconhecer. De repente, um segundo rosto apareceu por trás do meu. Um rosto escuro, coberto por uma barba espessa que escondia as feições pesadas do homem. Sua testa parecia estar inclinada com uma deformidade estranha, terminando em supercílios protuberantes que lhe encobriam os olhos. Eu dei um gemido e tentei correr, mas as mãos animalescas dele me agarraram pelos ombros. A chave caiu quando ele pressionou um pedaço de pano sobre a minha boca. A última coisa que vi antes de desmaiar foi o brilho de seus olhos verde-amarelados no reflexo do espelho.

Capítulo 4

ACORDEI COM A CABEÇA LATEJANDO, sentindo o gosto do clorofórmio na garganta. Estava na mesma cama de madeira que vira pelo buraco da fechadura. Levantei-me de supetão. Examinei o quarto à procura do meu agressor, de uma arma, de uma explicação para eu estar ali.

Tive alguns vislumbres. O rosto no espelho. O pano pressionado contra minha boca.

"Dopada."

Um ataque de pânico embaçou a minha visão enquanto eu examinava minhas roupas, mas senti-me aliviada por não encontrar sinais de que houvesse sido molestada. Independentemente disso, eu precisava de algo que pudesse usar como arma: um atiçador de lareira ou um abridor de cartas. Então uma onda de náusea me fez desabar novamente sobre os travesseiros. Fechei os olhos com força até que minha cabeça começou a clarear.

Eu estava sozinha, pelo menos. No quarto de alguém, provavelmente do homem deformado. Um gosto ruim me subiu pela garganta ao me lembrar do toque daquela mão peluda contra minha boca. Minha respiração se acelerou cada vez mais, até que imaginei que fosse perder os sentidos. Cerrei os dentes, lutando contra o desejo de gritar. O pânico não me levaria a lugar nenhum.

Abri meus olhos devagar. Não verificaria se a porta estava aberta até que minha cabeça estivesse suficientemente lúcida para eu conseguir ficar em pé. Mas o quarto estava cheio de pistas sobre a identidade do meu raptor. Havia algumas arcas e baús empilhados ao lado da porta, cercados por volumes embrulhados em papel pardo. Ele estava viajando, e, pelo visto, para algum lugar distante, a julgar pela bagagem. Um papagaio engaiolado sobre a cômoda me olhava desconfiado enquanto bicava a armação de metal de sua prisão. Eu o observei por alguns momentos.

Meu raptor viajava com um papagaio?

Uma segunda porta, que eu imaginei que devia levar a um quarto adjacente, estava fechada. Ao lado da cama havia um baú aberto, e consegui me inclinar até ele sem sentir tanta náusea. Havia várias garrafas de vidro, parcialmente obscurecidas por tufos de palha enfiados nos vãos entre elas para evitar que se quebrassem durante a viagem. Afastei um pouco da palha e removi uma das garrafas: conhaque Elk Hill. Senti a náusea subir pela minha coluna. Era a marca preferida do meu pai.

Antes que eu conseguisse juntar as peças e descobrir o que aquilo significava, a porta que dava para o quarto adjacente se abriu, revelando o rosto bestial que eu vira no espelho.

— Você! — gritei. Fechei os dedos ao redor do gargalo da garrafa, pronta para golpear. Tentei me levantar, porém meus pés não me obedeciam. Segurei na cabeceira da cama para me apoiar.

Não era realmente o rosto de um monstro como imaginei anteriormente, mas certamente era desfigurado. Uma barba negra e desgrenhada cobria um queixo protuberante. O nariz era achatado, e os olhos, enfiados em órbitas profundas. Ele se movia com um cambalear estranho, como se não estivesse acostumado a usar as próprias pernas. Apesar do rosto deformado, ele não parecia tão ameaçador agora. Em parte, devido à bandeja com chá e biscoitos que tinha nas mãos.

Ainda assim, meu corpo se enrijeceu. Ele andou com passos inseguros, apenas o suficiente para que pudesse colocar a bandeja aos pés da cama, afastou-se rapidamente e entortou a boca no que poderia ser considerado um sorriso.

Aquele ato estranho de gentileza só serviu para me deixar ainda mais inquieta.

— Saia daqui! — gritei. Joguei a garrafa contra ele, mas minha visão estava embaçada pelas drogas, e ela caiu, sem qualquer dano, ao lado dele, sobre um baú de roupas. Eu subi na cama, cambaleando com a vertigem, segurando a camisa de linho amarrotada que ele vestia e golpeando-o com meus punhos. — Alguém me ajude!

O homem não falava nada. Ele simplesmente gemeu e deixou que eu o socasse. Mas a porta lateral se abriu novamente, com as dobradiças rangendo, e outro homem se precipitou para dentro do quarto; um rapaz jovem, com a camisa que ainda tinha alguns botões abertos e suspensórios pendendo ao lado do corpo. Ele colocou os braços ao redor dos meus para impedir que eu continuasse espancando aquele homem bestial.

— Me solte! — gritei. Mas ele tinha uma constituição física forte e não demorou muito até que ele conseguisse prender meus pulsos com firmeza.

— Juliet! Pare com isso! — disse ele.

Fiquei paralisada com a menção súbita do meu nome. O rapaz me soltou, e eu me virei para encará-lo. Seu rosto estava bastante bronzeado, algo incomum durante o inverno londrino. Cabelos soltos e loiros lhe caíam pelos ombros largos. Senti meus pulmões se esvaziarem.

Eu o conhecia. Conseguiria identificá-lo em qualquer lugar, apesar dos anos.

— Montgomery! — exclamei. Mas... o que ele estava fazendo ali, com meu raptor? Eu esperava poder encontrar meu pai, entre todas as pessoas possíveis. Mas a última pessoa que eu imaginava poder encontrar seria um antigo criado da minha família.

Meus joelhos fraquejaram com o choque, e ele me agarrou pelos cotovelos e impediu que eu caísse no chão. Eu pensava que estava sozinha no mundo. Mas ali estava ele, a única pessoa que me conhecia, o único que compartilhava dos meus segredos sombrios. O simples fato de vê-lo começou a desanuviar a tensão que eu sentia no peito.

Eu me desvencilhei dos braços dele. Não estava pronta para que o nó frágil e oculto do meu coração se desfizesse tão rapidamente.

— Você está segura aqui. Não há perigo — disse ele, estendendo uma mão como se estivesse tentando acalmar um cavalo selvagem, com suas belas feições tingidas pela seriedade e preocupação. Perceber que ele me reconhecia quase fizera meu coração bater fora do ritmo normal. Ele era dois anos mais velho que eu, filho da nossa copeira. Sua mãe morrera quando ainda era muito novo, e minha família o mantivera na casa para ajudar com os cavalos e com as pesquisas do meu pai. Senti uma daquelas atrações impossíveis que as garotas sentem muito antes de saberem o que é o amor, mas ele desaparecera havia seis anos, na mesma época em que meu pai sumira. Imaginei que não quisesse mais se envolver com os terríveis segredos da nossa família.

Agora ele estava ali, em carne, osso e olhos azuis. Um mistério completo.

Montgomery olhou rapidamente para o homem com o rosto peludo, que movia os pés nervosamente.

— Deixe-nos — disse ele. E o homem obedeceu. Uma parte de mim relaxou ao ver aquela pessoa deformada desaparecer pela porta que levava ao outro quarto. Entretanto, percebi que eu estava sozinha com Montgomery, e totalmente desprevenida. Levei a mão até a minha trança, que se desfizera no meio da confusão, deixando meus cabelos soltos. “Diabos!”. Provavelmente eu devia estar parecendo uma idiota.

Ele terminou de abotoar sua camisa e colocou os suspensórios nos ombros, olhando-me com uma expressão hesitante enquanto amarrava seus cabelos loiros em um rabo de cavalo. Não era mais um garoto magro e reservado. Em seis anos, Montgomery se tornara um homem forte, com ombros dignos de um cavalo de carga e mãos que poderiam encobrir as minhas. Montgomery e eu passávamos muito tempo juntos quando éramos crianças, embora ele fosse um criado e eu, a filha do patrão. Nunca ficara sem palavras na presença dele.

Até agora.

— Lamento pelo clorofórmio — disse ele, finalmente.

Engoli em seco. — Uma maneira estranha de receber uma velha conhecida, não acha?

Ele parou enquanto abotoava o punho da camisa.

— Bem, você estava tentando invadir o nosso quarto. Balthazar se comporta de maneira irracional, às vezes. Mas ele não teve a intenção de lhe fazer mal.

Eu tirei os grampos que prendiam meus cabelos e passei os dedos por eles, esperando poder demonstrar algum resquício de sanidade. — Balthazar? Aquele animal tem um nome?

— Ele é meu sócio. Não se deixe assustar pela aparência dele.

A palavra “sócio” me fez hesitar. Montgomery não tinha nem 20 anos. Não tinha idade para ser sócio de alguém.

Ele se sentou em uma banqueta e apoiou os cotovelos sobre os joelhos, observando-me com a mesma seriedade que ele já tinha quando era um garoto. Percebi, com uma onda de rubor tomando-me o rosto, que ele tinha ficado extremamente atraente. Desviei o olhar rapidamente, antes que ele pudesse ver meus pensamentos refletidos no rosto.

— Não esperava encontrá-lo aqui — disse-lhe.

Algo parecido com um sorriso teimava em aparecer nos cantos da sua boca.

— Então foi uma coincidência você tentar invadir o meu quarto?

— Não — respondi, sentindo o rosto queimar. Não conseguia pronunciar direito as palavras. Eu ainda não conseguia compreender que ele estava realmente sentado naquele quarto, a um metro de distância, que havia crescido e se tornado um belo rapaz. Comecei a imaginar qual era a imagem que ele tinha de mim, e se eu também havia passado por tantas mudanças desde a época em que era uma menina carrancuda que ele costumava levar para passear pelo jardim, em um carrinho de mão, tentando fazê-la sorrir.

Minha bolsa estava sobre a cômoda, ao lado da gaiola do papagaio. Eu desamarrei os cordões e retirei o diagrama dobrado que estava entre as páginas da Bíblia. Entreguei o papel a ele, mas Montgomery simplesmente o olhou rapidamente, como se aquilo fosse o suficiente para saber do que se tratava.

— Você já viu esse diagrama antes — concluí.

— Sim — confirmou ele, com as feições sérias outra vez. — Pertence a mim, ou pelo menos já pertenceu. Eu o ganhei de um antigo colega do seu pai, mas foi roubado há duas semanas, com outros documentos. Foi por isso que Balthazar reagiu daquela maneira. Ele achou que você fosse uma ladra — disse, desdobrando o papel e levantando uma das pálpebras. — Estas manchas de sangue não estavam aqui.

Meu rosto corou. Como eu poderia explicar o que acontecera? Eu ainda sentia o peso do machado na minha mão, lembrava-me do olhar assustado nos rostos daqueles garotos. Assim como eles, Montgomery pensaria que eu havia enlouquecido. Ele estava ali naquele quarto, sentado, usando roupas elegantes, com um criado à sua disposição e vários baús com produtos caros ao seu redor. Obviamente, o escândalo não acabara com a vida dele. Montgomery tinha passado de criado a cavalheiro, enquanto eu passara pelo processo inverso. Eu devia estar com uma aparência patética. E os últimos resquícios de orgulho que tinha me impediam de deixar que Montgomery pensasse que eu não tinha dignidade.

Levantei-me.

— É melhor eu ir embora. Foi um erro vir até aqui.

— Espere, Juliet — disse Montgomery, segurando meu braço. Por um segundo, seus olhos correram pelo meu vestido e pelo meu rosto. Ele engoliu em seco. — Senhorita Moreau, eu deveria dizer. Não a vejo há seis anos e agora a encontro tentando arrombar a porta do meu quarto. — Percebi que um músculo em seu queixo estava tensionado. — Você me deve uma explicação.

Ele era nosso criado, eu disse a mim mesma. Eu não lhe devia nada. Mas aquilo era uma mentira. Montgomery e eu estávamos presos pelo nosso passado. Esse era o garoto que me ensinava biologia em segredo porque meu pai não o fazia. Aquele que me contava histórias e contos de fada tarde da noite para que eu não prestasse atenção aos gritos que vinham do laboratório.

Senti o desânimo tomar conta de mim, sem saber direito como deveria agir em sua presença. Seus olhos azuis brilhavam na luz mortiça que vinha da janela. Ele levou a bandeja com o chá até uma mesa lateral e me serviu uma xícara, acrescentando dois torrões de açúcar mais uma metade, quebrada com uma colher, e mexendo a bebida lentamente, da mesma maneira peculiar que eu preparava meu próprio chá quando era uma garotinha. Fiquei tocada de uma maneira tão estranha por ele ter se lembrado de que não contei que tinha parado de acrescentar açúcar ao chá havia muito tempo. Quando peguei a xícara, os dedos ásperos de Montgomery roçaram nos meus, e eu mordi meu lábio. Aquele breve toque foi o bastante para fazer com que a musculatura do meu coração se apertasse com o desejo de sentir a proximidade dele novamente.

Minha garganta parecia estrangulada, mas eu consegui forçar algumas palavras através dela. — Eu encontrei o diagrama e o reconheci. Pensei que talvez meu pai estivesse aqui. Vivo.

O som daquelas palavras fazia com que tudo parecesse ainda mais tolo. Preparei-me para ouvir as risadas de escárnio dele.

Mas ele não riu. Nem mesmo se abalou.

— Lamento decepcioná-la — disse ele, com a voz suave. — Apenas Balthazar e eu estamos aqui.

Tomei um gole do chá, que já havia esfriado, mas o sabor doce substituiu o ranço do clorofórmio. Perguntei a mim mesma o que Montgomery pensava a meu respeito, aparecendo ali em busca de um homem morto. A morte do meu pai nunca fora confirmada, apenas presumida. Creio que o mundo o queria morto, ou, simplesmente, esquecido.

Mas uma garota não poderia simplesmente se esquecer de seu pai.

— Você sabe o que aconteceu com ele? — perguntei. Queria perguntar se Montgomery acreditava nos rumores, entretanto não consegui pronunciar as palavras. Tinha medo da resposta que ele poderia me dar.

Ele olhou para a janela, batendo o pé ligeiramente contra a perna da mesa. Parecia não estar muito confortável em suas roupas engomadas, como se seu corpo não estivesse acostumado a elas. Percebi que um estudante de medicina rico não passaria tanto tempo ajustando os punhos engomados da sua camisa como Montgomery estava fazendo. Perguntei-me há quanto tempo ele conseguira sua fortuna.

Como se conseguisse ler meus pensamentos, ele afrouxou o colarinho da camisa. — No dia em que ele desapareceu, eu também fugi. Tive medo de ser acusado também por algumas vezes tê-lo ajudado no laboratório. Ouvi especulações de que ele... morreu.

A xícara de chá balançava na minha mão. Eu sentia que estava a ponto de me despedaçar com tantas emoções conflitantes. Comecei a imaginar se meu pai sentira-se da mesma maneira antes de morrer: despedaçado. A xícara de chá tremeu mais, e eu a deixei ao lado do papel com respingos de sangue.

— O que você pretendia fazer com isso? — Eu indiquei as linhas tracejadas que formavam o corpo aberto do coelho. Sabia que a imagem era detestável, mas meus olhos sempre voltavam a pousar sobre as linhas negras, seguindo obsessivamente o traçado dos arcos graciosos do corpo.

— Eu estudo medicina. Não sou mais um criado — declarou ele, enfatizando as palavras.

— Mas precisa chegar a isto? Vivisseção? — Era difícil falar sobre essas coisas com ele. O corpete que eu usava por baixo do vestido de missa repentinamente parecia estar apertado demais. Levei as mãos às laterais do meu corpo. Pensei naquele coelho, em suas patas que se agitavam em espasmos, em seus gritos. Nem mesmo a ciência poderia justificar o que aqueles garotos fizeram. E eu conhecia Montgomery a fundo. Ele não era como eles. Tinha um coração bom. Ele nunca faria algo que sabia não ser certo.

Seu pé começou a tamborilar de modo rápido, e seus olhos vagaram pelo quarto até pousarem no papagaio. Os músculos de seu pescoço se repuxaram.

— Estava em uma coleção de documentos, nada mais.

Ele sempre fora um péssimo mentiroso. Eu o estudei pelo canto dos olhos, intrigada. Seu olhar correu novamente para o papagaio sobre a cômoda. Eu me levantei e fui em direção à gaiola, querendo observar mais de perto as penas multicoloridas do pássaro, buscando algo que me distraísse de tudo o que estava acontecendo. Os olhos de Montgomery eram reais demais, evocativos demais, familiares demais. Eu não sabia como deveria me portar ou agir quando estava perto dele.

Entretanto, assim que estendi a mão para tocar a gaiola, Montgomery se levantou num sobressalto, derrubando o banquinho, e chegou até a cômoda antes que eu pudesse alcançá-la. Sua mão se fechou ao redor de um pequeno objeto prateado ao lado da gaiola do papagaio. Eu pisquei, desconcertada, surpresa pela ação dele.

— O que é isso? — perguntei, em voz baixa.

O punho dele estava fechado firmemente ao redor do objeto. Seu peito e seus braços estavam tensos. Ele sempre fora forte. Agora, estava poderoso.

A curiosidade me deixou mais ousada. Meus dedos se afastaram da gaiola do papagaio e pousaram a poucos milímetros do punho fechado de Montgomery. Eu queria tocar sua mão, sentir a pele dele roçar contra a minha, mas não consegui me forçar a fazer aquilo.

— Montgomery, o que é isso em sua mão?

O rosto dele estava transtornado por coisas que não tinham sido ditas.

— Senhorita Moreau... — O título parecia formal demais nos lábios dele. "Juliet". Era assim que eu queria que ele me chamasse.

Um leve tremor correu pelos meus dedos.

— Por favor. Diga-me.

Algo se transformou em seu rosto naquele momento. Ele parecia ter crescido, mas aquilo não passava de um engodo. Eu sei porque venho fazendo a mesma coisa durante vários anos. Mesmo assim, estar perto dele era o bastante para conseguir enxergar através daquela fachada e ficar indefesa e vulnerável, da mesma maneira que Montgomery demonstrava com sua expressão.

— Não se irrite, Senhorita Moreau — disse ele, quase sussurrando. Ele desviou os olhos, lentamente, e abriu os dedos. O objeto caiu na minha palma.

Era um relógio de bolso. Eu o examinei, virando-o de um lado para outro. Era de prata, com uma ranhura no vidro e uma inscrição gravada na parte de trás, que havia quase desaparecido. Não importava. Eu sabia as palavras de cor. "Honrarás teu pai e tua mãe." Diferentemente da minha mãe, que manteve sua devoção mesmo depois de se tornar amante de outro homem, meu pai tinha a fascinação cética de um cientista em relação à religião. O relógio fora um presente que ele ganhara de seu pai, um bispo da Igreja Anglicana. Meu pai não costumava dar muita atenção aos Dez Mandamentos, mas a inscrição era uma regra na qual ele acreditava e esperava que eu fizesse o mesmo.

Meu pai levava aquele relógio consigo todos os dias. Nunca o deixava para trás. O que significava que Montgomery o havia roubado, ou...

Montgomery fez com que meus dedos se fechassem ao redor do relógio e colocou suas mãos em volta da minha.

— Desculpe-me. Ele me fez jurar que nunca diria a você que está vivo.

Capítulo 5

Montgomery explicou que o relógio de bolso estava quebrado. Ele fora instruído a trazê-lo a um relojoeiro da cidade para que os reparos fossem feitos e depois levá-lo de volta para o meu pai junto com os suprimentos.

Mas eu não me importava com aquela explicação.

— Você mentiu para mim — disse eu.

Ele baixou a cabeça, evitando o meu olhar. — Eu disse que ouvi especulações sobre a morte do seu pai. Não é mentira.

— Ele estava vivo esse tempo todo, e você sabia — afirmei, desabando sobre a cama e fechando os olhos. Ver o relógio do meu pai serviu para que a muralha entre nós voltasse a se erguer, fazendo com que eu me lembrasse de que não era mais uma criança. Não podia me permitir relaxar, nem mesmo com Montgomery.

Ele se virou para a janela, torcendo a corrente do relógio.

— Ele pensou que, se o mundo imaginasse que ele estava morto, eles o deixariam em paz.

"Meu pai está vivo e não tentou me encontrar". A dolorosa percepção daquela traição abria e expunha as feridas que marcavam o meu coração. — Mas eu sou a filha dele.

Sua única resposta foi me servir um copo de conhaque e encher outro para si mesmo. Ele também voltara a agir como um adulto. Desabou na cadeira que estava em frente a uma escrivaninha.

— Eu ainda trabalho para ele, mas não sou mais um criado. Sou seu assistente agora. Ele não está aqui, caso queira saber. Ele se recusa a voltar para a Inglaterra. Moramos em uma estação de pesquisas biológicas, ou algo assim. Uma ilha — disse ele, engolindo o conhaque e estudando o copo vazio. — Fica muito longe daqui. Ele queria um lugar reservado para continuar seu trabalho sem ser incomodado. Eu viajo a cada dezoito meses para buscar suprimentos.

Eu deixei o copo sobre a mesa de cabeceira, sem tocar no conhaque.

— E o seu sócio? Todas as pessoas dessa ilha são como ele?

— Os ilhéus? — Montgomery se curvou sobre seu copo. Seu cabelo havia se soltado e agora lhe encobria o rosto. — Sim, são como ele. Não precisa ter medo. Ele é inofensivo.

Como se houvesse escutado a conversa, Balthazar entrou com outro bule de chá. Era um homem imenso, quase duas vezes maior do que eu, e com mãos que se pareciam com porretes. Ele deixou o bule sobre a mesa e retirou delicadamente a tampa do açucareiro. Montgomery agradeceu e o dispensou.

Novamente, ele preparou o meu chá com o mesmo ritual do açúcar que eu tinha na infância. O vapor da minha xícara se erguia como as palavras de um oráculo, formando uma névoa entre nós. Tomei um gole, esperando que o chá acalmasse meus nervos. Tentei me lembrar dele quando era criança. Era um garoto quieto e discreto, especialmente sobre o que se passava no laboratório. Mas minha mãe também era assim, bem como todos os outros criados... todos nós. Nenhum de nós queria falar sobre as poças de sangue no piso da sala de operação, dos animais que entravam e nunca saíam, ou dos barulhos que nos despertavam à noite. Meu pai dizia que era assim que a ciência funcionava e que eu não devia fazer perguntas. Montgomery, pelo menos, cuidava bem dos animais antes de serem levados ao laboratório.

Tomei outro gole de chá.

— Como você encontrou meu pai depois de tantos anos?

— Encontrar? Eu nunca saí de perto dele. A história sobre fugir... bem, não foi bem assim que as coisas aconteceram — disse ele, afastando as mechas de cabelo e colocando-as atrás da orelha. — Depois que os colegas do seu pai fizeram suas acusações, ele sabia que tinha que fugir. Ele imaginou que a Austrália poderia considerar seu trabalho de maneira mais positiva e me levou consigo. Encontramos uma ilha perto do litoral que era adequada ao que ele procurava. Eu não queria abandonar você ou sua mãe, mas não tive escolha. Eu tinha doze anos.

— E você ficou lá esse tempo todo? — perguntei. A xícara tremia em minhas mãos.

— Há muitas coisas de que você não sabe — disse ele. — Eu era só um menino.

— Bem, você não é mais um menino — esbravejei, embora soubesse que isso não era totalmente verdadeiro. Ele se vestia como um homem, mas parecia estar preso dentro de suas roupas, desconfortável demais. Ele estava somente fingindo ser um cavalheiro e não conseguia sequer fazer isso direito. — Você não precisa continuar a trabalhar para ele. Você pode voltar a Londres. Ele não pode voltar, pois será preso.

Montgomery pareceu sentir um calafrio, como se a ideia de voltar a Londres fosse similar a concordar com ser trancado em uma jaula. Percebi que ele não queria voltar. A cidade, com toda a sua mecanização, fuligem e regras sociais rígidas, havia afastado qualquer apelo que pudesse mantê-lo ali.

Mas ele não disse nada. Apenas agitou o queixo em direção ao relógio de pulso. Finalmente, falou: — Não é tão simples. Ele é como um pai para mim.

— Ele não é seu pai! — disse eu, fechando meus dedos nos apoios de braço da cadeira, repentinamente furiosa por meu pai ter me deixado para trás e se dedicado a um garoto que era o criado da família. — Não ficou sabendo? Ele é um louco!

O rosto dele se retraiu. — Ele também é o seu pai, Senhorita Moreau.

— Um pai abandonaria sua filha e sua esposa? Minha mãe morreu, e eu não recebi nenhuma notícia dele. Não nos deixou nenhum dinheiro. Estou a um passo de morar na rua. — As palavras transbordaram de dentro de mim antes que eu conseguisse contê-las. Estavam enterradas havia muito tempo.

— Eu lamento — disse ele, parecendo sentir a garganta apertar. — Gostaria que estes últimos anos tivessem sido melhores para vocês. Se eu estivesse aqui, talvez...

Talvez minha mãe não tivesse morrido? Talvez eu não estivesse vivendo nas raias da pobreza? Talvez... o quê? Os olhos dele estavam apontando para a parte interna do meu cotovelo, escondida pela manga do meu vestido. Pressionei meus dedos contra aquele lugar sensível, protegendo-o.

Ele indicou o ponto com um meneio de cabeça. — Você ainda aplica aquelas injeções em seu braço?

Eu recuei, agarrando meu braço como se a pele houvesse sido arrancada, deixando as veias expostas e vulneráveis. Montgomery sabia coisas a meu respeito que nem mesmo Lucy imaginava. Como a minha doença. Esfreguei a parte interna do cotovelo pensando nos frascos de vidro que estavam no fundo do meu armário na pensão. Os mesmos que eu guardava na caixa de madeira, os mesmos sobre os quais Annie vivia perguntando. Eles continham o tratamento — um extrato pancreático — que eu injetava no meu braço uma vez por dia. Se eu mantivesse uma rotina rígida de aplicações, dificilmente apresentaria sintomas. Nas poucas vezes em que deixava de tomar uma dose, sentia febre e fraqueza. Meus olhos começavam a me enganar, enxergando coisas que não estavam realmente ali. Às vezes, durante a noite, a fraqueza me sobrevinha. Só de pensar nisso um suor frio começou a escorrer pela minha testa.

Meu pai diagnosticou o problema quando eu era ainda um bebê. Uma deficiência de glicogênio tão rara que nem sequer tinha nome. Eu estaria morta se ele não descobrisse a cura. Agora, eu entraria em coma se passasse algumas semanas sem receber o tratamento.

Hesitei. Falar da minha doença fazia com que eu me sentisse exposta. Era apenas mais uma coisa que me ligava ao meu pai louco. Mas isso... Isso era novidade. Como Montgomery sabia tudo sobre a minha doença, pensar que eu não precisava esconder isso dele me fazia sentir algo ao mesmo tempo estranho e reconfortante.

Eu assenti com um movimento breve.

Ele se inclinou para a frente, demonstrando preocupação.

— E não teve mais nenhum sintoma? — perguntou Montgomery, estendendo um braço para tocar no meu pulso, porém me esquivei. Havia um limite naquilo que eu estava disposta a compartilhar, até mesmo com Montgomery.

— Eu estudo medicina — explicou ele. — Por favor, deixe-me ver.

Pensei no jogo que aqueles alunos de medicina criaram como desculpa para tocar cada osso no corpo de Lucy. Montgomery havia me dado lições sobre anatomia, mas nunca fizera nada como aquilo. Ele se sentiria tão desconfortável quanto eu me senti com aquele jogo estúpido. Cautelosamente, eu pousei a minha palma pálida sobre aquela mão bronzeada. Ele arregaçou minha manga e deslizou um dedo contra a pele sensível do meu braço, na altura da dobra do cotovelo. Prendi a respiração. Eu estava sozinha no quarto de um homem, deixando que ele tocasse meu corpo em lugares que não deveria nem mesmo ver. Mas não era um rapaz qualquer, era Montgomery. Seu toque fez com que a minha cabeça começasse a girar. Meu corpo já estava se inclinando para a frente, atraído para sua presença de maneira incontrolável, antes que meus pensamentos tivessem qualquer possibilidade de me impedir.

— Ótimo — murmurou ele. E eu voltei ao presente, sentindo o rosto corar fortemente. Seu dedo descansava sobre o meu braço, queimando minha pele. — Teve problemas para seguir com o tratamento?

Respirei fundo. — Não. Qualquer químico consegue produzir o meu remédio se eu lhe der as instruções e os reagentes. Apesar disso, eles me olham de um jeito estranho.

Ele assentiu. — Bem, estou feliz por você. Eu estava preocupado — disse ele, soltando lentamente meu braço. Voltei a puxar a manga para cobrir a pele, alisando a borda ao redor do pulso.

O silêncio era pesado.

— Quando você parte? — perguntei.

— Em breve — disse ele rapidamente, mas não parecia que aquilo aconteceria de imediato. Ele voltou a se recostar em sua cadeira. — Provavelmente depois de amanhã.

Engoli em seco, tentando esconder minha decepção. — De volta à ilha?

— Sim. Balthazar está fazendo os preparativos para a nossa viagem de volta. Não há muitos navios dispostos a transportar nossa carga.

— Sua carga? Estes baús?

— Isso é apenas uma parte. O resto é... bem, são suprimentos e equipamentos médicos.

Minha curiosidade aumentou. Instrumentos cirúrgicos? Amostras? Mas procurei afastar aquelas perguntas. Queria a verdade sobre o meu pai, não sobre sua ciência.

— Ele fala de mim? — perguntei, apressadamente. Tinha que perguntar aquilo antes que ele tomasse um navio e partisse para sempre.

Montgomery abriu um sorriso, uma fração de segundo mais tarde do que deveria. — Sim. É claro que fala.

Não retribuí o sorriso. Eu conhecia aquele sorriso, no qual um canto da boca estava um pouco mais repuxado que o outro, os músculos do queixo mais tensionados do que deveriam estar. Montgomery já me dera aquele sorriso outras vezes, quando o gato que tínhamos em casa fugira. Ele me garantira que todos os gatos sabiam encontrar caminhos que os levariam da cidade até a área rural, em direção a fazendas onde os camundongos eram tão gordos quanto pombos. Contudo o gato não tinha saído da cidade. Eu descobri, algum tempo depois, que meu pai o afogara por trazer pulgas à nossa casa.

Aquele sorriso significava que ele estava mentindo.

Levantei-me tão rápido que o bule de chá vibrou sobre a mesa. Afastei a cadeira, procurando pela minha bolsa. Percebi que não estava pronta para conhecer a verdade. E Montgomery... eu não sentia emoções tão intensas e confusas havia tanto tempo que a única coisa que conseguiria fazer agora era correr.

— Preciso ir. Tenho que trabalhar esta noite.

Ele se levantou, surpreso.

— Fique mais um pouco. Faz muito tempo...

— Foi muito bom ver você — disse eu, tropeçando, enquanto me dirigia até a porta. Havia me esquecido do horário. A Senhora Bell pediu que eu a ajudasse a limpar a sala de cirurgia antes de uma aula na segunda-feira de manhã. Ela ficaria furiosa se eu não aparecesse.

Balthazar enfiou a cabeça pelo vão da porta que levava ao outro quarto, me olhando com uma expressão estranha. O papagaio bicava a grade da sua gaiola.

— Desculpe-me por tentar invadir o seu quarto — falei.

— Senhorita Moreau, por favor. Espere.

Antes que ele pudesse terminar a frase, eu já estava fora do quarto. Corri pelas escadas, entrando no salão de jantar, onde a proprietária estava lavando o chão. Ela levantou os olhos, mas eu não parei até que estivesse na rua.

As ruas estavam vazias. Os sinos da igreja de St. Paul tocavam enquanto eu seguia pela Cannon Street. Minha cabeça estava tão confusa e obscurecida quanto a noite. Oito, nove, dez badaladas. Dez horas da noite. "Diabos!" A Senhora Bell iria me esfolar viva. Levantei a barra do vestido — minha melhor roupa para as missas de domingo, e que eu demoraria muito tempo para trocar pelo vestido de serviço — e corri pelos becos até chegar à pensão. Annie me olhou com uma expressão confusa quando abri a porta e peguei minha cesta de produtos de limpeza, mas eu não podia perder tempo com explicações.

Voltei a correr em meio à escuridão da noite, descendo pela Strand em direção ao King's College. A Senhora Bell e Mary provavelmente ainda estariam lá, bastante irritadas por eu estar atrasada. Tentei ignorar os outros pensamentos que ocupavam minha cabeça: meu pai estava vivo, mas não havia entrado em contato comigo. Montgomery tinha voltado a Londres, mas logo voltaria para perto do meu pai, e agora ele era o filho e eu, a criada.

Finalmente eu cheguei à entrada do prédio da escola de medicina e corri pelos degraus de granito, puxando a maçaneta da porta de entrada. Trancada. Deixei minha cesta no chão, peguei algumas pedrinhas que estavam na rua e as lancei contra as janelas altas do primeiro andar, rezando silenciosamente para que Mary conseguisse me ouvir. A Senhora Bell iria me dar uma bela bronca por estar atrasada, mas era melhor do que simplesmente não aparecer. Minha pontaria não era muito boa, especialmente porque minhas mãos estavam geladas, tremendo. Ainda assim, uma luz se acendeu em uma das janelas.

— Graças a Deus — disse eu, cobrindo meu nariz, que estava gelado. Peguei minha cesta de produtos de limpeza. Eu as ajudaria a terminar o trabalho e depois iria para casa, para minha cama quente, onde eu poderia enterrar meus pensamentos em uma colcha aveludada. Encontraria também uma maneira de mandar uma mensagem a Lucy, dizendo que meu pai ainda estava vivo. Ela saberia o que fazer.

A porta se abriu. Corri para dentro, mas parei quando vi o rosto iluminado pela luz de uma vela.

— Doutor Hastings — disse eu. Ele fechou a porta, deixando-nos em meio à escuridão, iluminado apenas pela chama da vela. Quando bateu a porta atrás de mim, o som ecoou pelo corredor vazio.

— Juliet. Já é muito tarde.

— Vim para ajudar a Senhora Bell — gaguejei, segurando a cesta firmemente contra o corpo. Os olhos do médico estavam fixos no meu vestido de domingo. Eu não estava usando casaco nem luvas. Provavelmente estava destoando daquela noite fria. Engoli em seco. — Vou procurá-la — declarei.

Comecei a caminhar pelo corredor, mas ele colocou uma mão sobre meu ombro. — Elas já foram embora; não faz nem dez minutos. — Seus dedos me apertaram com mais força. — Sou o único que está no prédio agora.

Meu estômago se revirou. — Então, suponho que não precise de mim. Lamento por incomodá-lo — disse eu, enquanto me virava para sair pela porta, porém ele me deteve.

— Você está com frio — afirmou ele, agarrando minhas mãos nuas. — Que menina tola você é, sem um casaco em uma noite fria como esta. Venha até o meu escritório. Estou com a lareira acesa.

— Obrigada. Mas preciso voltar para casa.

A pele do médico, seca e áspera como um pergaminho, deslizou pela minha palma, causando uma sensação muito diferente daquela deixada pelo toque de Montgomery. Tentei puxar minha mão, mas ele não permitiu. Agitei o braço, e isso só fez com que ele me segurasse com mais força. Ele sorriu. A raiva e o medo se espalharam pelo meu corpo como uma infecção.

— Ora, ora — disse ele, com um sorriso torto e desprezível. — Em que tipo de travessura você se meteu, saindo sozinha a esta hora da noite e usando seu melhor vestido? — continuou, passando a língua pelos lábios e com os olhos brilhando sob a luz da vela. — Você estava com um homem, não é? Estou sentindo o cheiro da colônia dele em você. Seria uma pena se a Senhora Bell soubesse disso, não é? Ela teria que dispensá-la do seu emprego, é claro. O King's College tem uma reputação a zelar.

A ameaça fez com que os pelos do meu braço se eriçassem. Meu corpo começou a tremer com uma raiva febril que exalava dos meus ossos, enroscava-se nas minhas veias e me impelia a atacá-lo. Minha mão se fechou com força ao redor da alça da cesta enquanto eu lutava para permanecer calma.

— Não é da sua conta se estive com alguém ou não. Se fosse um homem, pode ter certeza de que ele não seria um velho encarquilhado e careca.

Ele sorriu, irônico. — Um velho encarquilhado e careca, é isso que sou? Você é uma garota bonita, mas terá que moderar esse temperamento se quiser manter seu emprego. Agora, venha até o meu escritório e faça o que eu mandar. Vou lhe dar uma gorjeta depois.

Uma bile amarga, em um misto de medo e nojo, subiu pela minha garganta, mas meus lábios se fecharam prontamente. Eu tinha que sair dali rapidamente. Ele tinha o dobro do meu peso. Se eu tentasse correr, ele estaria sobre mim em um instante.

Os dedos longos do médico arrancaram a cesta da minha mão e a colocaram sobre a mesa ao lado da porta. Meus pensamentos estavam tão acelerados quanto minha pulsação, tentando encontrar uma solução. Ele tentou colocar um braço ao redor da minha cintura, e eu dei um passo para trás.

Os lábios dele se esticaram, formando uma linha fina. — Estou perdendo a paciência com esse seu joguinho. Você vai ser minha esta noite, e é melhor ser uma boa menina. Pode até mesmo ganhar alguma coisa com isso — disse ele. A cera escorria pela vela, quase esquecida em sua mão, pingando no chão. Eu teria que limpar aquela cera endurecida antes que a noite terminasse. Meu medo estava começando a ficar mais forte também. Meus olhos pousaram na lâmina da espátula que eu utilizava para raspar os restos de sangue das paredes, e todo tipo de ideia sobre o que eu poderia fazer com aquele objeto pontiagudo começou a encher minha cabeça. Eu provavelmente teria que limpar os respingos do sangue do Dr. Hastings também, a menos que ele me deixasse em paz.

— Você tem sorte por eu ainda me interessar por você, Juliet, mesmo depois das transgressões do seu pai. Não é todo homem que demonstraria esse tipo de gentileza.

"Gentileza". Um riso irônico ecoou na minha cabeça. A última coisa que o Dr. Hastings demonstrava era gentileza. Se ele soubesse a respeito de Montgomery, o homem com quem ele me acusava de ter passado o dia... Montgomery teria esmagado o nariz inchado do Dr. Hastings com um soco. Meus olhos voltaram a se fixar na cesta. A espátula estava ao meu alcance. Minha mão estava louca para agarrar aquela haste desgastada pelo tempo e pelo uso. Para fazer algo... algo pelo que eu poderia me arrepender.

O Dr. Hastings presumiu que meu silêncio significava que eu aceitaria o que ele quisesse fazer comigo. Senti que uma de suas mãos serpenteava pelo meu braço, seus dedos apertavam minha carne como se eu fosse uma fruta madura. "Corra", disse a mim mesma. Mas o que aconteceria na próxima vez? Ele iria retaliar. Viria me atacar com mais força.

Não poderia haver próxima vez.

— É bom que seu pai esteja morto — disse ele, com os dedos se fechando ao redor do meu ombro, esfregando o lugar onde a renda do decote tocava minha pele exposta. — Ele não gostaria de saber de todas as coisas vulgares que vou fazer com você.

Tentei me desvencilhar, mas ele me empurrou contra a mesa que estava ao lado da porta. Meu quadril se chocou com o canto da mesa, e a dor percorreu meu corpo. Gemi, e ele aproveitou a oportunidade para me prensar contra a mesa com o peso de seu corpo. Seus dedos ávidos encontraram a minha garganta e rasgaram o decote do meu vestido. Os botões arrancados caíram e se espalharam pelo chão.

Minha cesta de limpeza estava logo atrás de mim. Aqueles lábios finos exalavam um gemido asqueroso contra o meu colo. Embora meu corpo estivesse prensado contra o dele, minha mão direita estava livre. Uma voz miúda me avisava de que eu me arrependeria do que estava prestes a fazer, mas um rugido ecoava em minha cabeça. Meus dedos já haviam se fechado ao redor da espátula. Alguma espécie de loucura estava tomando conta de mim, afastando o medo e o terror. Antes que o Dr. Hastings percebesse o que estava acontecendo, eu estava pressionando a lâmina afiada da espátula contra a área sensível na base da sua palma, bem no local onde todos os tendões flexores se concentram.

O rosto dele se contorceu em fúria, e eu pressionei a lâmina com mais força, quase perfurando a pele. Eu não queria gostar do que estava fazendo, mas não conseguia me conter. A sensação que aquilo me causava era tão boa que minhas mãos tremiam com a promessa silenciosa da ação da lâmina.

— Não se mova, ou vou cortar todos os tendões da sua mão — sibilei. — Meu pai era cirurgião. Eu sei o quanto as funções motoras são importantes para você, doutor. Posso acabar com a sua carreira cortando meio centímetro da sua carne.

— Eu já disse que estou cansado desses joguinhos — rosnou ele. — Agora solte essa faca e termine de tirar o vestido.

— Não é uma faca. É uma ferramenta para limpeza, mas eu duvido que você saiba a diferença — retruquei, pressionando com mais força, quase sem conseguir me controlar. — E eu vou usá-la, a menos que você jure que nunca mais vai tocar em mim novamente — ameacei, apertando a lâmina contra a pele do médico, o suficiente para conseguir extrair uma fina e escura linha de sangue.

— Você é tão louca quanto o seu pai! — gritou ele, cuspindo um fio de saliva que me acertou no rosto. — Vou escorraçar você dessa cidade, assim como fizemos com ele.

Minha mão segurou o cabo da espátula com mais força. A fúria borbulhava em meus nervos, mandando impulsos elétricos pelas minhas sinapses.

"Para o inferno com tudo isso."

Enfiei a lâmina da espátula na pele pálida do Dr. Hastings até sentir a ponta do tendão flexor que se ligava ao indicador. Tudo que precisei fazer foi girar o meu pulso com a mesma força que eu usava para limpar as manchas de sangue nas paredes. E, por Deus, por mais que aquilo fosse algo errado e maligno, eu gostei do que fiz.

Ele gritou de dor e se jogou no chão, agarrando a própria mão. Deixei a espátula cair, percebendo o que havia feito, com um horror cada vez maior. Eu não precisaria mais daquela espátula. Não poderia mais trabalhar na faculdade.

Encontrei a maçaneta atrás de mim, girei-a e corri para a noite fria de novembro.

Capítulo 6

NA MANHÃ SEGUINTE, eu estava sentada na região de Victoria Gardens com uma velha bolsa de viagem e os sete xelins que representavam todas as minhas economias. A bolsa de viagem, um presente de despedida da Sra. Bell quando me demiti, provavelmente valia mais do que o seu conteúdo: alguns vestidos puídos, o *Compêndio de Referência Anatômica Longman* do meu pai, minha Bíblia e a caixa de madeira que continha a seringa e uma pequena quantidade do medicamento de que eu precisava. Apenas o anel de diamante que minha mãe deixara para mim era valioso. Tirei minha luva para vê-lo reluzir. Eu teria que vendê-lo. Mesmo assim, só conseguiria o bastante para custear um lugar para morar durante algumas semanas. Além disso, ficar em Londres não era mais uma opção.

— Ah, Juliet, eu lamento tanto — disse Lucy, correndo pelo gramado e desabando no banco onde eu estava sentada, jogando seus braços ao meu redor. — É verdade o que estão dizendo?

Eu assenti.

Ela balançou a cabeça.

— Tenho certeza de que ele merecia algo bem pior — disse ela, com a raiva transbordando em sua voz. — Ele tem sorte por você não ter cortado aquela outra coisa.

Abri um sorriso fraco. Mas nem mesmo a amizade com Lucy poderia me tirar dessa enrascada, e nós duas sabíamos disso. O Dr. Hastings foi direto à polícia com a pretensão de fazer com que me prendessem. A Sra. Bell apareceu na pensão onde eu morava uma hora antes do amanhecer, batendo na porta com tanta força que até Annie acordou. Ela me empurrou a bolsa de viagem, junto com o salário daquela semana, e disse que eu deveria sair da cidade antes que a polícia viesse me procurar.

Um homem cheirando a uísque passou perto do banco onde estávamos, e eu segurei a bolsa contra o corpo com mais força. Tinha uma sensação de vazio no peito. Como eu conseguiria partir? Não tinha dinheiro para tomar o trem, e a minha reputação certamente me seguiria. Eu nunca mais conseguiria encontrar emprego como faxineira.

— O que você pretende fazer? — perguntou Lucy.

Meus dedos se agitavam ao redor da alça de couro da bolsa. — Vou ter que ficar em um albergue. É isso ou... — não precisei terminar a frase. Lembrei-me da garota do lado de fora da Hospedaria Blue Boar, com os olhos vazios e o vestido de seda manchado.

Lucy colocou algumas moedas na minha mão. — Peguei estas da escrivaninha do meu pai. Servirão para levá-la até Bedford. Deve haver algo que você possa fazer. Trabalhar em uma loja, talvez.

Contei as moedas. Era o bastante para o trem, mas não para alugar um quarto em uma pensão. Eu teria que passar a noite na estação e, daquele ponto em diante, seria um pequeno passo — um que, frequentemente, a pessoa era forçada a dar — em direção à sarjeta. Será que minha mãe havia passado pelo mesmo dilema? Ela fez o que fez devido ao desespero e, pelo menos, foi o bastante para nos vestir e alimentar. Meu pai nos abandonara sem nenhuma mensagem, sem se despedir, sem nada. Ele era realmente o tipo de homem que simplesmente daria as costas à sua família? Seria realmente o monstro que todos o acusavam de ser?

Na verdade, eu não sabia quase nada sobre ele. O que eu sabia vinha de uma memória vaga e de uma sequência de rumores escandalosos. Mas ele estava vivo. Em algum lugar do outro lado do oceano. Vivendo. Respirando. Pela primeira vez na minha vida, eu poderia simplesmente perguntar a ele se os rumores que ouvira a seu respeito eram verdadeiros.

Lucy estava observando o parque. Sua mãe nos avistara e estava atravessando o gramado para vir até onde estávamos. Senti um frio na barriga. Se a Sra. Radcliffe já não gostava de mim antes, ela provavelmente me detestava agora.

Lucy se levantou de sobressalto, com o rosto repentinamente muito pálido. Ela pressionou seu rosto contra o meu com força. — Escreva para mim, por favor — pediu. Estava sem fôlego. — Diga-me para onde você foi. Vou tentar lhe enviar algum dinheiro. Vou tentar visitá-la, onde quer que você esteja.

A Sra. Radcliffe estava tão perto que eu podia ver os músculos tensos ao redor do seu queixo quando me desvencilhei de Lucy. — Vá embora. Agora. Eu lhe escreverei, prometo.

Lucy atravessou o gramado correndo para interpelar sua mãe. Eu agarrei a bolsa de viagem e corri na direção oposta, arrastando o seu peso ao longo da margem do Tâmisa. A mãe de Lucy disse alguma coisa ofensiva, porém eu engoli em seco e não olhei para trás.

Continuei caminhando, passando pela ponte e por Temple Bar, onde ficava o antigo arco de pedra. Atravessei a Cable Street para chegar à avenida principal, até uma hospedaria com uma placa que balançava acima da porta. Abri a porta e entrei no recinto, passando pelo salão de jantar que estava cheio, e fui até o segundo andar. Bati na porta. Em seguida, eu a soquei com força. O espelho ao lado da porta refletia o meu desespero.

Eu devia ter falado a Lucy que ela não poderia vir me visitar. Que não poderia vir ao lugar para onde eu estava indo. Ficava um pouco além de Bedford.

Montgomery abriu a porta, claramente surpreso. — Senhorita Moreau. O que está fazendo aqui?

A bolsa de viagem caiu no chão em frente aos pés dele. Meu coração estava disparado.

— Vou viajar com você.

No dia seguinte, bem cedo, nossa carruagem rumou para o sul da cidade, em direção a Isle of Dogs. Afastei o tecido fino da cortina. Do lado de fora, o casco imenso de um cargueiro a vapor se projetava em direção ao céu, erguendo-se ao lado da frota de barcaças, que se amontoavam ao redor das docas. Por toda parte havia homens movendo-se como num enxame de insetos, anunciando serviços ou carregando baús com o dobro de seu tamanho.

Ao meu lado, Montgomery comparava um punhado de notas com os valores em um pequeno livro-caixa, apagando e recalculando somas com uma expressão séria no rosto. Perguntei a mim mesma se ele estaria me considerando um fardo.

Ele levantou os olhos, como se pressentisse a minha pergunta. A carruagem deu um solavanco para a frente, e o livro-caixa escorregou de seu colo, caindo no piso. Nós dois nos inclinamos para pegá-lo e nossas mãos roçaram uma na outra. Eu voltei a me recostar no assento.

— Não é tarde demais para você mudar de ideia — disse ele.

Balancei a cabeça negativamente e me concentrei nos navios que estavam no porto. Havia tomado minha decisão. Discutimos durante toda a noite e também no dia seguinte desde que eu aparecera em sua porta. A princípio, ele recusou terminantemente o meu pedido. Disse que a viagem seria longa, a tripulação do navio era formada por homens brutos, e que a ilha não era um lugar adequado para uma dama. Eu disse a ele que tinha certeza de que não era uma dama, graças ao abandono por parte do meu pai, e que, se eu não fosse à ilha, com certeza acabaria vivendo nas ruas. Ou pior, na prisão. Não contei a Montgomery sobre meu outro motivo, aquele que doía fundo no meu peito e que batia junto com o meu coração: o mundo inteiro pensava que meu pai era um vilão. Eu o conhecia como um homem magro que usava um terno de *tweed*, e que me colocava sentada sobre seus ombros durante os desfiles da Guarda Real. Precisava saber que tipo de homem meu pai era — o monstro ou o gênio incompreendido.

No final, Montgomery concordou somente quando eu o arrastei até a janela e lhe apontei a prostituta que tinha a minha idade. Ele não disse nada sobre como meu pai me receberia na ilha, e eu não o pressionei.

— Nosso navio é parecido com algum daqueles? — perguntei, indicando os magníficos veleiros de quatro mastros que estavam atracados no porto.

Montgomery mal olhou para os veleiros antes de abrir um leve sorriso. — Receio que não.

— É um navio mais antigo?

— Provavelmente. Os navios mais respeitáveis se recusam a nos levar. Eles não gostam da aparência de Balthazar. Nem do nosso destino.

Do lado de fora da carruagem, a aparência relativamente ordeira de Union Docks ficava para trás conforme prosseguíamos em direção a uma parte mais erma do ancoradouro. Eu cobri o nariz para tentar afastar o cheiro de peixe podre. Naquele lugar, as docas estavam cheias de peças enferrujadas e redes rompidas. Não havia mulheres. Até mesmo as prostitutas preferiam ficar na parte mais bem frequentada do cais.

Quando fizemos uma curva, Montgomery apontou para um enorme veleiro de dois mastros atracado, sozinho, em Isle of Dogs. — Lá está — disse ele. — Viajaremos no Curitiba.

Franzi o cenho. O navio parecia velho e negligenciado demais para navegar até o meio do oceano Pacífico.

O condutor fez a carruagem parar, e nós lhe pagamos com algumas moedas. Ele parecia estar contente em nos deixar para trás.

— Lá está Balthazar — disse eu, cobrindo a testa com a mão para proteger os olhos do sol. Estava sentado sobre um baú de madeira, e o tamanho de Balthazar fazia o objeto parecer uma arca de brinquedo. Um grupo de marinheiros sujos olhava ocasionalmente na direção dele com expressão desconfiada, enquanto se ocupava com o resto da carga. Por mais rudes e embrutecidos que parecessem, até mesmo aqueles homens evitavam chegar muito perto de Balthazar. Um homem esquelético, com a barba desgrenhada, vestindo um casaco preto mofado que parecia ter sido roubado de algum defunto, cambaleava enquanto descia do convés para o atracadouro. Ele ficou imóvel ao perceber Balthazar. Em seguida, deu meia-volta e se afastou.

— Aquela é a nossa tripulação? — perguntei, hesitante, a Montgomery.

— Receio que seja.

— Eles parecem um bando de rufiões. É bom saber que Balthazar poderia quebrar algumas cabeças se eles tentassem fazer alguma coisa — disse eu, observando Balthazar erguer o baú para levá-lo para o navio.

— Ele não é do tipo que gosta de brigar. Por sorte, os marinheiros não sabem disso — respondeu. Pelos contornos rígidos dos músculos debaixo de sua camisa, eu percebi que Montgomery também poderia quebrar a cabeça daqueles marinheiros se eles tentassem alguma coisa. Ele não era mais o garotinho gentil que capturava os ratos na cozinha e os levava para fora da casa, para salvá-los dos dentes afiados do gato.

Ele pegou minha bolsa de viagem. — Vamos lá. Mesmo que não seja uma dama, vou trancá-la em sua cabine. Não confio nessa cambada.

Eu o segui de perto. Senti um pouco de tontura enquanto subimos a rampa que levava ao convés. Era uma caminhada curta, mas assustadora. O balanço estranho do navio sobre a água fez com que minhas pernas estremecessem. Havia um punhado de homens no convés, e eu hesitava em chamá-los de marinheiros. Piratas poderia ser uma palavra mais adequada. Montgomery me puxou para tirar-me do caminho de dois homens que carregavam um baú.

— Você vai se acostumar ao balanço do mar dentro de alguns dias — disse ele, conduzindo-me em direção ao convés das cabines. Minha cabeça girava com toda a autoconfiança que ele demonstrava. Ele se portava de maneira tão segura de si quanto qualquer um dos marinheiros, embora fosse muito mais jovem do que a maioria deles.

Um latido monstruoso rasgou o ar, e eu quase saltei para os braços de Montgomery. Havia duas jaulas no convés guardando três mastins que rosnavam e um cão pastor malhado que mal levantava a cabeça, com um fio de saliva a lhe escorrer pela boca.

— Quietos! — gritou Montgomery para os cães, e depois se virou para me encarar. — Fique aqui. Vou procurar o capitão — disse ele, dando a volta ao redor da carga e se dirigindo para a parte de trás do navio.

Os cães pararam de latir quando ele deu a ordem. Fiquei surpresa ao perceber que havia mais jaulas além daquelas. Uma pantera, com seu pelo negro manchado pela sujeira, deslizava as patas pelas orelhas e sibilava por entre as barras da jaula. Ao lado dela havia um pequeno bicho-preguiça que abria um olho sonolento e logo depois voltava a fechá-lo. E outros animais. Um macaco. Coelhos. Até mesmo uma capivara — um roedor enorme, sobre o qual eu apenas lera a respeito.

Cheguei mais perto, deslizando meus dedos contra a jaula do macaco, sentindo-me incrédula e inquieta ao mesmo tempo. Percebi um movimento, pelo canto do olho, quando a cabeça de Balthazar apareceu pelo alçapão que levava ao convés inferior. Ele veio correndo na minha direção.

— Fique longe das jaulas, senhorita — disse ele, com seu inglês grosseiro. — Não é seguro.

Uma lona havia se desprendido da jaula do bicho-preguiça, e Balthazar a recolocou no lugar com bastante cuidado.

— Ele não gosta do sol — explicou, dando palmadinhas gentis na jaula.

— Estamos levando esses animais para o meu pai, não é? — perguntei. Minha inquietação aumentou. — Para as suas pesquisas.

Balthazar coçou uma orelha. Contraiu os músculos da boca. Não respondeu.

Eu disse a mim mesma que havia muitas razões legítimas pelas quais um cientista poderia querer ter espécimes vivos. Não significava, necessariamente, que os animais seriam usados para vivisseção. Percebi que Montgomery estava voltando para perto de mim, mas não consegui perguntar isso a ele. Eu não tinha certeza de que estava preparada para saber que tipo de limites meu pai poderia ter cruzado do outro lado daquele mar calmo e escuro.

— Venha conhecer o capitão — chamou Montgomery, pedindo que eu fosse em direção à popa, onde o homem de barba desgrenhada nos esperava em frente ao compartimento de carga. Ele parecia cambalear um pouco. O fedor enjoativo de álcool parecia cercá-lo como o *fog* amarelado de Londres.

Prossegui, subindo por entre as jaulas e a carga, com passos hesitantes devido ao balanço do navio.

Montgomery tomou a minha mão para me ajudar a passar por um rolo de cordas. — Senhorita Moreau, este é o Capitão Claggan. Ele vai nos mostrar nossos aposentos.

O capitão me encarou. Era míope, ou então estava me analisando cuidadosamente. — Malditos animais selvagens — resmungou o capitão. — Maldita garota. Isso traz má sorte, estou lhe dizendo. Se você não tivesse feito o pagamento adiantado... — Ele virou a cabeça para o lado e deu uma cusparada. Em seguida, conduziu-nos por uma escada íngreme até um corredor com teto baixo e mais escuro do que um caixão. — As cabines da tripulação ficam ao fundo. A minha cabine é aquela ali, logo abaixo do convés principal. Abaixo de nós está o compartimento de carga — disse ele, batendo com o pé num alçapão.

Ele parou em frente a uma porta fechada e mexeu no ferrolho, depois atirou-se com o ombro contra ela após soltar um xingamento. A porta se abriu, revelando um quarto minúsculo, com uma cama pequena e uma escrivaninha. Era tão apertado que eu conseguia sentir o calor do corpo de Montgomery.

— Vocês três vão dormir juntos aqui, hein? — disse o capitão, com um olhar malicioso. Senti o sangue me corar as bochechas.

— Meu criado e eu dormiremos no convés, se o tempo ficar firme — respondeu Montgomery, com um toque de rubor em seu rosto também. Um rapaz e uma moça solteiros compartilhando o mesmo quarto significava apenas uma coisa para os marinheiros.

O capitão deu um sorriso torto e se afastou.

Montgomery colocou as malas sobre a cama. — Provavelmente teremos trânsito livre pelo navio, com exceção das cabines da tripulação e do compartimento de carga do contramestre. Mesmo assim, prefiro que você fique aqui dentro. É mais seguro. Ouvi rumores de que alguns passageiros que viajavam com o Capitão Claggan acabaram desaparecendo — disse ele. Montgomery hesitou, e eu imaginei que ele tentaria mais uma vez me convencer a não viajar. Era estranho demais vê-lo desse jeito, quase um adulto e muito mais habilidoso do que sua idade poderia denunciar. Provavelmente não chegou a ter infância. Toda aquela força talvez escondesse algum tipo de vulnerabilidade. Mesmo assim, ele passou por mim e foi em direção à porta antes que eu pudesse concluir meus pensamentos. — Voltarei assim que deixarmos o porto.

Fechei a porta atrás dele. Meu estômago estava se revirando. Desabei na cama. Quando acordei, já estávamos no mar.

Capítulo 7

Montgomery tinha razão — levou algum tempo até que eu me acostumasse ao movimento do navio. Durante os primeiros dias eu mal conseguia me sentar na cama. Montgomery prendeu um lampião à escrivaninha e deixou um balde ao lado da cama, embora tenha percebido rapidamente que deveria prendê-lo também. Balthazar me trazia comida, mas eu não conseguia engolir aquela carne-seca, dura como pedra, ou os legumes enlatados de textura pegajosa, até que Montgomery trouxe uma lata de biscoitos Worthington do estoque que havia comprado para o meu pai. Era a única coisa que eu conseguia manter no estômago além da água, e a própria água acabou ficando rançosa depois de duas semanas. Dali em diante, passei a tomar cerveja amarga.

Depois de passar mais de um mês naquela cabine escura e apertada, comecei a subir ao convés uma vez por dia para tomar ar fresco e ver a luz do sol, mas o cheiro de terebintina e urina geralmente me mandava de volta antes que os marinheiros começassem a me olhar. Montgomery descia até a cabine, às vezes, mas a tripulação do navio não era muito numerosa, e o capitão o mantinha ocupado no convés, juntamente com Balthazar. O fato de que ambos eram passageiros que pagaram em dinheiro por suas passagens não parecia importar. Montgomery fazia o trabalho sem reclamar. Os cães latiam incessantemente. Pensei que havia me acostumado ao balanço do navio, e até mesmo cheguei a acreditar que chegaríamos à ilha sem qualquer incidente. Até que a tempestade nos atingiu.

As ondas jogavam o navio de um lado para outro, fazendo com que fosse impossível dormir. A cada guinada do navio eu me agarrava às laterais da cama para não cair, e meu estômago parecia virar de cabeça para baixo. Eu mal podia imaginar o que estava acontecendo no convés, acima da minha cabeça. Os animais provavelmente estavam enlouquecendo, ou então estariam aterrorizados e encolhidos nos cantos das suas jaulas. Não era muito diferente do que eu estava sentindo.

Alguém bateu com força na porta. Andei com passos hesitantes em meio ao quarto escuro para abrir a porta para Montgomery e Balthazar, que estavam encharcados. Acendi um fósforo para levar ao lampião, mas o navio fez um movimento brusco. A chama apagou antes que o lampião fosse aceso. Montgomery trancou a porta para evitar que a água invadisse a cabine. Em seguida, tirou sua camisa, xingando e tremendo de frio.

Conforme as semanas avançaram, eu passava mais tempo no convés, e não era raro que os marinheiros trabalhassem sem camisa. No entanto, eu não tinha olhos para qualquer um daqueles homens. Apenas para Montgomery. Era difícil impedir que meus olhos se fixassem em seu peito nu.

Ele torceu sua camisa e a pendurou no encosto da cadeira para secá-la. — O vento está forte — disse ele. — O capitão ordenou que todos ficassem fora do convés, exceto um punhado de marinheiros. Maldito bêbado. Perdemos um dos baús por cima da amurada antes que ele pensasse em mandar prendê-los ao convés.

Desabei na cama e coloquei um cobertor ao redor da camisola que eu usava. Não chegava a cobrir meus tornozelos, e eu prontamente os escondi. Montgomery poderia estar acostumado a exibir algumas partes do seu corpo, mas eu não estava.

Balthazar sentou-se no chão e apoiou a cabeça contra a parede. Não parecia se importar por estar encharcado. Sua calça e a camisa branca agora tinham o mesmo tom sujo e cinzento.

Montgomery puxou a cadeira da escrivaninha. Sua pele brilhou sob a luz do lampião. Na primeira vez em que o vi em Londres, percebi que sua pele estava bronzeada demais para um cavalheiro no inverno. Agora ele já não se parecia tanto com um cavalheiro. Ombros queimados de sol. Flocos de sal presos à barra da calça. Cabelo embaraçado e deixado solto. E uma expressão dura em seus belos olhos azuis. Não me espantava ele não querer permanecer em Londres; ele era tão selvagem quanto os animais enjaulados.

Ficamos sentados em silêncio, escutando, enquanto a tempestade castigava o navio. Lembrei-me de uma velha canção que Lucy costumava cantar sobre um pescador perdido em meio a uma tempestade que voltava como um fantasma para a sua amada. Não percebi que estava murmurando aquela música até que Montgomery se recostou na cadeira e fechou os olhos.

— É bonita — disse ele.

— É somente uma velha canção.

— Bem, não pare. Por favor.

Mas eu estava constrangida demais para continuar. Montgomery brincava com o regulador do lampião, fazendo com que a chama aumentasse até ficar enorme e, então, voltava a ser apenas um pequeno facho de luz. Quando éramos crianças eu sabia dizer o que ele estava pensando, mesmo sem palavras. Agora os pensamentos dele eram um mistério para mim.

— Você ainda toca piano? — perguntou ele, após algum tempo.

Aquilo me pegou de surpresa.

— Já faz alguns anos que fiz isso pela última vez.

— Temos um piano na ilha. Provavelmente está desafinado. Nunca tive talento para a música como você.

Senti meu rosto ser tomado por uma onda de calor ao perceber que ele se lembrava de quando eu tocava piano.

— Como você conseguiu levar um piano até essa ilha?

— Não foi fácil. Eu não tinha a menor ideia do que estava fazendo, mas não diria isso aos mercadores. Já havia lascado três teclas e quebrado uma perna quando chegamos à ilha — disse ele, e meu rosto ficou vermelho quando percebi que estava olhando fixamente para os meus tornozelos desnudos, que haviam saído de debaixo do cobertor. Eu os coloquei de volta sob o meu corpo.

— Ah, a perna a que me referi era a do piano, preciso dizer — comentou ele discretamente, pigarreando. — Lamento. Faz muito tempo desde que estive na presença de uma dama.

Eu sorri. Havia uma época em que a palavra "perna" não era mencionada em uma conversa educada, nem mesmo quando era usada para se referir a objetos inanimados. Minha mãe tentara treinar Montgomery para seguir as regras de etiqueta e, aparentemente, alguns dos ensinamentos dela ainda permaneciam.

— Você passou muito tempo longe de Londres — falei. — Nos dias de hoje ninguém mais fica escandalizado quando alguém menciona uma perna. — O calor que eu sentia no pescoço estava aumentando. — Além disso, você se esquece de que eu não sou mais uma dama.

— Não diga bobagens, Jul... ah, Senhorita Moreau.

— Se ainda não percebeu, Senhor James, estou sozinha e usando apenas uma camisola na presença de dois homens, após ter sido jogada nas ruas — respondi, deslizando as pontas dos meus dedos pelos lábios ressecados. Minhas unhas estavam tão descuidadas e lascadas que Lucy provavelmente diria que eram garras. — O que mais ele lhe mandou trazer?

Montgomery riu, num som parecido com um latido. — Quatro caixotes de balas de caramelo. A coleção completa das obras de Shakespeare, a mesma edição que estava em sua biblioteca, em Belgrave Square. Lembra-se desses volumes? Tive uma dificuldade infernal para conseguir encontrá-los. E, certa vez, ele pediu uma banheira de cobre. Ela caiu da caixa onde estava embalada quando a estávamos carregando para o navio e acabou afundando.

— Coisas muito peculiares.

— Sim. Bem, ele pode ser bastante peculiar às vezes — disse, repuxando os músculos do queixo. — Tenho certeza de que você se lembra.

Puxei o cobertor com mais força sobre os ombros. Pedidos e vontades peculiares não eram o bastante para rotular alguém de louco.

Aquilo não era o bastante.

— Montgomery, o que você... — hesitei. As palavras eram um experimento, e elas saíram recalcitrantes, sem que as frases estivessem completamente formadas. — Sobre as acusações... — Minha garganta se fechou. Senti que ele me encarava com um olhar intenso, mas não consegui formular a pergunta. Se eu ainda tivesse 10 anos de idade, não hesitaria. Mas agora havia vários anos entre nós.

— São apenas vocês dois que vivem na ilha? — perguntei rapidamente, mudando de assunto.

— Nós dois e os ilhéus — disse ele. Balthazar se agitou no canto do quarto. Eu havia quase me esquecido de que ele estava lá. Ele tinha certo talento para se esconder nas sombras.

— Não se sentem solitários?

— O doutor... bem, ele não se importa. Às vezes eu chego mesmo a achar que a minha companhia é demais para ele. E ele certamente não suporta muito bem a presença deles — disse Montgomery, com um rápido olhar para Balthazar, fazendo com que eu começasse a imaginar quem, exatamente, seriam "eles". — As coisas serão diferentes quando você estiver lá. Às vezes ele fica tão distraído que se esquece de que os anos estão se passando — comentou, diminuindo a intensidade da chama do lampião até restar apenas a mais suave das luminosidades. — Não vamos demorar a chegar. Mais uma semana ou duas.

Hesitei. — Você acha que ele vai gostar de saber que eu estou na ilha?

Montgomery afastou seu cabelo com a mão.

— É claro que ele vai gostar — disse, com um leve sorriso que repuxava um dos cantos da sua boca, o mesmo sorriso que, como eu me lembrava, indicava que ele estava mentindo. Puxei ainda mais o cobertor para me proteger. O calcanhar da bota de Montgomery batia nervosamente contra o piso, como se ele soubesse que não era um bom mentiroso. — Não sei dizer como ele receberá a notícia a princípio. Ele pode ser imprevisível, mas, depois de algum tempo, ficará feliz com a sua presença — continuou, inclinando-se para a frente, com os olhos azuis ardendo. A bota batia mais rapidamente contra o chão. — Eu estou feliz por você ter vindo.

Aquelas palavras fizeram cada milímetro da minha pele ferver, e eu quase soltei o cobertor com a surpresa. Eu sempre o idolatrara, mas, na época, era apenas uma garotinha. A atração que sentia por ele parecia uma tolice agora que eu sabia como o mundo funcionava. Criados não se casavam com suas patroas quando se tornavam adultos. Em vez disso, mulheres perdiam seu dinheiro e seus privilégios e eram forçadas a se vender nas ruas. E os homens podiam ser cruéis, especialmente homens como o Dr. Hastings. Por mais que eu acreditasse em Montgomery, o conto de fadas já havia desaparecido.

Dei uma rápida olhada em sua direção. Tentei imaginar como fora sua vida, sozinho em uma ilha remota e tendo apenas meu pai e os nativos como companhia. Talvez sua vontade de sentir a conexão que tivéramos no passado, de voltar àquele conto de fadas, fosse tão forte quanto a minha. Senti que me aproximava dele aos poucos enquanto o cobertor se soltava dos meus dedos.

O navio deu um solavanco, e meu corpo foi lançado para trás. Bati a cabeça contra a parede. Montgomery também foi jogado de sua cadeira e teria caído em cima de mim se não fossem seus instintos rápidos, que o levaram a se apoiar contra a parede. Agarrei-me a seus braços como se eu estivesse caindo, mas não estávamos indo a qualquer lugar. Meus dedos se prenderam a ele com força. Ele estava a um dedo de distância de mim. Aproximando-se. Perto o bastante para que eu sentisse seus cabelos soltos tocando meu rosto, sentisse o calor da sua pele queimada pelo sol. Se não fosse pelo tecido fino da minha camisola, nossas peles estariam se tocando, seus músculos rijos contra meus braços macios. Minhas unhas maltratadas se prenderam ao redor dos bíceps dele. Seus lábios se entreabriram. Ele inspirou o ar bruscamente. Estar tão perto de um homem seminu — Montgomery! — tirou todo o meu fôlego.

Ele gemeu. Percebi que eu o estava machucando.

Soltei-o. O sangue e a razão voltaram a fluir em minha cabeça. Não tive a intenção de agarrá-lo. Foi o instinto que me fez fazer aquilo. E agora ele iria pensar... o que ele pensaria a respeito?

O navio se endireitou e Montgomery se sentou, com os lábios ainda entreabertos. Uma linha de semicírculos vermelhos marcava seus braços no lugar onde minhas unhas se cravaram em sua pele. Seus olhos estavam arregalados.

— Maldita tempestade — disse ele, um pouco desajeitado. Sua respiração estava tão acelerada quanto a minha. — Como está a sua cabeça?

Eu toquei a parte de trás da minha cabeça distraidamente, ainda atordoada por estar tão perto dele.

— Foi só uma pancada.

Ele voltou a vestir a camisa úmida, escondendo as marcas das minhas unhas. Um rubor rosado se espalhou pelo seu pescoço.

— É melhor eu dar uma olhada nos animais — disse ele, repentinamente incapaz de me olhar nos olhos. — Tente dormir, se puder.

Montgomery desapareceu pela escotilha que levava às cabines superiores, deixando-me sozinha com Balthazar. O grandalhão olhava para o nada e, em seguida, estremeceu, respingando água do mar por toda parte, como se fosse um cachorro. Ele cheirava a lã molhada e terebintina. Duvido que meu próprio cheiro estivesse muito melhor.

Percebi que não sabia quase nada sobre aquele homem que acompanhava Montgomery como se fosse uma sombra. Era impossível não se sentir intimidado pelo seu tamanho e sua aparência, embora ele tratasse os animais de maneira tão gentil.

— Você é um nativo da ilha, não é? — perguntei. Ele pareceu surpreso por eu me dirigir a ele e continuou em silêncio durante o próximo solavanco do navio.

— Sim, senhorita — resmungou após algum tempo.

— Você conhece o meu pai então? Henri Moreau?

Balthazar ergueu os joelhos até o peito. Seus olhos se moviam nervosamente.

— Deverás obedecer ao Criador — disse ele.

— Criador? Está falando sobre Deus?

— Não rastejarás na terra. Não vagarás na escuridão da noite. — Ele balançava lentamente para a frente e para trás.

Eu o observei cuidadosamente, estranhando aquela reação. Suas palavras se pareciam com os mandamentos bíblicos, mas eu nunca ouvira nenhum como aquele. — Do que você está falando, Balthazar?

— Não matarás outros homens — disse ele, balançando-se mais rápido. O navio se inclinou violentamente, e eu me agarrei à parede. Balthazar não parecia mais perceber a tempestade. Ele embalava a si mesmo de modo mais rápido, com os olhos vidrados.

— Quem lhe disse essas coisas? Meu pai? — perguntei. Aquelas frases tinham o toque da influência de comando do meu pai. — Pare de dizer essas coisas — ordenei. — Por favor. Acalme-se.

Meus pensamentos estavam agitados. Por acaso os nativos viam meu pai como uma espécie de governante supremo? Meu pai sempre desprezara a religião, e, dessa forma, eu não poderia imaginá-lo permitindo aquela cantilena ridícula. Queria fazer mais perguntas a Balthazar, porém ele se levantou de um salto e saiu rapidamente do quarto sem dizer mais nenhuma palavra.

A tempestade durou a noite inteira, extinguindo-se apenas na manhã seguinte. Quando o Curitiba voltou ao seu balanço normal, eu subi até o convés para respirar ar fresco e sentir a luz morna do sol. O mastro principal havia se partido com o peso da vela de lona, que agora estava rasgada e chicoteava sob a brisa forte. Os cães se espreguiçavam em suas jaulas, enfim em silêncio, deitados sob uma cobertura de lona que se curvava com o peso da água. Não levantaram a cabeça quando passei. Apenas seus olhos me seguiram.

Montgomery e Balthazar estavam no convés, observando as cordas que prendiam as velas.

— O navio ainda está em condições de navegar? — perguntei.

Montgomery olhou na direção dos marinheiros que lutavam para controlar a vela ao som dos insultos arrastados do capitão. — Não vamos afundar, mas não iremos muito longe se não consertarem aquela vela. De qualquer maneira, temos nossos próprios problemas — disse ele, voltando a olhar para as cordas. Na haste transversal, que encimava o mastro principal, a uns 12 metros acima de nós, estava o macaco. — A jaula dele se despedaçou durante a tempestade.

— Um dos marinheiros pode subir para pegá-lo?

Montgomery olhou para a vela principal. — Eles não vão parar com seu trabalho para capturar um animal.

Estudei a estrutura complicada de cordas, traves e velas, buscando uma solução. Mesmo que um homem pudesse impedir a passagem do macaco horizontalmente, ele sempre poderia escapar pela vertical.

— Você terá que esperar até que ele desça — concluí.

— Não será possível. O capitão não me deixou alternativa — declarou ele. Seu rosto ficou sério, e ele fez um gesto para Balthazar, que foi até uma pilha de caixotes e voltou com um rifle. Ele entregou a arma a Montgomery.

Senti o sangue do meu rosto ser drenado. — Não se atreva a atirar nele! — avisei.

Ele balançou a cabeça negativamente. — O capitão disse que o peso do animal pode afetar as velas.

— Isso não é verdade. São princípios básicos de física. Você sabe disso, Montgomery.

— É um ponto de vista cientificamente válido, mas não fará nenhuma diferença para o capitão — disse ele, verificando a munição da arma. — Balthazar, desça ao convés inferior por alguns minutos — falou. Balthazar assentiu com um sorriso ingênuo e se afastou, indo na direção do alçapão que o levaria ao porão. Montgomery preparou a arma com um clique. — Seria melhor que você o acompanhasse, Senhorita Moreau.

— Eu me recuso. Vou convencer o capitão a não prosseguir com isso — disse-lhe, apontando para o rifle. — E nem pense em usar isso.

— Senhorita Moreau, espere — pediu ele com voz suplicante. — Juliet!

Eu o ignorei e atravessei o convés. Enquanto tentavam dominar a vela, os homens acabaram por abrir um rasgo bem no meio do tecido, e o capitão vociferava.

— Capitão Claggan, preciso conversar com o senhor, por favor.

Ele se virou para me encarar com os olhos injetados de sangue e o hálito que lembrava o cheiro de um curtume. Seu nariz e suas orelhas estavam manchados por vasos sanguíneos estourados que o deixavam parecido com o próprio diabo. — O que você quer? — gritou ele.

Recuei um passo. Os marujos olharam na minha direção, com uma expressão séria no rosto. Eu não encontraria qualquer apoio ali.

— Perguntei que diabos você quer!

— O macaco — disse eu, ficando irritada. — Ele pesa muito pouco para causar qualquer dano. As leis da física...

— Física! Que o diabo a carregue, garota! Eu mesmo vou atirar naquela criatura. E em você também, se não for cuidar da sua própria vida!

Eu não estava acostumada a ser ameaçada por um bêbado ossudo, e aquilo não me caiu bem. Senti a raiva arder nos meus ossos. Aos 16 anos, eu já tinha a experiência de toda uma vida com homens daquela espécie. O último que se meteu comigo perdera o uso de uma das mãos. O rio de fúria fluía pelos meus vasos capilares, indo até as veias e delas para o coração, alojando-se ali como um estilhaço de vidro. Antes que percebesse o que estava fazendo, eu lhe acertei o rosto com a palma da minha mão.

A tripulação ficou em silêncio. O capitão tocou o próprio rosto, piscou duas vezes, e depois cambaleou em minha direção, tomado por uma fúria assassina. Repentinamente, Montgomery estava ao meu lado. Ele agarrou minha mão e colocou o rifle debaixo do braço.

— Algum problema, capitão? — rosnou ele. Em um instante, Montgomery havia se transformado em um animal enorme, poderoso e perigoso.

Os olhos vermelhos do capitão se concentraram no rifle. Montgomery o ajustou discretamente, apontando-o direto para a barriga do homem. O capitão hesitou, e depois cuspiu uma mistura de saliva e tabaco a poucos centímetros dos pés de Montgomery. — Leve a sua cadela para o porão e a mantenha lá, que é o seu lugar.

Fiquei escandalizada com o insulto, porém Montgomery apertou minha mão com tanta força que não consegui pensar em mais nada. — Aceite nossas desculpas pela interrupção — disse ele, com os olhos azuis frios. — Não voltará a acontecer — concluiu Montgomery, puxando-me de lado. Encostei-me contra a amurada do navio, tremendo de raiva.

— Você ouviu do que ele me chamou? — disse-lhe, com o rosto queimando.

— Ele é um mentiroso e um bêbado, e o que diz não tem nenhuma importância para nós — respondeu ele, apertando minha mão com firmeza. — Estou menos preocupado com a sua reputação do que com a sua segurança. Homens como ele são perigosos. Talvez o tamanho de Balthazar e o meu rifle possam intimidá-lo, mas ele poderia fazer qualquer coisa conosco aqui, Juliet, no meio do oceano, e ninguém nunca saberia de nada.

Os dedos grandes da mão dele cobriam a minha por inteiro. Ele poderia ter soltado minha mão, pois já estávamos em segurança agora.

E não o fez.

Eu limpei a garganta. Sua presença, por algum motivo, fazia com que a minha raiva se dissipasse, mas, em contrapartida, eu deixava vários outros sentimentos aflorarem.

— Eu deveria agradecer-lhe, então — respondi. Não sabia exatamente o que fazer. Ou o que dizer.

Ele ainda não havia soltado a minha mão. Em vez disso, aproximou-se de mim, entrelaçando seus dedos aos meus. Eu engoli os tremores nervosos que me subiam pela garganta.

— Suponho que estou tornando esta viagem muito difícil para você — disse-lhe. Minha voz vacilou, mas ficar em silêncio era uma possibilidade que me assustava ainda mais.

— Como eu disse, estou feliz por você ter vindo — emendou ele. Seus olhos estavam fixos nos meus, deixando pouca dúvida em relação ao que realmente queria dizer. Montgomery não era dado a joguetes.

Meu corpete parecia estar ainda mais apertado do que de costume. Eu queria arrebentar os cordões e encher meus pulmões com ar. O toque de Montgomery era eletrizante. Suas palavras sussurradas, "estou feliz por você ter vindo", faziam com que eu me derretesse por dentro. Emoções eram como um quebra-cabeça, coisas que deviam ser estudadas e encaixadas cuidadosamente. Mas as bordas desse quebra-cabeça não se encaixavam nos limites que eu conhecia. Eu me concentrei na trama de fios brancos da camisa de Montgomery em vez de pensar em nossas mãos entrelaçadas.

— Pensei muito em você durante esses anos, Juliet — disse ele, com a voz baixa enquanto afastava uma mecha de cabelo do meu rosto. — Mais do que eu deveria.

"Juliet". Foi assim que ele me chamou. Parou com a afetação de usar meu sobrenome. Eu estudava as ondas que estavam à frente das nossas mãos. Desde que o vira novamente, no quarto da Hospedaria Blue Boar, eu sentia um aperto no peito sempre que ele estava por perto, como se houvesse um cordão amarrado ao redor do meu coração. Eu o sentia se agitar com os pequenos gestos que me levavam de volta à nossa infância. Sentia o mesmo quando ele demonstrava gentileza em relação a Balthazar, ou via a maneira como as circunstâncias o forçaram a crescer rápido demais. E no seu jeito de fazer com que eu me sentisse segura pela primeira vez em vários anos e, ao mesmo tempo, incrivelmente viva. Eu nunca conseguiria me sentir assim com Adam ou com qualquer um daqueles rapazes tolos.

As cristas das ondas se mesclavam em uma massa azulada vertiginosa. Eu senti que estava cambaleando e me agarrei à amurada. Meu corpete estava apertado demais. O sangue não estava chegando ao meu cérebro. Eu não sabia como processar esses sentimentos. Segurança. Carinho. Afeição. Meu Deus, eu não era mais uma garotinha... talvez fosse mais do que simplesmente afeição.

Pressionei os dedos contra meus olhos e voltei a observar as ondas. Tive uma visão estranha: uma massa escura contra o mar. Eu pisquei para clarear a imagem.

A pouco mais de 30 metros de nós havia um bote coberto pela água até a metade, quase afundando. Fechei os olhos com força.

— Juliet, você está bem? Ouviu o que eu disse?

Quando abri os olhos de novo, vi que o bote era real.

Assim como o corpo debruçado que estava nele.

Capítulo 8

— Capitão! Há um homem à deriva! — gritou Montgomery. Segurei com força na amurada lascada. O bote estava se enchendo de água rapidamente, afundando cada vez mais.

— Será que ainda está vivo? — perguntei, exasperada.

— Duvido. Deve estar à deriva há vários dias. Estamos no mar há nove semanas e não vimos nenhum navio.

O capitão se aproximou, proferindo diversos impropérios, e me empurrou para que saísse da frente enquanto ele observava o bote sobre a amurada. — Malditos diabos — resmungou ele, e fez um sinal para o imediato. — Mude o curso para ficarmos ao lado do bote!

Um jovem marujo de nariz vermelho ajudou Montgomery a descer por uma corda, de maneira tão rápida que senti tontura só de olhar. Conforme o navio manobrava, o bote se aproximava cada vez mais, até que tocou nosso casco. O corpo encharcado estava enrodilhado ao redor de si mesmo, no fundo da embarcação, de maneira horrenda. Os restos de um casaco esfarrapado, descolorido e manchado pelo sal marinho cobriam a parte de cima do corpo. Uma calça rasgada que terminava na altura da panturrilha e pés descalços que não eram muito mais do que pele e ossos. O que encontraríamos sob as roupas? Um corpo inchado? Ossos esbranquiçados, cuja carne fora desgastada pelo sal e a areia? Percebi que eu estava me debruçando perigosamente por cima da amurada.

— Larsen, você é o mais leve — disse Montgomery. O marujo passou a perna por cima da lateral do barco e desapareceu. Eu esperei juntamente com o grupo de marinheiros, sentindo a tensão do momento. Até mesmo o macaco observava. Uma nuvem passava acima de nós, roubando-nos a luz do sol. Alguns pingos gordos de chuva caíram no meu rosto.

De repente, uma mão bruta agarrou meu pulso e me afastou daquele lugar. Balthazar. Ele me levou até a jaula do cão pastor, onde poderíamos observar tudo a distância e protegidos da chuva que se aproximava, sob a lona.

— Obrigada — murmurei, cruzando os braços em volta de mim mesma, embora ainda quisesse observar tudo bem de perto.

— Montgomery diz que uma dama precisa ser protegida.

Eu o observei, olhando de lado. Se Montgomery e Balthazar pensavam que eu nunca vira uma imagem chocante antes, eles estavam enganados. Eu não era esse tipo de dama. Comecei a protestar, mas Balthazar parecia estar orgulhoso, como se estivesse protegendo adequadamente uma jovem mulher. Resolvi manter a boca fechada.

Um murmúrio se espalhou rapidamente pelos homens, como uma chuva de primavera, e me esforcei para ouvir. Consegui identificar apenas uma palavra, mas foi o bastante.

"Vivo."

Aquilo me incitou a chegar mais perto, mas eu sabia que deveria ficar com Balthazar. Outro marinheiro desceu pela lateral do navio. A corda se agitava com bastante intensidade, enquanto o segundo-oficial e sua equipe de vigias a seguravam. A um sinal de Montgomery, eles puxaram. Alguns metros de corda subiram. Os marinheiros içaram Larsen junto com o náufrago. O corpo inconsciente caiu sobre o convés, com a água do mar escorrendo. A tripulação se aproximou.

Incapaz de resistir, eu me desvencilhei de Balthazar. Ele disse que eu não deveria olhar, contudo eu me sentia atraída, empurrada para a frente por uma mão invisível. Eu deslizei silenciosamente entre os marinheiros, espiando-o entre seus perfis morenos.

Montgomery virou o corpo com cuidado de barriga para cima. Era um rapaz, um pouco mais velho do que eu, inconsciente e tão maltratado e agredido pelo mar que eu não consegui acreditar que tivesse sobrevivido. Sua mão envolvia firmemente uma fotografia desgastada, como se, em suas últimas horas de consciência, a imagem fosse a única coisa a que ele pudesse se apegar.

Pisquei, paralisada pela imagem daquela mão ferida segurando uma fotografia. Uma sensação de frio me tirou o fôlego. Fui atraída até lá por uma curiosidade mórbida, como um abutre que se aproxima de uma carnificina. Mas aquele não era simplesmente um corpo sem vida — era uma pessoa, com um coração e uma esperança. E o rapaz estava vivo.

Andei por entre os marinheiros, mantendo distância, quase temendo que, se chegasse mais perto, minha curiosidade tomaria de novo o controle dos meus braços e pernas. Consegui ver uma atadura ensanguentada que envolvia sua perna. Imaginei-o sozinho e desesperado no bote, cuidando do seu ferimento e perguntando a si mesmo se iria morrer no meio do mar.

Os lábios de Montgomery silenciosamente contavam a pulsação do rapaz. — Tragam água! — pediu ele.

Um marinheiro deu um passo para o lado, permitindo que eu pudesse observar o rosto do náufrago com clareza. Nunca fui o tipo de pessoa que vira o rosto ao primeiro sinal de sangue, mas senti meu coração se retorcer quando fixei os olhos no rapaz. Um corte ressecado e pustulento atravessava um dos lados do seu rosto, logo abaixo do olho. Bolhas causadas pelas queimaduras de sol cobriam-lhe a face e a testa. Seu cabelo escuro, manchado pelo sal, estava emaranhado como as algas marinhas que surgem durante a maré baixa nas praias de Brighton. Seus olhos estavam fechados.

Ele parecia quase um fantasma, andando pela linha tênue que separa os vivos dos mortos. Eu queria que ele vivesse, que visse novamente o que quer que fosse tão importante naquela fotografia, como se isso fosse o bastante para compensar minha mórbida fascinação.

A chuva caía com mais força agora. Um marinheiro me empurrou para abrir caminho, trazendo um frasco nas mãos. Montgomery o levou até os lábios do rapaz, mas ele não acordava. Assim, Montgomery despejou a água sobre o seu rosto. Um gemido leve. Um pouco de tosse. E, em seguida, o náufrago abriu os olhos com um sobressalto, piscando, com a chuva molhando seu rosto. Seus olhos se moviam freneticamente de um lado para outro.

— Nós o encontramos no mar — disse Montgomery. — Consegue falar? Qual é o seu nome?

Mas o náufrago simplesmente balançou a cabeça, resmungando algo que não consegui identificar, apertando a fotografia com tanta força que chegou a amassá-la. A cada vez que inspirava o ar, o rapaz ficava mais agitado, esperneando e tentando acertar algum demônio invisível. O corte em seu rosto se abriu, e uma linha de sangue escuro escorreu-lhe pelo pescoço.

— Acalme-se! — disse Montgomery, jogando o peso do corpo sobre ele. O náufrago não teria condições de sobrepujar Montgomery devido ao seu tamanho, mas o delírio lhe dava forças. Montgomery teve dificuldade para contê-lo.

— É a loucura dos mares — disse Montgomery. — Balthazar, pegue o clorofórmio.

O náufrago arranhava a madeira do piso do convés, quase agarrando meu pé. Montgomery levantou o rosto e olhou para mim. — Afaste-se, Juliet! — gritou ele.

Mas tudo o que eu consegui fazer foi dar alguns passos para trás, imaginando o que estaria acontecendo na mente daquele rapaz. Ele parecia pensar que estava em algum outro lugar. Entretanto, seus olhos encontraram os meus, e ele parou de lutar, como se a névoa da loucura se afastasse. Como se ele se lembrasse de alguma coisa... não, como se reconhecesse alguma coisa. Uma sensação estranha fez os pelos da minha nuca se eriçarem. Será que ele me reconhecera? Eu nunca o vira em minha vida. Seu desespero era familiar, tudo que eu precisava fazer era olhar num espelho para reconhecer aquela sensação, mas, ainda assim, ele era um estranho. Seus lábios formaram algumas palavras inaudíveis que me atraíram para perto dele, fascinada, querendo ouvir, querendo saber quem era aquele rapaz.

— Juliet, eu disse para se afastar! Ele pode ser perigoso.

A voz de Montgomery quebrou o transe em que eu me encontrava, e desviei o olhar. Todos os marinheiros me olhavam fixamente. Dei de ombros, hesitando, tão curiosa quanto eles.

Balthazar chegou até onde eu estava trazendo uma seringa nas mãos. O náufrago deu uma olhada na figura imensa de Balthazar e voltou a tentar se desvencilhar. Contorcendo-se, ele conseguiu sair de baixo de Montgomery e socou o convés com tanta força que algumas rachaduras apareceram nas tábuas envelhecidas. Meus lábios se abriram. Aquela força imensa só era possível em uma pessoa que estivesse sob o efeito de fortes alucinações. Percebi que ele não sabia o que estava acontecendo. Uma parte dele havia desaparecido enquanto estivera perdido no mar. Ele soltou um grito rouco, antes que Montgomery conseguisse enfiar a agulha da seringa em seu pescoço, e, finalmente, desabou sobre o convés.

O capitão se ajoelhou para revistar os bolsos do náufrago. Montgomery franziu o cenho enquanto entregava a seringa de volta a Balthazar e olhou para mim, com uma pergunta em seus olhos: por que o náufrago ficara em silêncio depois de olhar para mim?

Eu não tinha a resposta para aquela pergunta.

— Devíamos simplesmente jogá-lo de volta ao mar — disse o capitão, descobrindo apenas bolsos vazios. — Você o viu. Está louco. Não podemos ter um louco a bordo.

— Se você o jogar ao mar, isso será assassinato — disse Montgomery, tenso. — Duvido que você diria isso se encontrasse dinheiro em seus bolsos.

— Não é assassinato se ele não puder pagar pela viagem.

— Você não vai jogá-lo ao mar — disse Montgomery, com a voz dura.

O capitão se endireitou, encarando-o com uma expressão desafiadora. — Vai levá-lo com você, então, garoto?

Montgomery hesitou, lançou um olhar apreensivo para Balthazar antes de voltar a se concentrar no capitão. — Olhe para os botões do casaco dele. São feitos de prata. A família dele deve ter dinheiro. Dê-lhe alguns dias para recuperar a consciência, e eu tenho certeza de que ele irá recompensá-lo generosamente.

Balthazar colocou um braço ao meu redor, tentando me afastar dali. Meus pés o acompanharam como se estivessem de acordo com aquilo, mas eu não conseguia desviar os olhos do náufrago. O corte em seu rosto, os hematomas em seus braços causados pelas ondas que o jogavam de um lado para outro dentro do bote. Ele parecia estar ansioso para se agarrar a um resto de vida. Era um sobrevivente, assim como eu.

Capítulo 9

Montgomery passava noite e dia cuidando do náufrago. Um rumor circulava entre a tripulação, dizendo que o rapaz não se lembrava do próprio nome ou de como havia se perdido no mar, ou mesmo se era o único sobrevivente. O capitão perdeu a paciência e ameaçou lançá-lo ao mar outra vez, mas Montgomery subornou-o com nossas últimas moedas e ainda conseguiu uma acomodação para o rapaz, na cozinha. Era um dentre os vários lugares do navio aonde eu não tinha permissão para ir, mas, após alguns dias sem ver Montgomery e ouvir mais fragmentos de fofocas sobre o náufrago, não consegui ficar longe.

O compartimento de carga era tão escuro e úmido quanto o interior de um porão embolorado. A única luz vinha do fogão a lenha onde o cozinheiro preparava as refeições, e de algumas velas acesas. Os marinheiros deitaram o rapaz ao lado da chaminé, onde os tijolos da estrutura o manteriam aquecido. Mesmo assim, dormindo, ele parecia tão frio quanto a própria morte.

Montgomery levantou os olhos quando entrei. Nós dois sabíamos que eu não deveria estar ali. Em vez de ralhar comigo, ele me entregou um pedaço de pano sujo e indicou uma panela de cobre perto do braseiro. — Coloque aquela panela para ferver. Acrescente algumas gotas de cloro à água. O frasco está ao lado do fogo.

Nossas mãos se tocaram novamente quando peguei o pano. Minha pele ainda ardia com a lembrança da ocasião em que nossos dedos se entrelaçaram.

— Ouvi dizer que você é um ótimo médico — disse-lhe, acrescentando algumas gotas de cloro à panela. O vapor subia em nuvens em meio à umidade do espaço ao meu redor.

Montgomery cuidadosamente removera o curativo que envolvia a perna do rapaz, arejando o ferimento, de onde um pus esbranquiçado e pegajoso escorria.

— Duvido. Seu pai diz que eu sou um inútil.

Ele estendeu a mão para pegar uma garrafa de conhaque Elk Hill e despejou um pouco sobre a carne viva do ferimento. O náufrago gemeu, mas não chegou a despertar.

Grandes bolhas se moviam na panela que fervia sobre o braseiro, e eu mergulhei o pano manchado na panela e o agitei com uma colher de pau. — Meu pai costumava dizer que todos eram inúteis, desde a copeira até o reitor do King's College. Você não é um inútil — disse eu, mexendo a panela, lentamente, olhando para o rosto do náufrago, iluminado pela luz das velas. — Como ele está?

— Ele vai viver — comentou Montgomery, pegando uma agulha e um pedaço de fio preto. — Se nós o tivéssemos encontrado um dia mais tarde, quem sabe algumas horas, talvez ele não tivesse a mesma sorte. Eu esperava que o ferimento dele melhorasse logo, mas está infectado. Não há nada limpo por aqui — comentou ele, apertando a pele ao redor da ferida e perfurando-a com a agulha.

Eu memorizei aqueles gestos enquanto ele suturava o ferimento. Seus movimentos eram precisos, como se fosse um hábito adquirido há bastante tempo, algo que fazia com tanta frequência que suas mãos praticamente podiam se mover sem que ele precisasse pensar no que estava fazendo. Quando era mais novo, Montgomery costumava acender o fogo na pequena lareira que havia no meu quarto com a mesma certeza e segurança. Para Montgomery, o trabalho ocorria naturalmente, sem que precisasse se esforçar. Manter a sua fachada forte e resoluta, por outro lado, requeria concentração.

— Ele chegou a acordar? — perguntei.

— Algumas vezes, durante pouco tempo, mas logo voltou a ficar inconsciente.

— Ele lhe falou sobre o que aconteceu?

Montgomery começou a aplicar o próximo ponto, suturando a carne com firmeza. Fez uma pausa para lançar o velho curativo para mim, e eu o acrescentei à panela. A água borbulhante estava turva, com uma tonalidade marrom-escuro.

— A cada dia que passa ele se lembra de alguma coisa mais. Ontem ele me disse que era um passageiro no Viola, com destino à Austrália. O navio começou a se encher de água depois que o casco apresentou uma rachadura, há cerca de vinte dias.

— Vinte dias! Ele é o único sobrevivente?

— Ele fica confuso quando eu faço perguntas. Mas, durante o sono, ele diz exatamente isso — respondeu Montgomery, com os olhos se iluminando. — Ele perguntou por você.

Quase derrubei a panela sobre o fogão a lenha.

— Sobre mim? O que ele perguntou?

— Quem você era. Para onde você estava indo. O que uma garota bonita como você estava fazendo em um navio como este. Parece que você causou uma boa impressão nele — disse Montgomery, com um lampejo de ciúme na voz. Aquilo fez com que eu me concentrasse na panela, observando o vapor que subia.

— O que você disse a ele?

— A verdade. Você está viajando para encontrar o seu pai, que a abandonou.

— Você não acha que ele é perigoso, então?

Montgomery concluiu o último ponto e mordeu a linha para cortá-la. — Não, ele não é perigoso — respondeu. Em seguida, levantou-se, esfregou as mãos com um pano e se aproximou do fogão. O vapor fez com que gotas de suor começassem a se formar em sua testa. De repente, percebi o calor intenso naquele compartimento apertado e que estávamos, com exceção do náufrago adormecido, sozinhos. — Ele se comporta como um cavalheiro. Você viu os botões de prata. Provavelmente nunca teve que trabalhar duro em sua vida, nem por um único dia.

— Ainda assim, ele sobreviveu a um naufrágio — comentei.

Montgomery afastou seu cabelo da frente dos olhos, estudando-me com aqueles olhos de um azul profundo.

— Por que você está tão interessada nele?

O tom da voz de Montgomery me fez mexer a água ainda mais rapidamente, percebendo a vermelhidão que subia pelo meu pescoço. Lucy provavelmente teria feito algum comentário recatado. Ela acreditava que a melhor maneira de manter um homem interessado em uma mulher era lhe causando ciúme, mas, a princípio, Montgomery nem mesmo era meu. Além disso, ele não tinha uma boa razão para sentir ciúme de um náufrago que estava quase morto, independentemente de ele ter botões de prata em sua roupa ou não.

— Ele tinha uma fotografia — falei, olhando para a panela. — Você a encontrou?

Montgomery estendeu a mão até uma prateleira atrás de mim, entre a despensa e o caixote de sal. Um aroma leve de restos de conhaque adoçado emanava das suas mãos. Ele pegou um pedaço de papel amassado e o entregou a mim. Era a fotografia. Como o papel fora encharcado e estava rasgado além de qualquer possibilidade de ser reconhecido, eu só consegui identificar um céu nublado em tom sépia e as formas vagas de algumas pessoas. Olhei para o náufrago. O que aquilo significava para ele?

— O timoneiro avistou destroços na água hoje de manhã — disse Montgomery. — Estamos chegando perto da ilha. Agora, é uma questão de dias — acrescentou. Sua voz demonstrava o alívio de chegar em casa após uma longa viagem. Mas havia também um toque de preocupação. — Eu não gosto da ideia de deixá-lo aqui, especialmente por não haver um médico a bordo. Esse ferimento pode reinfeccionar se não for tratado. E, se ele não conseguir convencer o capitão de que pode pagar por sua viagem, não sei o que haverá de lhe acontecer. Eles não teriam nenhuma consideração por ele.

O náufrago murmurou alguma coisa em meio ao sono e se moveu na cama improvisada. Eu afastei meu cabelo para trás, dando uma rápida olhada nos pontos em sua perna.

— Você quer levá-lo conosco — disse eu, lendo os pensamentos de Montgomery.

Sua mandíbula ficou tensa com a indecisão, mas ele balançou a cabeça. — Não. Seu pai não permite estranhos na ilha. Não há nada que possamos fazer por ele.

— O navio onde ele estava naufragou. Meu pai vai se apiedar dele.

Montgomery balançou a cabeça negativamente, com mais força. — Essa ideia é uma tolice. Esqueça que eu disse qualquer coisa — disse ele, tirando a panela de cima da armação de metal e colocando-a sobre a mesa do cozinheiro. — Vigie-o por um momento, por favor. Preciso ver como os animais estão.

— E se ele acordar?

Um dos cantos da sua boca se retorceu para cima.

— Diga olá.

Com aquilo, ele me deixou a sós com o náufrago, uma colher de pau e meus pensamentos, que dançavam na nuvem de vapor.

Alguns dias depois eu estava no convés esbranquiçado pelo sol, apertando os olhos enquanto observava as cordas que prendiam as redes aos mastros, roendo uma unha. Eu estava estudando o macaco. Ele também me estudava. Subornar o capitão para poupar a vida do macaco fora fácil — aparentemente ele dava mais valor a algumas garrafas do conhaque do meu pai do que às suas próprias convicções. Mas a captura da criatura era agora um problema meu. E, com a nossa chegada iminente, meu tempo estava se esgotando.

— Macaco, olhe aqui! — disse eu, empunhando o relógio de bolso de prata do meu pai. Um dos membros da tripulação me disse que macacos gostavam de objetos que reluzem, e eu já estava segurando o relógio pela corrente havia quase uma hora, sem qualquer resultado.

Balthazar e Montgomery riam por trás de mim.

— Fiquem quietos! — ralhei. — Você amedronta o bicho, Balthazar. E você também, Montgomery. Ele se lembra de que você queria matá-lo com o rifle.

— Já tentou usar uma banana? — sugeriu Montgomery.

Fiz uma careta. — Não tenho bananas. E, a menos que você tenha, saia daqui!

Rindo, ele voltou a cuidar dos animais enjaulados. Eu cruzei os braços, confusa e frustrada. Vinha sendo bastante metódica nas minhas tentativas de trazer o macaco para baixo. Primeiro, tentei montar uma armadilha, atraindo-o para uma das jaulas com comida. Finalmente, tentei subir pelas cordas, até que o contramestre e toda a tripulação de vigia se reuniu no convés para olhar por baixo da minha saia. Nada funcionou.

Coloquei o relógio no bolso e observei o macaco pulando, sem nenhum esforço, de uma trave para outra, com a graça de um pássaro. Aquela habilidade era espantosa. Ele nunca errava os saltos, nunca hesitava, nunca demonstrava dúvida. Fui tomada por um desejo de tentar a mesma coisa, embora soubesse que era impossível. Aprendi bastante com as lições de Montgomery e com os livros do meu pai para saber que não tínhamos a compleição física necessária para escalar e balançar-nos em cordas ou galhos, mesmo que os membros dos macacos e dos humanos tivessem a mesma estrutura básica. As únicas diferenças significativas eram a coluna vertebral com curvatura dupla nos seres humanos e os ligamentos flexíveis nos pés de um primata. Ambos os aspectos poderiam ser facilmente alterados por meio de cirurgias. Comecei a devanear, curiosa para saber se a ciência conseguiria encontrar uma maneira de fazer com que fôssemos tão graciosos quanto os animais.

— Não deseja poder fazer isso? — disse eu a Montgomery, olhando por cima do meu ombro. — É como se eles estivessem voando.

Não houve resposta. Eu me virei, mas Montgomery já havia descido ao convés inferior. Em seu lugar estava o náufrago, desperto, em pé, observando-me do outro lado de convés. A surpresa me sobreveio como um balde de água fria.

As bolhas causadas pelas queimaduras em seu rosto haviam desaparecido, embora o corte em um dos lados do seu rosto fosse uma lembrança constante do naufrágio. Tinha cortado as mechas do cabelo escuro, que lhe chegava até pouco abaixo do queixo. Não era algo muito elegante, mas, pelo menos, estava limpo. Restavam apenas alguns resquícios daquela aparição assombrosa, e agora ele era somente feito de carne, sangue, ossos e hematomas. Parecia ser naturalmente magro, o que fazia sua esqualidez ser ainda mais pronunciada. Mesmo assim, havia algo inegavelmente forte nele.

Ele acenou.

Eu hesitei, mas acenei de volta.

Capítulo 10

Na tarde seguinte eu encontrei um pote tampado cheio de minhocas e baratas vivas do lado de fora da minha porta, junto a um bilhete escrito com a caligrafia de um cavalheiro. Não era a letra de Montgomery, e nenhum dos marinheiros sabia escrever. Assim, não foi difícil determinar quem deixara aquilo para mim.

"Macacos adoram insetos", dizia o bilhete.

Subi até o convés, coloquei o pote debaixo das cordas e removi a tampa. Uma das baratas viu sua chance de fugir e rastejou pela lateral do pote, mas eu a joguei de volta para dentro. Escondi-me atrás de alguns caixotes, acomodando-me para esperar, e ouvi o som do pote de cerâmica se movendo antes que um minuto tivesse se passado. O macaco estava tão entretido com o pote que nem percebeu quando eu me aproximei por trás dele e prendi uma coleira ao redor de seu pescoço. Deixei que ele terminasse de comer antes de colocá-lo em sua nova jaula.

Com o macaco preso, encontrei o náufrago sentado no canto do convés superior, ao lado do compartimento de carga do contramestre, com as costas voltadas para mim, inclinado sobre um velho tabuleiro de gamão equilibrado sobre um barril. Ele estava estudando as peças vermelhas e negras do jogo à luz do sol poente. Todas estavam colocadas no tabuleiro de maneira errada. Ele parecia não perceber que os marinheiros o encaravam com uma expressão irritada, já que ele estava tomando espaço no convés sem se ocupar com nenhum trabalho.

Eu o observei cuidadosamente enquanto ele estudava o jogo de gamão. Apesar do corte em seu rosto, havia algo inegavelmente atraente naquele rapaz. Não tinha a beleza clássica de Montgomery; era algo mais sutil, como se sua verdadeira beleza estivesse ligada à história por trás daqueles hematomas e da fotografia amassada. Algo a ser descoberto aos poucos, se alguém fosse inteligente o bastante para conseguir decifrar.

— Dizem que você é louco — comentei.

O braço dele se agitou em um espasmo quando se virou na direção da minha voz. O tabuleiro de gamão caiu no chão, as peças pretas e vermelhas rolaram pelo convés. Ajoelhei-me para recolhê-las, e ele se curvou para ajudar. Parecia relutar em cruzar seu olhar com o meu. Reservado. Seus dedos tocavam distraidamente o corte sob seu olho. Um músculo pulsou na lateral do seu queixo. O naufrágio lhe dera algumas cicatrizes, é claro, mas havia algo em seus movimentos defensivos que indicavam algo mais, como se as cicatrizes continuassem a marcá-lo muito além do que aparecia na superfície.

— Não conseguia me lembrar de muitas coisas no início — disse ele, ousando lançar um olhar na minha direção. Assim, de perto, eu percebi que seus olhos castanhos tinham pequenas manchas douradas que refletiam o sol que estava se pondo. — Mas, aos poucos, eu estou me lembrando.

Sua mão se afastou do corte no rosto. Um marinheiro passou por ali, chutando uma das peças do jogo para longe e resmungando insultos sobre clandestinos sem dinheiro.

O náufrago acrescentou: — Não sou louco. — Por um momento seus olhos se viraram de um modo estranho, como se parte de sua mente ainda estivesse no bote, ou tivesse afundado com o navio. Ele sofrera demais, e os marinheiros pareciam querer fazer com que ele sofresse ainda mais.

— Louco o bastante para subir ao convés e atrapalhar o trabalho dos marinheiros. Você não está se esforçando para ser popular entre eles — comentei. Em seguida, acrescentei, com a voz mais baixa: — Você precisa ter cuidado — disse, entregando-lhe as peças que havia recolhido, e indiquei o tabuleiro. — Quer jogar uma partida?

O canto da sua boca tremeu outra vez, agora formando um meio sorriso. Ele endireitou o tabuleiro de gamão e empilhou as peças uma a uma.

Cruzei as pernas e sentei de frente para ele. Tentei não olhar para os hematomas que ele tinha nos braços e no rosto. Seus dedos estavam muito feridos, quase em carne viva, e eu me lembrei daquela mão agarrando a fotografia, agarrando-se à vida. Difícil acreditar que era a mesma pessoa.

— Você se lembra do que aconteceu? — perguntei. — Do naufrágio?

Os olhos dele voltaram a me encarar, apenas em um rápido lampejo, ponderando se devia confiar em mim ou não. Ele pegou os dados. — Sim.

— E o seu nome? — indaguei.

— Edward Prince — disse ele, lentamente, como se tivesse pouca informação sobre si mesmo para compartilhar e precisasse racioná-la cuidadosamente.

— Eu sou Juliet Moreau.

Ele assentiu lentamente. — Eu sei. — Lembrei-me de que ele havia perguntado sobre mim a Montgomery.

Foi a minha vez de olhá-lo de modo fixo, imaginando o que havia pensado a meu respeito naquele primeiro dia, quando estava perdido em um redemoinho de alucinações.

Ele dissera algo que nenhum de nós chegou a ouvir. Agora ele olhava para as peças do tabuleiro, que não eram muito mais do que pedaços cortados do cabo de um velho esfregão ou vassoura, com os dados na mão, esperando para lançá-los. As peças ainda estavam colocadas nos lugares errados, e eu, instintivamente, estendi a mão para reorganizá-las antes de começar nosso jogo. Era bom poder colocar algo em ordem.

— Como você sobreviveu? — perguntei.

Minha questão o pegou desprevenido, e sua mão se fechou ao redor dos dados. Ele deu de ombros, cauteloso. — Pela graça de Deus, imagino.

Observei seu punho machucado manipulando os dados, o tique nervoso no queixo machucado, a força que ele tinha nos ombros esguios. Suas palavras fluíram com facilidade. Ele disse o que eu queria ouvir, não o que realmente estava pensando.

— Não acredito em você — disse eu. Ele inclinou a cabeça para o lado, surpreso. — Vinte dias no mar. Sem comida. Sem água. Sem sombra. O único sobrevivente em meio a dezenas de passageiros. Não foi Deus que o salvou. Você salvou a si mesmo. Gostaria de saber como isso aconteceu.

Ele estudou a maneira como posicionei as peças no tabuleiro, memorizando-a, aprendendo tudo a partir do zero.

— A primeira pergunta que Montgomery me fez foi se eu perdera minha família — disse ele. — Sobre o luto.

Edward rolou os dados com excessiva força. Sua reação me indicou que eu deveria ter demonstrado mais simpatia, como Montgomery fizera.

Pisquei, sentindo um quê de incerteza. Não tive a intenção de ser fria. — Eu lamento. Sua família... eles estavam com você no Viola?

— Não — respondeu ele, num tom surpreendentemente neutro. — Eu estava viajando sozinho. Meu pai é um general que está servindo no exterior agora. O restante da minha família está em Chesney Wold, nossa propriedade. Provavelmente estão jantando com parentes enfadonhos e felizes por terem se livrado de mim.

Seu tom de voz era muito cavalheiresco, mesmo enquanto coçava sua cicatriz com uma unha lascada e estudava o tabuleiro. De algum modo, aquilo parecia um pouco forçado. Eu percebia que havia um tom quase ríspido, dissimulado, que trazia notas de dor e raiva, e me fez desconfiar de que ele não estava sendo completamente honesto. — Mas você disse...

Ele deu de ombros. — Achei estranho o fato de você estar mais interessada nos detalhes de como sobrevivi do que nas dezenas de pessoas que morreram naquele navio — disse ele. Em seguida, começou a mover suas peças, e eu deveria ter imaginado o quanto ele me achara fria e insensível. Em vez disso, tudo o que consegui fazer foi me concentrar na sua pouca habilidade para jogar gamão.

Ele deslizou uma peça lentamente ao redor das pontas desenhadas do tabuleiro.

— Montgomery me disse que você vai se encontrar com seu pai. Um médico, pelo que entendi.

— É verdade.

Ele pegou a peça, deslizando o dedo pela madeira áspera.

— Não acha estranho que um médico rico queira viver em um lugar tão remoto? Isso faz as pessoas se perguntarem quais são suas razões para tanto.

Percebi a sutileza em suas palavras, e aquilo me intrigou. O que quer que ele estivesse insinuando não podia ser bom, e expressar aquilo em voz alta era audacioso demais. Talvez ele fosse mais do que um náufrago acometido pela loucura dos mares que não precisara trabalhar um dia sequer em sua vida.

Peguei os dados. — O que está querendo dizer?

— O que faria um homem desistir de tudo para se estabelecer aqui?

Agitei os dados e os lancei no tabuleiro. — Eu poderia perguntar-lhe o mesmo, Senhor Prince. O que o fez abandonar a Inglaterra se toda a sua família está lá?

O queixo dele voltou a tremer com um espasmo.

— Você veio até aqui para encontrar seu pai. Eu vim para fugir do meu — disse ele. Novamente, um toque sutil de raiva tingia a sua voz.

— Por quê? O que ele fez? — Eu movi minhas peças sem prestar muita atenção nelas.

Ele hesitou. — Ele não fez nada. Fui eu que fiz — retrucou. Em seguida, agitou os dados e os lançou abruptamente, como se tivesse falado demais. Um três e um seis. Ele começou a mover a peça na direção errada.

— O Capitão Claggan não está exatamente feliz com a minha presença aqui — acrescentou, e a mudança no assunto me pegou de surpresa. — Sabia que ele e o seu imediato vieram até a minha cama ontem à noite, depois que Montgomery estava dormindo, e me arrastaram até a amurada do navio? Ele ia me jogar ao mar e só desistiu quando eu lhe disse que tinha parentes na Austrália que pagariam muito bem pelo meu retorno em segurança.

Minha mão ficou paralisada em pleno ar. De repente, o jogo parecia não mais ter importância. — Você disse isso a Montgomery? Ele não vai deixar o capitão sair impune com uma atitude como essa. — Eu me agitei sobre as tábuas do convés. — É uma sorte você ter esses parentes.

Ele me lançou um olhar reservado, embora um toque de divertimento transparecesse em sua expressão.

— Não conheço ninguém na Austrália. Simplesmente inventei aquilo. Eu comprei uma passagem no primeiro navio que encontrei que estava saindo de Londres, sem me preocupar com seu destino. O Viola simplesmente foi o resultado dessa escolha.

— Então o que vai acontecer quando você chegar à Austrália e ele descobrir que não existem parentes ricos? — perguntei.

Quando desembarcássemos levando Balthazar, os subornos e as armas, Edward Prince estaria totalmente sozinho.

Seus dedos tamborilavam no tabuleiro de madeira. O último raio de sol desapareceu por trás do horizonte, cobrindo metade da face machucada de Edward com sombras. — Não sei.

Um grito do posto de vigia fez com que eu largasse a peça que tinha na mão. O náufrago e eu trocamos um olhar ansioso.

— Terra à vista! — avisou o vigia.

A noite caiu rapidamente naquele dia, obscurecendo a terra que o vigia avistara. Os marinheiros mandaram Edward de volta ao porão e eu, para minha cabine, e nos disseram para ficar lá. Mas a obediência não era uma das minhas virtudes. Encontrei Montgomery no convés, conversando em voz baixa com Balthazar sob a luz do lampião que estava preso ao mastro. O capitão e o primeiro-oficial estavam perto da amurada, com um lampião pendurado acima das cartas náuticas que estavam examinando.

Inclinei-me sobre a amurada e estudei o horizonte escuro. O luar refletia-se nas ondas como as escamas de um dragão negro. Não consegui saber onde a noite terminava e o mar começava. Entre os dois, em algum lugar, estava o meu pai.

Montgomery viu onde eu estava e veio correndo, com uma onda de energia em seus movimentos. Havia me esquecido de que aquele lugar era a sua casa. Ele apontou para o horizonte. — É uma ilha vulcânica. Está vendo a fumaça?

Examinei o horizonte em busca de formas escuras, no entanto meus olhos não discerniram nenhum ponto específico. Até que consegui visualizar um contorno tênue, uma coluna de fumaça que se erguia em direção ao céu.

— Estou vendo. Parece estar muito longe.

— Uma légua e meia talvez. Há um banco de areia que circunda o ancoradouro, então, provavelmente, passaremos a noite aqui. Atracaremos pela manhã.

— E o que acontecerá com Edward?

A animação juvenil no rosto de Montgomery se esvaiu. Ele estudou o mar frio. — O que você quer saber a respeito dele?

O tom cortante da sua voz fez com que eu hesitasse.

— Não podemos simplesmente deixá-lo aqui. Você mesmo disse que...

— Ele não poderá vir conosco — retorquiu, resmungando alguns impropérios e apoiando-se sobre a amurada. — Eu não devia sequer ter pensado nisso. É impossível.

— Mas... por quê? Este navio não é seguro. Não há nenhum médico, e a única razão pela qual o capitão não o jogou ao mar é porque acha que pode pedir um resgate por ele quando o navio chegar a Brisbane. E isso é uma mentira.

— Você não está entendendo. A ilha também não é um lugar seguro.

Voltei a olhar para a ilha. A coluna de fumaça vulcânica serpenteava em direção ao céu escuro como espirais que saíam de um cachimbo. Meus olhos encontraram uma única luz, a meio caminho do topo da montanha. O único sinal de civilização.

— Não é seguro? — perguntei. Tinha certeza de que ele não me deixaria ir junto se o lugar não fosse seguro.

Montgomery tocou meu ombro e me virou de costas para a ilha. As linhas do seu rosto estavam mais suaves.

— O que eu quis dizer é que não haverá espaço. Temos um quarto sobrando, e é onde você ficará. Ele não terá lugar para ficar, e há animais selvagens andando pela ilha. Além disso, seu pai é um homem muito reservado. Ele ficaria furioso se eu trouxesse um estranho.

Deslizei os dedos pelas fibras da madeira da amurada. Será que meu pai me consideraria uma estranha? Não, é claro que não. Eu era a única família que ele tinha, a garotinha que costumava subir em seu colo com um livro empoeirado e implorar-lhe que lesse teorias sobre como os pássaros já foram lagartos enormes e majestosos no passado. Mas, se esse fosse o caso, por que ele nunca chegara a enviar uma carta? Por que eu tive que saber que ele estava vivo a partir de um diagrama manchado de sangue, adquirido durante um processo de vivissecção na calada da noite?

— Ele é meu pai — disse eu. — Ele vai me escutar. Ele vai entender que é mais seguro para Edward ficar na ilha. Apenas até o próximo navio chegar.

— Isso vai contra os desejos dele, Juliet.

Eu me apoiei na amurada, estudando as roupas desgastadas e as botas envelhecidas que ele usava. — Você insiste em dizer que não é mais o criado do meu pai, porém não age de acordo. Você sabe que pode pensar por conta própria, não é?

O queixo de Montgomery se tensionou, mas ele não discutiu. Eu sabia que havia tocado em um ponto dolorido, mas não sabia como voltar atrás, porque era verdade. Ele se afastou, irritado. A solidão repentina fez com que os pensamentos dentro da minha cabeça ficassem mais pronunciados. Eu queria voltar àquele momento em que Montgomery e eu estávamos no convés, com as mãos entrelaçadas, enquanto ele me dizia que pensava em mim com frequência. Contudo, uma mudança acabara de ocorrer. Pequena, mas significativamente importante para fazer com que as coisas já não fossem as mesmas entre nós. Eu me inclinei sobre a amurada e medi a distância, sob a luz do luar, que havia entre mim e a ilha.

Na manhã seguinte eu já havia terminado de arrumar minhas coisas antes do amanhecer, embora, devido à maré, ainda levasse algumas horas até que pudéssemos nos aproximar do atracadouro. Enquanto esperava, vesti-me com as novas roupas brancas de verão que comprara com o dinheiro que Lucy me dera antes de partir. A incrível brancura das roupas feria os meus olhos. O resto das minhas coisas — meu medicamento, os livros desgastados, até mesmo uma velha escova de cabelos de cerdas duras da Sra. Bell — eu guardei na bolsa de viagem. Deixei a cópia do *Compêndio de Referência Anatômica Longman* do meu pai para fora e folheei ansiosamente os desenhos em preto e branco. O livro de um cientista. Ou, talvez, de um louco.

De qualquer maneira, eu estava prestes a descobrir.

Quando subi ao convés, fiquei distraída com a atividade intensa que ocorria ali. Um dos mastros fora preparado para ajudar a descarregar a carga e as jaulas. Um grupo de marinheiros arrastava a jaula da pantera em direção a um gancho maior do que a minha cabeça. Mas o que atraía definitivamente a minha atenção era a ilha montanhosa e verdejante a bombordo, do tamanho de um reino, com uma coluna de fumaça cinzenta e etérea emanando do seu ponto mais alto. Após passar todas aquelas semanas sobre águas tão vastas quanto todo o mundo conhecido, a ilha parecia ser algo além do real. Uma linha fina de areia tocava o mar, circundada por um grupo de palmeiras que se agitavam com a brisa. As palmeiras levavam a uma selva fechada, com árvores incrivelmente próximas umas das outras e cipós e copas de plantas que eu não saberia identificar. Perguntei a mim mesma o que estaria esperando por mim além daquela cortina verde.

Edward observava a ilha também do convés, perto da proa, até que me avistou. Ele tocou a testa, em um gesto tradicional e um pouco antiquado que se usava ao cumprimentar uma dama. Qualquer dia eu precisaria dissuadi-lo daquela noção.

Ele desceu pelos degraus com alguns gemidos devido aos seus hematomas.

— Montgomery disse que eu poderia ficar na ilha até que o próximo navio de suprimentos chegasse — disse ele. — Suponho que devo agradecer a você por isso.

Surpresa, eu me endireitei. Montgomery havia mudado de ideia. Provavelmente o meu comentário sobre comportar-se como um criado fora um golpe certeiro em seu orgulho. Por mais que me sentisse culpada, não consegui evitar sorrir ao perceber que ele, finalmente, tomara sua decisão. — Você virá conosco, então?

— Se as minhas alternativas forem passar o meu tempo com o Capitão Claggan ou com você, a decisão será fácil — respondeu Edward, afastando uma mecha escura de cabelo da frente do rosto, sem tirar seus olhos do oceano. Senti um "frio" na barriga com aquele elogio inesperado. Não estava acostumada a receber esse tipo de comentário de um cavalheiro. Toquei levemente meus lábios ressecados e percebi que isso significava que eu passaria bastante tempo com ele. Um rapaz inteligente, marcado por cicatrizes e acometido pela loucura dos mares, e que jogava gamão muito mal: Edward Prince.

Seus dedos batiam sobre a amurada. — Montgomery não pareceu ficar muito feliz com isso, entretanto.

Eu limpei a garganta. — Ele está preocupado com o que meu pai vai pensar. Mas não deveria; ele não é mais um criado.

— Criado? — Edward interrompeu, afastando as mãos.

— Montgomery era o filho da nossa copeira. Ele trabalhava em nossos estábulos. Ele não lhe falou?

— Eu tive a impressão de que vocês estavam viajando juntos... dividindo a mesma cabine... — Seus olhos se voltaram para mim, fazendo uma pergunta sem realmente fazê-la.

Não havia mais uma brisa para refrescar o ardor do meu rosto.

— Ele é apenas meu acompanhante — declarei, rapidamente. — Apenas isso.

Eu gostaria de ter dito mais, de provar o contrário, mas as evidências estavam contra mim. Nós havíamos passado a noite no mesmo quarto, mais de uma vez. E eu não podia fingir que a ideia nunca passara pela minha cabeça.

— Bem, não posso dizer que lamento ouvir isso. Fico feliz por você não estar comprometida — disse ele. — Estou gostando de conhecê-la, Senhorita Moreau.

Continuei em silêncio, observando a ilha, embora, por dentro, estivesse confusa. Imaginei se seria apropriado retribuir-lhe o cumprimento. Ele era provavelmente um rapaz bastante normal. Mas eu já vira muito do que os homens eram capazes de fazer para confiar em um estranho. E havia algo nele que me causava certa inquietação. Ele mesmo dissera que estava fugindo de algo que fizera no passado. Talvez fosse sério, se ele teve que fugir da Inglaterra. Olhei para ele de maneira disfarçada, imaginando o que poderia fazer com que o filho rico de um general fugisse do seu país.

Edward também se manteve em silêncio, reservado demais para dizer o que de fato se passava por sua cabeça. E eu estava agindo da mesma forma.

O Curitiba se aproximou lentamente de uma enseada natural que se abria como uma boca que bocejava. Em seu ponto mais distante, um atracadouro estreito se estendia em nossa direção além da arrebentação das ondas, mais longo do que qualquer outro atracadouro que eu já havia visto. Na beirada, perto de um escaler que balançava ao sabor das ondas, havia um pequeno grupo de pessoas. Suas formas começaram a ficar mais definidas conforme o Curitiba se aproximava. Havia três homens enormes, ainda maiores do que Balthazar. Apresentavam os mesmos ombros estranhamente encurvados, e suas cabeças pareciam não se erguer muito acima do pescoço. Perguntei a mim mesma qual seria a causa daquelas deformações em todos os nativos. Era como se Deus tivesse começado por aquele lugar antes de criar o homem.

Um dos homens encurvados se aproximou da beira da doca e agachou-se, como se fosse um animal. Quando ele se afastou, vi outro homem atrás dele, dessa vez de tamanho normal, de costas retas e membros bem proporcionados. Usava um terno de linho branco e sapatos tão lustrosos que a luz do sol refletida neles fez com que eu apertasse os olhos. Um guarda-sol protegia seu rosto dos raios solares e dos meus olhos, mas meu coração o reconheceria em qualquer lugar.

Enquanto eu o observava, o guarda-sol se afastou, e os olhos do homem cruzaram com os meus.

Prendi a respiração.

Era o meu pai e, ao mesmo tempo, não era. O rosto era o mesmo, assim como a postura ereta, mas seu cabelo escuro, que era cuidadosamente penteado antigamente, esvoaçava longo, desgrenhado e cinzento, como um enxame de vespas ao redor da sua cabeça. O que mais me enervava era a maneira peculiar com que ele me observava, calmamente, sem se abalar, como se soubesse que eu estava chegando.

Como se estivesse esperando por mim.

Capítulo 11

Agachei-me por trás dos suportes da amurada, de onde não poderia ser vista. Edward se sentou ao meu lado. Tentei acalmar o fluxo repentino de sangue que subiu para a minha cabeça. Não sei qual o instinto que fez com que eu me escondesse após vir de tão longe para encontrar meu pai. Eu simplesmente tinha que escapar daquele olhar tão intenso. Eu disse a mim mesma que estava imaginando coisas. Ele não poderia saber que eu estava vindo. Ver uma garota que usava um vestido branco chegando em um navio seria estranho em qualquer ocasião.

Edward me encarou com uma expressão séria.

— Presumo que seja seu pai.

Esfreguei meus olhos cansados e assenti. A paranoia havia tomado conta da parte do meu cérebro que geralmente ficava reservada para o raciocínio.

— Sim. Acho que não o cumprimentei de maneira adequada.

Edward me deu a mão para me ajudar a levantar, e agora eu me sentia tola por aquela reação. — É natural ficar nervosa — disse ele. Em vez de soltar minha mão, ele me trouxe para perto de si. — E eu ainda acho que é estranho, para um cavalheiro, viver sozinho neste lugar. Tome cuidado, Senhorita Moreau. Não quero que você se machuque.

Recolhi minha mão defensivamente, esfregando-a no tecido do meu vestido. — Sou capaz de cuidar de mim mesma.

Montgomery havia me dado um aviso similar. Eles podiam achar que eu era indefesa, mas não faziam ideia de que, para uma garota pobre que vivia sozinha, as ruas de Londres estavam muito mais cheias de perigo do que uma ilha tropical.

Olhei para Edward.

— E me chame de Juliet. Não sou uma dama.

— Lançar âncora! — gritou o capitão. Preparei-me para o solavanco que o navio sofreria quando a âncora chegasse ao fundo do mar. Os escaleres estavam tão cheios que só podiam levar um passageiro de cada vez. Montgomery foi o primeiro a desembarcar com os coelhos, alegando que precisaria supervisionar o descarregamento diretamente na doca, embora eu pensasse que, na realidade, ele queria ter a oportunidade de avisar meu pai a respeito de Edward e de mim e nos poupar da primeira reação do doutor, que seria imprevisível.

Meu pai detestava surpresas. Eu me lembrava bem disso.

A renda ao redor da gola do meu vestido fazia minha pele coçar enquanto observávamos o barco de Montgomery lutar contra a maré para chegar ao atracadouro. Um dos homens fortes levantou o caixote com coelhos tão facilmente quanto levantaria um fardo de feno. Meu pai ajudou Montgomery a desembarcar, dando-lhe um tapinha amistoso nas costas. Montgomery gesticulava em direção ao navio, e o guarda-sol girava preguiçosamente nas mãos do meu pai. De repente, ele parou. Tive novamente a sensação de que, mesmo àquela distância, ele era capaz de enxergar profundamente dentro de mim.

Chegou a minha vez de descer a terra. Como eu era pequena, eles decidiram que eu poderia seguir com Balthazar, mesmo que tivesse que me apertar entre a carga. Um marinheiro com um cacoete no olho se aproximou de mim para me ajudar a descer até o escaler. — Boa sorte! — disse ele.

Com o nosso escaler na água, Balthazar levou a metade do tempo que Montgomery demorara para chegar ao atracadouro. Eu esfregava as palmas das mãos molhadas de suor nas saias, desejando que minhas mãos parassem de tremer. Dizia a mim mesma que era a doença. Mesmo com as injeções diárias, eu ainda me sentia fraca ocasionalmente.

Chegamos até a realidade sólida do atracadouro. Meu pai estava lá, em silêncio, vestido com seu terno de linho impecável. Não consegui levantar os olhos para encará-lo de frente.

Balthazar desembarcou e me ajudou a subir até a doca, oferecendo-me sua mão enorme. Mesmo em terra firme, eu me sentia tonta. Montgomery se aproximou, com uma mão em meu ombro para sussurrar algo rápido e urgente, mas o som de pegadas resolutas nos interrompeu.

Meu pai.

Ele fechara o guarda-sol e o usava como uma bengala, batendo a ponta de maneira lenta e deliberada contra as tábuas envelhecidas da doca. Sobrancelhas grossas encimavam seus olhos escuros e penetrantes. Uma barba por fazer havia alguns dias lhe cobria o queixo, como costumava acontecer quando seu trabalho o consumia tanto que ele não saía do laboratório durante vários dias. Ele estava mais magro do que eu me lembrava, como se todo o excesso de musculatura e gordura da sua juventude tivesse se esgotado e o que restara fora apenas o núcleo endurecido.

— Tire as suas patas de cima da minha filha, rapaz — disse ele, pressionando a ponta do guarda-sol contra o peito de Montgomery. Seus lábios se apertaram. — Suas mãos são sujas.

A preocupação me fez sentir dor no estômago. Montgomery levantou as mãos, recuando. Mas, em seguida, ele sorriu. Meu pai riu. Percebi que era uma piada. Meu estômago relaxou. Meu pai estava sorrindo. Rindo. A tensão no ar se quebrou como se fosse uma represa a ponto de explodir. Meus pulmões exalaram o alívio de uma vida de preocupações, e eu corri para os seus braços.

Ele se enrijeceu por um momento, mas depois passou um braço em torno das minhas costas.

— Juliet. Filha.

Enterrei meu rosto no seu paletó e respirei o seu perfume. Aroma de damasco com leves traços de formol, exatamente como me lembrava. A inundação de memórias quase me sufocou. Ter novamente um pai depois de tantos anos me deixou abalada.

Ele me manteve a distância, estudando meu rosto. Procurando talvez a garotinha que deixara para trás. Seus olhos tinham aquela expressão calculista que tanto enervava seus alunos, mas, para mim, era simplesmente a maneira como deveria ser.

Eu senti saudades de tudo aquilo.

— Olhe só para você — disse ele. — Você deveria estar em busca de um marido, não de um homem velho e enrugado.

Minha cabeça estava girando. Eu havia imaginado tantas vezes a possibilidade de reencontrá-lo que era difícil acreditar que estava realmente acontecendo. Fizera uma viagem muito longa para descobrir que tipo de homem ele era — o louco ou o gênio incompreendido — e já conseguia perceber que não seria tão simples. À minha frente estava uma pessoa viva, não alguma teoria que eu decidira testar. Será que eu realmente pensava que poderia simplesmente aparecer em sua porta e perguntar-lhe se os rumores eram verdadeiros? Eu mal conseguia formar as palavras para falar com ele!

— Eu tive que vir — respondi, gaguejando. A doca, as ondas, os homens imensos, todos eles estavam girando. — Pensei que você estivesse morto.

— O inferno ainda não veio reclamar minha alma — respondeu. E tocou meu queixo, inclinando minha cabeça para os dois lados. — Você se parece com sua mãe, mas provavelmente tem a minha personalidade. Montgomery me disse que você praticamente lhe colocou uma faca na garganta para conseguir vir até aqui.

— Ela é uma pessoa muito persistente, devo dizer — comentou Montgomery, despreocupado.

Meu pai apontou para a selva com o guarda-sol.

— Vários dos confortos de Londres você não vai encontrar aqui.

Eu quase ri. As mãos do Dr. Hastings dificilmente poderiam ser consideradas um conforto. Perguntei a mim mesma se devia lhe dizer que minhas outras possibilidades eram fugir de Londres ou ficar do lado de fora da Hospedaria Blue Boar usando um vestido manchado.

Mas nada daquilo importava agora.

— Não preciso de confortos — respondi, sinceramente.

Ele assentiu, considerando minhas palavras. Mordi o interior da bochecha em busca de uma noção da realidade. Ele estava vivo. Eu não estava mais sozinha. Torci os punhos no algodão macio da minha saia sem saber como iria lidar com as sensações confusas que pulsavam dentro de mim.

Meu pai me apertou o ombro.

— Bem, você precisa entender que este lugar não é uma colônia de férias. Nós plantamos nossa própria comida. Cuidamos da nossa própria segurança. Não é um lugar para jovens damas — disse ele, franzindo os lábios. — Mas encontraremos algo para você fazer.

Eu assenti. Ele estava sendo racional, por isso tentei não demonstrar a decepção que senti por seus pensamentos estarem imediatamente direcionados para a utilidade que eu poderia ter.

O barulho de remos batendo contra a água ficou mais alto atrás de nós. O escaler havia retornado, trazendo Edward. Repentinamente, fiquei esquecida. Os olhos do meu pai se contraíram. As articulações dos seus dedos estavam esbranquiçadas ao redor do cabo delicado do guarda-sol. Ele observava Edward com o olhar intenso de um cirurgião.

Edward desembarcou, batendo em sua calça para se livrar da poeira. Seu olhar se manteve fixo nos olhos do meu pai, com se ele pressentisse a batalha que estava prestes a enfrentar. Talvez eu não houvesse levado Montgomery a sério o suficiente quando ele disse que meu pai não permitia a presença de estranhos. A maneira como ele olhava para Edward não indicava apenas desconfiança — era uma aversão intensa e incômoda que me fazia hesitar.

— Pai, este é Edward Prince — disse eu. — Ele é um náufrago. Eu disse a ele que seria bem-vindo até que um navio pudesse levá-lo para casa. Ele esteve doente, e Montgomery salvou-lhe a vida.

Os olhos do meu pai pousaram em Montgomery e depois novamente encararam Edward. — Não sabe falar por si mesmo, hein, rapaz? Prince, não é?

Edward se empertigou. — Eu era um dos passageiros do Viola antes que o casco do navio se partisse. Fui resgatado pelo Curitiba por acaso.

— Acaso? Será que foi isso mesmo? E por que eu deveria deixá-lo pôr os pés na minha ilha?

Eu lancei um olhar para Montgomery. Isso estava além de qualquer aversão. O isolamento levara meu pai às raias da paranoia, pelo que eu podia perceber. Talvez algo ainda pior. Uma semente de dúvida se enraizou no fundo de meu cérebro.

— Eu lhe seria grato se pudesse aguardar aqui até que um navio passe — disse Edward, lentamente. — Asseguro-lhe que não causarei problemas.

Os olhos do meu pai queimavam como brasas. Assim como uma tempestade, a tensão voltou a tomar conta do ar, crepitando como um relâmpago.

— Bem, Senhor Prince, receio que esteja errado. O senhor não causaria nada além de problemas — disse ele, golpeando o peito de Edward com o guarda-sol.

Edward perdeu o equilíbrio e caiu nas águas que circundavam o atracadouro, espalhando tanta água que meu vestido branco ficou encharcado.

Capítulo 12

— EDWARD! — GRITEI, dando um passo à frente, mas era tarde demais. Meu corpo desabou, e gemi quando meus joelhos bateram com força na superfície do ancoradouro. Meus dedos se agarraram às tábuas tortas da estrutura, enquanto eu o observava subir à superfície, cuspindo água.

— Pegue a minha mão! — disse-lhe, estendendo-a até onde conseguia. Edward se debatia contra a água inutilmente, tentando subir à superfície em meio às ondas. Ele abriu a boca para gritar, mas não consegui ouvir o que dizia. Ele desapareceu sob a água.

Minhas unhas se cravaram na madeira apodrecida, criando ranhuras em forma de meia-lua. A forma escura de Edward se debatia logo abaixo da superfície brilhante, como um espectro. Eu continuava a pensar que havia visto algo errado. Que fora um acidente. E, ainda assim, eu vira quando meu pai o empurrou.

Apoiei as mãos no atracadouro e me levantei, cambaleando. Meu pai ajustava calmamente as mangas amarrotadas da sua camisa. — Ficou louco? — gritei. — Ele não está bem. Vai se afogar!

Edward subiu à superfície outra vez, cuspindo água enquanto emergia apenas para afundar outra vez. Meu pai observava pacientemente, como se esperasse que um sapo morresse dentro de um pote cheio de clorofórmio. Uma onda de raiva me subiu pela garganta.

Ao seu lado, o rosto de Montgomery estava tranquilo, embora demonstrasse um quê de incerteza.

— Você sabe nadar — eu disse a ele. Era um pedido desesperado, e ele me olhou, vacilante. Foi então que compreendi. Montgomery não queria contrariar meu pai, nem mesmo para salvar Edward. Ali ele não era o homem forte e capaz que eu vira no navio. Era apenas um garoto.

— Por favor, Montgomery — supliquei. Ele engoliu em seco e andou em direção à borda da doca. Mas meu pai agitou o guarda-sol em um arco rápido e gracioso que bloqueou seu caminho.

As botas de Montgomery deslizaram sobre a madeira, como se o guarda-sol fosse uma cerca de ferro e não apenas alguns pedaços de madeira e renda. Seu olhar cruzou com o meu. Tudo aquilo parecia ser muito, muito errado. Ele deveria estar na Inglaterra, trabalhando como aprendiz de algum artesão, encontrando-se com garotas após a missa de domingo. Em vez disso, ele era o escravo que atendia aos desejos de um louco.

Com um rosnado, eu avancei sobre o guarda-sol e arranquei o objeto delicado da mão de meu pai. Para minha surpresa, ele deixou que eu o pegasse facilmente, com uma risada que me fez estremecer. Ajoelhei-me na beirada do atracadouro e o estendi para Edward. Seus dedos tocaram o cabo, contudo ele estava longe demais. A última coisa que vi antes que ele voltasse a desaparecer sob a água foi o brilho dourado em seus olhos, fixos no meu pai.

— Ah, pro inferno com isso! — resmungou Montgomery, e pulou na água.

Por um momento dolorosamente longo fiquei a sós com meu pai. O sol do entardecer tocava o atracadouro, criando longas sombras. Tive medo de olhar para trás. Eu fora até ali apenas para descobrir que os rumores eram verdadeiros — apenas um monstro observaria com paciência enquanto um homem se afogava. O que aconteceu com o pai do qual eu me lembrava, o pai que me dava chocolates às escondidas quando minha mãe não estava olhando? O pai cujos casacos quentes de *tweed* me cobriam e protegiam quando eu adormecia no sofá? Será que aquelas lembranças não eram nada além de fantasias?

Eu percebi que não fazia a menor ideia de quem era o homem no terno de linho branco. O medo transbordava de mim em gemidos curtos — o único som que havia ao redor além do ruído das ondas que se chocavam contra os pilares do atracadouro. Mais adiante, na doca, os enormes ilhéus estavam colocando os baús em uma carroça. Agiam como se estivessem em outro mundo, embora estivessem a poucos passos de nós.

Montgomery finalmente surgiu na superfície com um braço ao redor da cintura de Edward, quebrando aquela angústia horrível. Eu joguei o guarda-sol quebrado para o lado e estendi a mão para ajudá-lo conforme ele nadava para mais perto da doca.

— Segure-o enquanto eu subo até a doca — disse Montgomery. Agarrei Edward pelos ombros enquanto Montgomery se erguia; em seguida, ele arrastou Edward para fora da água e colocou-o na plataforma do atracadouro. Inclinei-me sobre Edward, tocando-o com cautela, temendo que o episódio pudesse lhe trazer lembranças horríveis do naufrágio.

— Você está bem? — perguntei.

Ele se inclinou para o lado e tossiu, e, então, sua mão agarrou a minha. Ele a apertou com uma força tremenda.

— Juliet... você parecia ainda mais bela quando eu pensei que fosse morrer.

Olhei fixamente para a mão dele ao redor da minha, sem saber como devia responder. "Obrigada?"

Meu pai não ofereceu nenhuma ajuda. — Vocês deviam ter deixado que ele se afogasse — observou por fim.

Montgomery apenas tentava se livrar de suas botas ensopadas e de tudo o que lhe pesava. As juntas dos seus dedos estavam brancas pelo esforço. Ele fora educado e treinado para nunca questionar seus superiores, mas eu não havia sido criada dessa maneira.

Agarrei o guarda-sol quebrado e usei-o para golpear o peito do meu pai, embora não com força suficiente para empurrá-lo. Apenas o bastante para demonstrar minha raiva.

— Como pôde fazer isso? — gritei. Uma expressão se formou em seu rosto, como se tudo aquilo o divertisse.

Levantei o guarda-sol para acertá-lo de novo, mas ele o agarrou e o arrancou de minhas mãos. — Acalme-se — ele disse. O sorriso se fora, juntamente com sua paciência.

Ouvi uma tosse estrangulada pela água atrás de mim. Edward estava inclinado em direção ao mar, tossindo e vomitando a água que engolira. Meu pai colocou a mão sob o meu queixo e me forçou a encará-lo. — Ele não pertence a este lugar, Juliet. Não é um de nós.

Eu me desvencilhei daquele toque. — Então, talvez eu também não pertença a este lugar!

Meu peito subia e descia rapidamente, tornando difícil respirar. Eu estava louca para rasgar o corpete que me prendia. A renda alvejada da gola do vestido branco arranhava meu pescoço, e eu repreendi a mim mesma por ser tão tola a ponto de querer impressionar um homem que eu mal conhecia. Mesmo que esse homem fosse meu pai.

O som de madeira batendo contra madeira fez com que todos nós nos virássemos. Outro marinheiro estava de volta, no escaler, com mais baús. Um segundo escaler o seguia, trazendo a pantera enjaulada, que sibilava, por vezes emitindo um rugido agudo e assustador.

Meu pai recolheu o guarda-sol. Ele o abriu, observou a renda rasgada e manchada e depois o fechou com cuidado. Os três ilhéus brutamontes se aproximaram com seu caminhar estranho, arrastando os pés, e prenderam os escaleres. Seus olhos estranhamente claros lançavam olhares nervosos na direção do meu pai, seu mestre. Eu mal suportava observá-los. As deformidades de Balthazar eram dignas de pena, mas aqueles homens abrutalhados eram dignos de pesadelos.

Meu pai se virou para Edward. — Senhor Prince, não é? — disse ele, franzindo os lábios. — Parece que minha filha se interessa pelo seu bem-estar. Como eu me interesso pelo bem-estar dela, suponho que você possa ficar conosco — completou ele, dirigindo a ponta do guarda-sol para as ondas. — Embora eu deva aconselhá-lo a aprender a nadar.

Ele resmungou um comando para os nativos e depois alisou seu cabelo grisalho e desgrenhado. — Venha, Juliet. Balthazar ficará por aqui e cuidará do descarregamento — disse ele, estendendo a mão para mim.

Olhei de modo fixo para a mão do meu pai, que esperava. Ela era surpreendentemente pequena, com um brilho rosado e curvas suaves e delicadas. Era a mão de um cavalheiro, o tipo de mão que não estava acostumada a usar nenhuma ferramenta maior do que o bisturi de um cirurgião.

Eu hesitei, ainda sem ter certeza do que havia visto.

Seus lábios se contorceram num espasmo típico de um calculista, o mesmo que fazia a minha boca ficar seca. Em seguida, ele riu. — Você achou que eu realmente machucaria o garoto? — disse ele, batendo uma palma contra outra. — Juliet, você terá que me perdoar. Eu sei que meu senso de humor tem às vezes uma tendência negra. Tudo que eu queria era instilar nele o temor a Deus, mostrar-lhe quem manda nesta ilha — disse ele, inclinando a cabeça na direção de Edward, cuja própria cabeça estava encurvada e os ombros, caídos, enquanto enxugava a água do rosto. — Como você está percebendo, funcionou bem.

Olhei rapidamente para Montgomery, porém ele não retribuiu meu olhar. Ele era outra vez um servo na presença do meu pai: terminou de desamarrar suas botas e as tirou. A água escorreu para fora dos calçados e se espalhou pelas tábuas do atracadouro.

Nuvens escuras começaram a se formar no céu. A tensão crepitava no ar como um feixe de relâmpagos. A mão do meu pai ainda esperava pela minha. Seus olhos negros me puxavam como uma âncora no mar. Pousei minha mão sobre a dele cautelosamente. Seus dedos se fecharam ao redor dos meus com uma força surpreendente.

— Venha conosco, Prince — chamou ele. — Ou teremos que arrastá-lo?

Olhei por cima do meu ombro para ver Montgomery ajudando Edward a se levantar. Edward deu alguns passos hesitantes, afastando Montgomery para longe de si. Montgomery pegou a gaiola com os coelhos, e ambos nos seguiram pela doca em direção a terra firme.

Meu pai colocou minha mão na curva do seu cotovelo, como um cavalheiro faria. Caminhamos casualmente até a carroça que nos esperava, como se fôssemos um casal passeando pelo distrito das lojas de Londres. Se eu não soubesse o que estava acontecendo, pensaria que éramos apenas pai e filha desfrutando de uma brisa morna em um dia ensolarado. Mas a minha cabeça estava girando. E tudo o que eu podia fazer era continuar colocando um pé na frente do outro.

Minha cabeça latejava, como se a touca que eu usava estivesse apertada demais. Tropecei quando o final do atracadouro chegou e tive que andar sobre a areia. A praia se estendia por toda a enseada, cercada por palmeiras como em uma pintura de um cenário tropical, exceto pelas pesadas nuvens de chuva, acima de nós, que faziam sombra, escurecendo entre as árvores. A carroça nos esperava, presa a um enorme cavalo de carga com uma crina dourada que lhe caía sobre os olhos. Os nativos já haviam carregado dois enormes baús e alguns outros volumes na parte de trás.

— Depois de você, minha querida — disse meu pai. Ele abriu a portinhola da carroça. Edward e eu subimos, e Montgomery colocou a gaiola com os coelhos logo atrás de nós. Ele ia falar alguma coisa, mas meu pai o interrompeu.

— Não temos o dia todo, Montgomery.

Montgomery se endireitou. Afastou o cabelo que lhe cobria o rosto com uma das mãos, e a gaiola com os coelhos escorregou. Eu me levantei de um salto para segurá-la por um dos lados antes que ela caísse para fora da carroça.

— Cuidado — disse meu pai. — Se um desses coelhos escapar, esse lugar se transformará em um inferno para todos nós.

Os músculos no pescoço de Montgomery se flexionaram. Ele fechou a portinhola com força.

Voltei a me sentar sobre um baú, ao lado de Edward. Seus pés e sua calça estavam emplastados de areia até os joelhos. Tentei pensar no que poderia dizer, mas não havia palavras que pudessem desculpar as ações do meu pai. O rosto de Edward estava tranquilo, mas suas mãos tremiam um pouco. Meu Deus, se ele estivesse sofrendo da loucura dos mares antes, isso certamente não faria bem para sua sanidade.

— Talvez você possa voltar — sussurrei. — O capitão Claggan ainda pode levá-lo à Austrália.

Os olhos dele encararam os meus. — Não quero voltar.

Uma pergunta se formou nos meus lábios, porém Edward desviou o olhar. Cruzou os braços em torno de si mesmo com força. Eu afastei as vozes que insistiam em perguntar se aquilo tinha a ver com o que Edward dissera no navio: que tinha ficado feliz por eu não estar comprometida.

Montgomery subiu no banco do cocheiro. Meu pai sacou uma pistola de dentro do seu casaco e passou-a para ele. Minha garganta se apertou ao perceber o brilho repentino do metal. Montgomery a colocou casualmente em seu cinturão, como se aquilo fizesse parte da sua rotina diária. Mas por que eles precisavam de pistolas?

Montgomery segurou as rédeas. Começamos a avançar aos solavancos, até que as rodas da carroça encontraram um piso mais sólido e, então, rolaram sobre a terra e sobre a vegetação da ilha. Observei o Curitiba parado ao longo da costa. Tive um desejo repentino de saltar da carroça e nadar de volta até o navio. Mas eu nunca aprendera a nadar, e detestava o Capitão Claggan e seu navio malcheiroso. Entretanto, pelo menos eu sabia o que esperar daquelas pessoas, e isso era mais do que eu poderia dizer em relação à ilha. Ousei dar uma olhada para o meu pai. Eu tinha muitas perguntas, porém todas elas se amontoaram em um lugar desconfortável quando ele empurrou Edward do ancoradouro.

Agora, a carroça começava a se deslocar mais rapidamente conforme a trilha ficava mais firme, e não tardou até que a selva engolisse a praia. Entrar na selva era como entrar em uma estufa resfriada — a temperatura caiu e as copas das árvores bloquearam quase toda a luz do sol do fim da tarde. As folhas largas das plantas cujos nomes eu não conhecia formavam um túnel ao nosso redor, batendo contra as laterais da carroça, que se movia aos solavancos, fazendo com que tivéssemos que nos abaixar constantemente.

— Esta é uma estação biológica — disse meu pai, por cima do ombro, como se de repente todos fôssemos amigos há muito tempo. — Montgomery e eu passamos anos catalogando cada espécime da ilha. A diversidade é extraordinária — declarou ele. Eu olhei rapidamente para Edward, imaginando no que estava pensando, mas ele havia se recolhido para algum lugar no fundo de si mesmo.

A carroça passou por um buraco, e eu caí de cima do baú antes de bater contra a gaiola dos coelhos. Vi-me frente a frente com o focinho de um coelho branco imundo, o que fez com que me lembrasse imediatamente de outro coelho, distante um mundo inteiro, em uma sala de cirurgia em Londres.

— Você vai ter que passar algum tempo conosco, Prince

— prosseguiu o meu pai. — Um navio que passe por aqui é algo incrivelmente raro. Às vezes, leva um ano ou mais.

O nariz do coelho se agitava sem parar. Aquele animal de pensamentos simples não sabia que viera da Inglaterra até aquela ilha para morrer com um bisturi lhe abrindo a barriga. Meu dedo se apoiou no ferrolho que trancava a gaiola. Tudo que eu precisava fazer era pressionar levemente o mecanismo para libertar o coelho.

Como se pudesse pressentir meus pensamentos, Edward colocou a mão sobre a minha e balançou a cabeça.

O caminho foi ficando aos poucos mais largo. A viagem na carroça durou cerca de uma hora, talvez mais. O sol desaparecia rapidamente atrás de nuvens escuras de tempestade que jogavam sombras entre as árvores. Na maioria das vezes, eu conseguia ter uma boa ideia da passagem do tempo, mas eu perdera a noção das horas, desregulando-me como um velho relógio no qual as pessoas se esqueceram de dar corda. Trovões ribombaram acima de nós. Sons estranhos surgiam por entre as árvores, embora eu dissesse a mim mesma que devia ser o ruído de insetos desconhecidos. Finalmente, Edward apontou para a frente.

Uma construção de pedra se erguia em uma clareira. A estrutura com telhado de terracota estava organizada dentro de uma muralha circular e encerrada por dois pesados portões de madeira. O único bastião de civilização em uma ilha selvagem.

— Este lugar foi um forte espanhol — disse meu pai por cima do ombro. — Estava em ruínas quando eu o encontrei. Os missionários dormiam aqui como se fossem cães. E diziam que eram civilizados — comentou ele, fazendo uma careta.

— Missionários? — perguntei.

— Anglicanos que vieram para pregar a palavra do Senhor — resmungou ele, mas sua atenção estava concentrada no complexo de construções. De dentro da muralha vinha um ruído constante de algo sendo martelado e um cheiro de fumaça. Apesar dos tremores em minhas mãos, eu disse a mim mesma que não era um lugar que eu devesse temer. Montgomery morava ali, assim como meu pai. Não havia nada no interior daquelas paredes que pudesse me machucar. Na verdade, o perigo estava do lado de fora, na selva, onde Montgomery tinha que andar armado com uma pistola.

Então, por que eu me sentia tão nervosa?

Dez metros antes de chegar ao complexo, Montgomery puxou as rédeas do cavalo. Uma porta bateu lá dentro, e o barulho me fez saltar. Um garoto surgiu, correndo de modo saltitante em nossa direção. Ele pegou as rédeas do cavalo enquanto Montgomery descia acariciando os cabelos do menino. Não consegui evitar o impulso de observá-lo. O queixo daquela criança era protuberante, projetando-se logo abaixo de um nariz quase inexistente. Seus braços eram cobertos por pelos finos e escuros. Um arrepio percorreu a minha pele. Era como se meu pai houvesse encontrado um grupo de nativos a quem a teoria da evolução, caso alguém estivesse disposto a acreditar no Sr. Darwin, deixara passar.

Outro rosto espiou por uma porta entreaberta, a qual eu não havia notado. Vislumbrei uma cabeça calva e uma camisa branca. Meu pai desceu da carroça com uma agilidade impressionante e foi até lá conversar com o homem.

Montgomery abriu a traseira da carroça. A coronha prateada em seu cinturão refletiu as nuvens cinzentas que se formavam no céu. Eu tropecei enquanto tentava descer. As mãos de Montgomery me agarraram pela cintura e continuaram ali por alguns momentos, fazendo-me perder o fôlego.

— Você está bem? — sussurrou ele. Olhei para as paredes sisudas do complexo. Meu pai já havia desaparecido em algum lugar ali dentro, e estávamos sozinhos com Edward e o garoto.

— É minha doença — disse eu. — Depois de tanto tempo no navio, sem comida adequada...

Ele não parecia estar convencido. Suas mãos se apertaram em volta de mim. Eu tinha dito a Edward que não havia nada entre mim e Montgomery, e, mesmo assim, era impossível negar os desejos que borbulhavam dentro de mim quando ele me tocava. Era mais do que isso. Eu confiava nele. E eu era uma pessoa que não confiava em ninguém.

— Não tenha medo do doutor — comentou Montgomery. — Ele passou tanto tempo nesta ilha que por vezes se esquece da maneira apropriada de agir. Mas ele nunca deixaria que você se machucasse.

— E Edward? — perguntei. Ouvindo seu nome, Edward desceu da carroça. Montgomery soltou as mãos da minha cintura e deixou-as pender ao lado do corpo. Meu corpo ainda sentia os resquícios do seu toque.

— O doutor lhe deve um pedido de desculpas, certamente — disse-lhe Montgomery. — Ele é muito reservado e cuidadoso em relação ao seu trabalho, e não estava aguardando um estranho. Eu lamento.

Edward apenas esfregou os ombros, como se estivesse sentindo frio. — Você não tem nada do que se desculpar. Tenho certeza de que foi apenas uma brincadeira — disse ele. Contudo, a expressão em seu rosto indicava o contrário.

— De qualquer maneira, você está aqui, conosco, agora — falou Montgomery, dando-lhe um tapinha fraternal no ombro, embora Edward continuasse tão tenso quanto uma mola encolhida. — Venha, vamos lhe dar uma boa refeição e uma cama confortável. Tenho certeza de que você se sentirá melhor.

O garotinho soltou um rosnado suave, esforçando-se para amarrar uma das rédeas de couro que havia se soltado da sua fivela. Montgomery apoiou seu peso contra o cavalo para fazê-lo virar-se e em seguida liberou a correia e a puxou, apertando-a até que estivesse justa, sorrindo ao concluir a tarefa. — Mais um minuto e você teria conseguido. Cymbeline, esta é a filha do doutor, Senhorita Moreau.

O menino me encarou de um jeito tímido sob os cílios longos, dando um sorriso meigo no qual um dos dentes da frente estava faltando. A humanidade por trás de um rosto tão deformado me intrigou profundamente. Em vez de retribuir o sorriso, eu desviei o olhar, sentindo o peso da culpa.

Com o rangido das dobradiças de metal, as enormes portas de madeira do complexo se abriram. A cabeça do meu pai apareceu entre as portas.

— Bem, entrem logo. A chuva está vindo. Todo dia no mesmo horário, como um relógio.

Como se respondesse a ele, um trovão fez o céu estremecer. As nuvens se amontoavam como frutas maduras, prontas para se partir e explodir sobre a ilha. Montgomery pegou a gaiola dos coelhos e apoiou-a contra o joelho, enquanto o portão se fechava. Os coelhos saltavam e absorviam os novos aromas da ilha com seus focinhos.

"Ploc". Uma gota gorda de chuva caiu no meu antebraço. Olhei para cima e outra caiu no meu rosto. À nossa volta as árvores tremiam e dançavam sob os pingos da chuva. O barulho da água caindo sobre as folhas largas daquela selva não era nada que eu já tivesse escutado; algo como milhares de minúsculas rodas de carroça rolando sobre uma ponte de madeira. Outro segundo se passou, e aquelas poucas gotas se transformaram em um dilúvio.

Dei um berro. Não sabia que a chuva podia cair tão rapidamente e com tanta força. Montgomery e Edward correram em direção ao complexo. Ergui a barra do meu vestido e corri atrás deles, deslizando na lama que se formava. Um segundo antes de entrar pela porta, levei um susto. Acima da entrada, dois pares de olhos observavam tudo. Pisquei para afastar a água da chuva. Duas figuras estavam entalhadas na pedra: o Cordeiro de Deus e o Leão de Judá. Seus olhos eternos, lascados e cobertos pelo líquen, pareciam ressoar com o som dos trovões. Afastei-me daqueles olhares paralisantes e corri para além dos portões de madeira.

Capítulo 13

O INTERIOR DO COMPLEXO era cercado por um pórtico coberto que nos abrigava da chuva. Eu me enrodilhei como um gato encharcado que fora jogado na sarjeta. Meu vestido branco estava coberto de lama, sujeira e areia. Minha pele ardia, desejosa pelo toque suave de trajes secos e quentes.

Montgomery colocou a gaiola de coelhos no chão e apoiou-se contra as pesadas portas de madeira para fechá-las, separando-nos completamente da selva.

Por dentro, o complexo era maior do que aparentava à primeira vista. A muralha de pedra cercava um espaço aberto, cujo piso de terra estava rapidamente se enchendo de poças de lama. Uma horta e um galinheiro foram construídos em uma área um pouco mais elevada. Ao lado da horta, uma bomba d'água se erguia por cima de um pequeno reservatório cuja superfície tremia com a chuva.

Algumas construções circundavam a área central. Perguntei a mim mesma em qual delas meu pai teria entrado. Ao lado do portão de madeira estava a maior edificação, com paredes no primeiro e no segundo andar protegidas por venezianas de tábuas largas. Uma fumaça tênue subia por uma chaminé de metal. Um celeiro velho e castigado pelo tempo, com beirais amplos no telhado, estava logo ao lado do prédio alto. O garotinho estendia a mão pela porta entreaberta do celeiro para que as gotas lhe caíssem na palma. Havia algumas edificações menores, que provavelmente não teriam mais do que um cômodo. Bem à minha frente havia um prédio baixo com paredes de um metal fino, talvez estanho ou zinco, pintado num tom de vermelho-sangue. Não havia nenhuma janela. Havia alguma coisa naquela estrutura que me causava uma dor fraca, mas irritante, em um dos lados do corpo, como se uma costela fraturada estivesse perfurando o meu pulmão direito.

— O que é aquele lugar?

Montgomery nem se deu ao trabalho de olhar para onde eu estava apontando. — O laboratório.

Enxuguei a água da chuva que me encharcava o rosto. Aquela estrutura baixa e vermelha me deixava inquieta, mas o resto do lugar parecia estar funcionando de modo adequado. Era decerto a casa de alguém, não o antro de um louco. O pórtico fora varrido recentemente, e a horta era bem cuidada, apesar das poças de barro. A barra do meu vestido tocou a superfície da parede interior, e eu percebi que voltou com uma camada fina de cal branca, resultado da pintura recente.

Ao meu lado, Edward se apoiava contra a parede, respirando fundo. Ele pressionou o local onde o nariz se juntava à testa, fechando os olhos por alguns momentos. Uma parte de mim sentia um forte desejo de protegê-lo. Mas ele era um sobrevivente. Havia passado por situações piores do que aquela.

— Você vai ficar bem — disse eu.

— Não é comigo que estou preocupado — sussurrou ele, encarando-me com um olhar penetrante. — Não estou certo de que você devesse ter vindo até aqui, Juliet. Há algo errado com esta ilha. Com o seu pai.

Cruzei os braços, sem querer ouvir mais nada. Não discordava totalmente dele, porém não estava preparada para admitir aquilo em voz alta. A chuva diminuíra, e o garotinho atravessara a área central correndo, indo em direção a um dos apartamentos. Voltei a ouvir o som do martelo batendo.

Montgomery correu os dedos pelo cabelo ensopado. Estava mais silencioso do que de costume, como lhe preocupasse a possibilidade de eu estar decepcionada pela simplicidade daquela casa.

Uma porta bateu atrás de nós, causando um sobressalto.

Meu pai saiu do prédio maior e veio na direção do pórtico, esfregando as mãos. — Coloquei a chaleira no fogo — disse ele, passando os olhos pelo meu vestido sujo, pelas botas enlameadas de Montgomery e as roupas encharcadas pela água do mar de Edward. Ele franziu o cenho. — Deus do céu, vocês estão num estado deplorável. É uma sorte não termos vizinhos. O chá pode esperar. Montgomery, seja um bom rapaz e leve Juliet até o quarto dela enquanto eu preparo um banho.

A expressão no rosto do meu pai ficou ainda mais séria quando ele olhou para Edward.

— Prince, receio que tenhamos apenas um quarto vago. Talvez possamos improvisar acomodações para você na despensa. Até agora, ela só foi utilizada para armazenar a comida dos cavalos.

— Tenho certeza de que será um bom lugar — disse ele, mas as juntas de seus dedos estavam brancas com a força dos seus punhos fechados.

Meu pai olhou para a barra enlameada do meu vestido.

— Preciso cuidar do carregamento antes que a noite caia. Isso pode lhe dar algumas horas para que fique apresentável, Juliet. Então, poderemos conversar de forma civilizada — disse ele, enquanto chamava Edward para o prédio principal. — Venha comigo, Prince. Levará alguns minutos para prepararmos o seu quarto, e tenho que lhe fazer algumas perguntas, caso você realmente fique por aqui.

Olhei para Edward, preocupada, mas seu semblante estava calmo. Para um rapaz acostumado com uma vida privilegiada, ele era surpreendentemente corajoso. Imaginei o que ele teria dito a si mesmo para conseguir sobreviver aos dias longos e desesperados no bote. Lembrei-me da fotografia, com aquele lampejo de curiosidade, e perguntei-me outra vez do que ele estaria fugindo.

— Por aqui — disse Montgomery. Tirei meus olhos de Edward e segui Montgomery através do pórtico. Suas botas deixavam pegadas enlameadas no piso de pedra enquanto ele me levava para um dos apartamentos. Algumas galinhas magricelas estavam aninhadas na parte mais alta do galinheiro para permanecerem secas. Quando passamos pelo jardim, Montgomery saiu na chuva para colher algumas vagens. Voltando para baixo do beiral, ele me entregou uma delas.

O sabor doce e terroso era uma amostra do paraíso após dias de charque e legumes enlatados com sabor metálico. Apontei para as galinhas.

— Eu adoraria ter uma dessas para o jantar.

— As galinhas estão aqui apenas por causa dos ovos — disse ele. — Não comemos carne nesta ilha.

— Isso é um pouco estranho, não é?

Ele deu de ombros.

— Nada de peixe, nada de carne. São as regras.

— Mais um dos mandamentos do meu pai? — perguntei, sem conseguir evitar o tom de sarcasmo.

Ele parou ao lado da porta de um dos apartamentos menores. Seu rosto bonito estava tenso pela exaustão, e eu senti uma pontada de culpa por aquele gracejo agressivo. Não era culpa de Montgomery. Ele salvara Edward por duas vezes, mesmo que aquilo fosse contra os desejos do meu pai.

— O doutor é peculiar em relação à sua dieta — disse Montgomery. — Não quer que eles desenvolvam o gosto por carne.

— Eles? Está falando dos nativos?

Mas ele já havia aberto a porta. A maçaneta era estranha: um cilindro liso e reto, e um ferrolho em forma de gancho com buracos para os dedos. O buraco da fechadura fora fechado com solda.

— Não há chave?

— Não é preciso. Apenas o portão principal fica trancado — disse ele, puxando a maçaneta algumas vezes com o dedo médio. — As portas internas têm um dispositivo de segurança. Apenas os cinco-dedos podem abri-las.

— Cinco-dedos?

— Ah, eu lamento. Estava me referindo a um mecanismo especial que impede que os animais selvagens entrem no complexo, mas deixam os moradores irem e virem de acordo com sua vontade.

— Até mesmo para o interior do meu quarto?

Ele sorriu brevemente enquanto abria a porta.

— Você não tem nada a temer em relação a nós, Juliet.

Eu o segui para dentro do quarto. O lugar era grande e arejado, com uma cama de madeira, uma mesa e uma cadeira. Um biombo feito de um velho pedaço de rede separava o aposento em duas partes: um quarto de dormir e uma área de vestir, com um espelho empoeirado. Atravessei o quarto e fui até uma janela gradeada que emoldurava o sol poente, oculto agora atrás das nuvens de chuva, enquanto baixava em direção ao horizonte escuro. Mais abaixo era possível ver três enormes nativos subindo pela estrada, carregando baús nas costas.

Eu estava sozinha com Montgomery e com as imagens inquietantes dos braços e pernas retorcidos daqueles ilhéus. A voz da minha mãe sussurrava em meu ouvido que chamar a atenção para as deformidades seria indelicado, contudo eu não conseguia conter a curiosidade. Afastei-me da janela.

— O que há de errado com os nativos? — sussurrei.

Montgomery puxava as barras da janela, testando-as, e verificou várias vezes as figuras que subiam pela estrada. A pistola desaparecera do seu cinturão, mas não da minha mente. O que havia lá fora? Tigres? Lobos? Havíamos viajado por todo o oceano Pacífico com uma pantera que Montgomery tratara como se fosse um gato inofensivo. Se a pantera não o assustava, o que haveria do lado de fora da minha janela para causar-lhe aquela apreensão?

— Do que está falando? — perguntou ele.

"Não era óbvio?"

— As deformidades. Essas pessoas são o resultado de um desenvolvimento isolado?

— Se eu soubesse... — murmurou ele. Em vez de me olhar nos olhos, ele bateu com sua bota enlameada contra um velho baú empoeirado no canto do quarto. — De qualquer maneira, venha dar uma olhada nisso.

Ele estava se esquivando das minhas perguntas novamente. Escondendo coisas.

Ajoelhei-me ao lado do baú. Ele levantou a tampa. Dentro, dobrados e passados, havia uma pilha de vestidos femininos. Deslizei as mãos pelos tecidos finos. Seda. Tule. Eram modelos caros, fora de moda havia alguns anos, mas em boas condições, apesar de um leve tom amarelado nos punhos. Examinei os primeiros vestidos da pilha cuidadosamente. Abaixo deles havia uma boa quantidade de outras peças: roupas de baixo, um xale e um chapéu de abas largas enfeitado com um laço cor-de-rosa.

— Pertenciam à sua mãe — disse Montgomery.

Eu olhei para ele, surpresa. Toquei os vestidos outra vez, mais gentilmente agora.

— Onde você conseguiu essas coisas?

Ele deu de ombros. — Estavam vendendo o espólio da família em um bazar quando fui a Londres certa vez. Pensei que o doutor poderia querê-las — disse ele, com a bota batendo nervosamente contra a parede do baú. Eu sabia que meu pai não era do tipo sentimental. Nunca se importaria com um baú de vestidos velhos. Provavelmente era o próprio Montgomery que queria aquelas roupas, para poder se lembrar dela e da vida que tínhamos antigamente. Senti como se um cordão se apertasse ao redor do meu coração.

Ele amava minha mãe como se fosse filho dela.

— De qualquer maneira, agora você tem algo limpo para vestir — concluiu ele, repentinamente desconcertado quando eu retirei alguns conjuntos de roupa íntima de cetim.

Olhei para ele, enxergando o garoto tranquilo que conhecera outrora. Talvez eu o tivesse julgado de maneira muito dura antes, por obedecer a meu pai tão prontamente. Devia se sentir muito solitário ali, tendo apenas o mar para lhe fazer companhia. — Não posso usar esses vestidos aqui no meio da selva. Eles ficariam arruinados.

— Você não tem muita escolha. A loja mais próxima fica em Brisbane.

Recoloquei com cuidado os vestidos no baú e fechei a tampa. Sentia que havia algo de errado em usar os vestidos da minha mãe. Tirar seus vestidos daquele baú era como exumar seu corpo havia muito enterrado.

Levantei-me, dedilhando seu anel de diamantes.

— Eles são lindos. É que... parecem trazer o fantasma dela de volta.

Ele assentiu. Perguntei a mim mesma do que ele se lembraria a respeito de sua própria mãe, enterrada em uma vala comum, em algum lugar do terreno malcuidado nos fundos de uma igreja de Londres. Ele enfiou os dedos pela tela do biombo, empurrando-a gentilmente em direção à brisa. Temi que tivesse dito algo errado, incomodado os fantasmas que habitavam lugares sombrios do nosso passado. Pelo menos eu tinha um pai. O que Montgomery tinha? Uma história sobre um marinheiro dinamarquês que embarcara em um navio duas semanas antes de seu nascimento e nunca mais retornou. Seria essa a razão pela qual ele relutava tanto em ser claro comigo? Não me importava quão terrível fosse a verdade; não importava quanto eu detestasse e me afastasse do meu pai. Eu tinha um pai.

— Montgomery. — Minha voz era um sussurro. Aproximei-me, até que apenas um pequeno espaço nos separava. Era a primeira vez em muito tempo que ficávamos a sós. Seus dedos continuavam a se enroscar incessantemente nos cordões que formavam o biombo. Meu peito arfava com as coisas que eu queria perguntar sobre ele, sobre a ilha, sobre o meu pai. Entreabri meus lábios para falar, mas as palavras não se formavam. Enfiei meus dedos pela trama do biombo, perto dos dedos dele. Abri a boca para perguntar se os rumores eram verdadeiros.

Mas não consegui.

Em vez disso, outra frase se formou. Algo inesperado. Algo que eu deveria ter lhe contado seis anos antes, mas nunca tivera a oportunidade.

— Eu lamento por Crusoé.

O simples fato de dizer aquele nome fez meu coração se retorcer. A cabeça de Montgomery se virou de maneira tão repentina quanto se eu tivesse agarrado sua garganta. Crusoé era o nosso cachorro, o cachorro de Montgomery na realidade, criado por ele desde filhote. Crusoé morreu no dia anterior ao desaparecimento do meu pai. Os repórteres disseram que o cão fora vítima das experiências criminosas do meu pai. Ouvi todos os detalhes sórdidos sobre como eles encontraram o corpo de Crusoé. Cortado em pedaços e costurado novamente, quase morto. A polícia o matou por piedade. Ninguém falava de tais coisas, muito menos eu. Até agora. Porque era errado para um garoto perder seu cão, e o passar dos anos não tornou as coisas mais fáceis.

Montgomery continuou em silêncio por algum tempo, com o rosto pálido. Ele lentamente tirou os dedos da tela do biombo e afastou uma mecha do cabelo para trás da orelha.

Seus lábios tremiam. Senti meu próprio coração tremendo, lembrando-me do cão que eu também amava.

De repente, ele deslizou seu polegar calejado pelo meu queixo, apanhando-me de surpresa. O calor tomou conta do meu rosto enquanto eu inspirava profundamente. Ele ia me beijar? Meus olhos se fecharam. Nossos corpos estavam praticamente se tocando. Era errado estar tão perto de um rapaz, cada momento da criação que minha mãe me dera dizia isso. Porem eu não me importava. Estávamos unidos, ele e eu.

Alguém bateu na porta. Senti meu coração parar por um segundo. Ele se afastou, levando um pedaço do meu coração consigo.

Olhei para a porta.

Balthazar. Pelo menos, não era o meu pai. Se ele tentara matar Edward simplesmente por colocar os pés na ilha, o que ele faria com Montgomery ao apanhá-lo quase aos beijos com a filha do "senhor" de toda a ilha?

— O que foi? — vociferou Montgomery.

— Seu banho está pronto, senhorita.

Montgomery deu alguns passos em direção à porta. Eu ainda podia sentir o calor da sua presença.

— É melhor eu ir — disse ele.

Assenti, sentindo a mudança no ar. O momento havia fugido de nós. Eu queria preservar aquela sensação, aquela proximidade com Montgomery. Sentia-me segura na presença dele. Completa. Como se o mundo não fosse mais um enigma.

Mas ele já tinha desaparecido.

O quarto de banho era simples, mas agradável. Uma grande banheira de madeira continha uma enorme quantidade de água quente que emanava toques de alguma erva adocicada que eu não conseguia identificar. Tirei o vestido de verão e entrei devagar no banho. Estava quente o bastante para deixar minha pele vermelha. Esfreguei cada milímetro do meu corpo com uma esponja marítima e uma barra de sabão de lavanda que parecia estar deslocada em uma ilha cheia de homens. A antiga Juliet se desfez na água, em meio a pedaços de lama e areia. O vapor amenizou aquelas sensações que eu sempre trazia comigo: vergonha, preocupação e incerteza. Respirei fundo, chocada ao perceber o quanto poderia encher os pulmões sem a restrição do corpete.

Após o banho, coloquei um vestido e retornei ao meu quarto. As nuvens haviam se dissipado, mas o sol já tinha quase desaparecido. Acendi os lampiões e desembaracei o meu cabelo com um pente de prata que encontrei entre os pertences da minha mãe. O banho dissipou todos os meus pensamentos. Minha cabeça estava vazia. Era uma sensação estranha. Deitei na cama e me espreguicei. Antes que percebesse, a luz do lampião tremeluziu, e senti que estava lentamente adormecendo.

Sonhei com a mão áspera de Montgomery no meu rosto. Sua palma era quente, familiar, deslizando pelo meu queixo, pelos meus ombros, com os polegares tocando minha clavícula, em um eco do jogo que os estudantes de medicina faziam ao contar os ossos de Lucy. O jogo não parecia tão tolo agora que envolvia o toque de Montgomery. Imaginei o corpo de um homem, com mãos fortes e carinhosas, no entanto elas estavam frias. Não era Montgomery, mas Edward. A sensação de segurança e proteção que eu sentira com Montgomery desaparecera, substituída por um calafrio profundo, que fazia meus braços e pernas estremecerem. No meu sonho, os contornos do corpo de Edward eram imprecisos, borrados como um fantasma preso de maneira muito tênue a este mundo.

Estávamos de volta ao laboratório do meu pai em Belgrave Square. Eu via as fileiras familiares de armários, os frascos com amostras, tudo meticulosamente organizado. Eu estava deitada na mesa de cirurgia. Algo me mantinha presa a ela, e não eram as correias de lona geralmente usadas pelos médicos, mas algo mais pesado, feito de metal, como correntes.

Edward estava ao meu lado, observando-me. Ele arregaçou as mangas da camisa lentamente — primeiro uma, depois a outra, preparando-se para a cirurgia. Um livro de referência estava na mesa ao seu lado. Tentei levantar a cabeça para observar o diagrama, mas alguma coisa a mantinha imóvel também. Tentei me desvencilhar. Os olhos dele, com as manchas douradas que eu notara antes, voltaram sua atenção para mim.

— Não se debata — sussurrou ele. — Isso não vai ajudar.

Ele se voltou para a mesa, selecionando os instrumentos que retiniam uns contra os outros com o som familiar do aço. E, estranhamente, eu sentia apenas uma calma anormal e o peso sufocante das correntes.

— Não se mova, Juliet — disse ele.

O lampião de querosene, preso sobre a mesa, balançava, iluminando a ferramenta que ele tinha nas mãos. Uma velha serra para cortar ossos, desgastada e enferrujada. A ferramenta de um açougueiro, não a de um cirurgião. Percebi aquilo calmamente, imaginando o que uma serra para cortar ossos estaria fazendo no antigo laboratório do meu pai.

A outra mão de Edward tremeluzia de maneira fantasmagórica, com os dedos surgindo e desaparecendo; entretanto, quando ele afastou o cabelo que cobria o meu rosto, pareceu ser sólida o suficiente. Ele deslizou uma mão pelas minhas faces, inclinando minha cabeça, examinando meu rosto. Achei que fosse falar, porém não o fez. Em vez disso, ergueu a serra.

Senti um tranco, algo perto dos meus pés, onde eu não podia ver. Em seguida, o rangido insuportável do metal. Concluí que ele estava serrando. Mas uma serra para ossos não poderia cortar correntes. Era preciso um arco de serra de aço para fazer isso. Tudo aquilo me deixava perplexa.

Os rangidos e o ruído do metal continuavam. Eu queria tampar os ouvidos, mas minhas mãos estavam imobilizadas. Edward voltou a surgir diante dos meus olhos. A serra havia desaparecido. Suas mãos estavam cobertas de sangue. Observei aquilo com uma expressão séria. Ele havia me cortado? Mentalmente, eu inspecionei meus pés, minhas pernas, meu peito, meus braços. Não senti dor. Mas não senti mais nada também, com exceção das correntes que me prendiam.

Os dedos de Edward se fecharam ao redor de alguma coisa ao lado da minha cabeça. Ele puxou com força. O suor lhe cobria a testa. O contorno metálico de alguma coisa surgiu no limiar do meu campo de visão. A lâmina afiada, tendo penetrado a pele, cortava agora a carne dos seus dedos. Percebi que suas mãos estavam encharcadas com seu próprio sangue.

Quanto mais ele puxava o metal, mais livremente eu conseguia mover a cabeça. Até que, enfim, eu me virei para poder ver com clareza. Ele usava a serra para cortar um chapéu de metal com uma flor de cobre por cima e uma fita de aço em volta, e depois o desmontava com as mãos nuas.

Era bastante peculiar.

Edward veio em direção ao meu peito. Outro rangido metálico. Músculos que se esforçavam. Sangue respingando na mesa. Eu conseguia enfim respirar. O ar entrava pelo meu corpo, despertando meus sentidos. Sentei-me, afastando a sensação fria de estar distante, inspirando uma lufada de ar após a outra. Quase gritei ao perceber do que ele havia me libertado. Um corpete de metal, e, abaixo dele, uma saia de metal, já cortados e abertos. Percebi que nunca estivera presa por correntes. O que me mantinha presa era um vestido metálico. E Edward, com uma serra para cortar ossos e suas mãos ensanguentadas, tinha cuidadosamente me despido.

Por baixo do vestido de metal eu estava nua, e cobri meu corpo com as mãos, ainda tremendo com a sensação do ar, da liberdade e algo mais, algo que era terreno e corpóreo. Era como se eu houvesse acordado de uma noite londrina desagradável e surgido dentro de uma pintura italiana, onde o mundo era verdejante, quente e cheio de paixão.

Movi minhas pernas para descer da mesa. Suor e sangue escorriam pela testa de Edward. Suas mãos estavam cobertas de cortes. Ele não olhava para o meu corpo nu, mas, em vez disso, inspecionava o meu rosto. Ele afastou meu cabelo, estudando minhas feições com os olhos escuros e impenetráveis.

Sem a restrição das roupas, me senti preenchida por uma constelação de sensações. Percebia o aroma da sua água de colônia misturada ao sangue, o toque áspero do tecido da sua calça roçando nas minhas pernas, o desejo, e o sangue que emanava dos cortes de suas mãos, manchando o piso.

Ele deslizou uma mão ao redor da minha cintura com seus dedos gelados. Minha pele nua estava pálida contra seus trajes ensanguentados. Sua mão deslizou entre os meus cabelos.

Ele pressionou seus lábios contra os meus.

O frio me invadiu com a força de uma cachoeira em uma manhã de inverno. Gemi com a sensação, sentindo-me repentina, dolorosamente, faminta.

Retribuí o beijo, sem fôlego, querendo muito, muito mais.

Capítulo 14

Acordei, queimando com o suor. O sonho ainda estava vívido em mim, tão palpável que toquei meus lábios com dedos trêmulos. Disse a mim mesma que sonhei com aquilo devido ao quase beijo com Montgomery. Não tinha nada a ver com Edward. E agora o sol já estava brilhando no céu, era quase o meio da manhã. A luz do sol entre as árvores e o som distante das ondas infiltraram-se entre as barras da minha janela.

Eu dormi a noite inteira, ignorando até mesmo a hora do jantar. Pelo que percebi, poderia ter dormido durante vários dias. Enxuguei minhas mãos úmidas nos lençóis. Quando fui para debaixo das cobertas? Eu estava usando uma camisola que não reconhecia, uma peça cara com renda no decote. Mas, quando caí no sono, ainda usava um vestido simples.

Alguém tinha me despido.

Livrei-me dos lençóis como se eles estivessem em chamas. As memórias do sonho voltaram a me assolar, deixando-me tonta. As mãos de Edward no meu corpo nu. Todos os cortes em suas mãos após livrar-me do vestido de metal. Edward teria me despido? Seria essa a razão pela qual eu sonhara com ele?

Não, com certeza não. Ele era um cavalheiro, e tão tímido que mal olhava para mim. Mas, então, quem fizera aquilo? Algum dos servos bestiais do meu pai? Pensar naquilo me deu enjoo.

Abri rapidamente o baú da minha mãe, buscando por algo pouco chamativo, e encontrei um vestido azul simples. Desatei os cordões daquela camisola estranha com pressa, mas uma brisa que entrou pela janela me interrompeu.

Sussurros. A cadência ascendente e descendente de palavras, trazida pelo vento, pronunciada em uma linguagem que não era humana.

Deixei-me levar até a janela, observando as árvores. Para além da selva, o mar se estendia em direção ao infinito. Não havia cortinas e, repentinamente, eu me senti exposta vestindo apenas aquela camisola que não estava nem mesmo atada de maneira adequada.

Avistei meu reflexo no espelho. Meus braços estavam bronzeados. A pouca comida e o tempo inclemente durante a viagem a bordo do Curitiba haviam roubado a suavidade do meu rosto. Afastei a alça da camisola que cobria o meu ombro, virando-me para observar minhas costas no espelho.

A cicatriz enrugada que eu tinha desde criança era visível por toda a extensão da minha coluna vertebral. Quando eu era criança, minha mãe insistia em me vestir somente com blusas de gola alta para mantê-la oculta. Dizia que a cicatriz fazia com que ela se lembrasse da dificuldade do meu parto e das minhas costas deformadas. As mãos talentosas do meu pai tinham me endireitado, mas nem mesmo ele era capaz de operar sem deixar cicatrizes.

Minha mãe falecera havia tempos, mas seu espírito continuava presente. “Mantenha isso coberto”, ela parecia murmurar. Rapidamente eu tirei a camisola e vesti uma blusa, colocando, a seguir, o vestido azul por cima da minha cabeça e ajustando a gola alta ao redor do pescoço. Teria que ficar sem o corpete. O meu estava imundo, e os que pertenceram à minha mãe eram tão antiquados que eu não conseguiria prendê-los sem ajuda. Sem aquela peça eu me sentia estranhamente leve. Toquei as minhas costelas, lembrando-me do vestido de metal no sonho.

Alguém bateu à porta. Apertei a maçaneta estranha, esperando ver meu pai, Montgomery ou um dos nativos.

Mas era Edward.

— Ah! — Foi a única coisa que consegui balbuciar. Vê-lo ali trouxe as imagens do sonho de volta com uma força impressionante. Toquei o tecido suave da saia para me lembrar de que estava vestida. Aquilo não era um sonho. Ele não era uma espécie de espectro tremeluzente. Fechei os olhos e me apoiei contra o batente da porta, sentindo-me tonta.

— Juliet? Você está bem? — perguntou ele. A preocupação fazia com que a pele ao redor dos seus olhos se enrugasse. Ele me pegou pelo braço e levou-me até a escrivaninha. Em seguida, serviu a água de uma jarra em um copo de cerâmica esmaltada. — Sente-se. Beba um pouco de água.

Peguei o copo com os dedos trêmulos.

— Vim ver se você estava acordada. Você dormiu por quase dezoito horas.

— Minha bolsa de viagem. No canto do quarto. Traga-a para mim, por favor.

Ele pegou a bolsa esfarrapada e colocou-a sobre a mesa sem questionar. Revirei seu conteúdo em busca da caixa de madeira que continha minha medicação. Eu a abri e tirei um dos tubos de vidro, juntamente com a seringa. Ele ergueu as sobrancelhas, curioso.

— É uma doença crônica — declarei. — Uma deficiência de glicogênio. Tenho que tomar uma injeção diária. Caso contrário... acabarei sentindo essas tonturas — completei, deixando de fora a parte sobre o coma. Edward tinha seus segredos. Eu também tinha direito a alguns.

— Nunca ouvi falar disso.

Enfiei a ponta da agulha na abertura do frasco. — É rara.

Ele observou, fascinado, enquanto eu perfurava a tampa do frasco e absorvia 25 miligramas do medicamento com a seringa. Minhas mãos já estavam bastante habituadas ao movimento, mas eu nunca havia injetado o remédio em mim mesma com outra pessoa olhando.

Concentrei-me na seringa. Quando estava cheia, coloquei-a sobre a mesa e desabotoei o punho da minha blusa, arregaçando-o até acima do cotovelo. Edward se aproximou. Limpei a garganta, com as memórias do sonho ainda persistentes.

Pressionei a ponta da agulha logo acima da veia azulada que corria por baixo da pele. A ponta penetrou pela superfície e, com um leve gemido, perfurei a veia. Meu polegar pressionou o êmbolo e o líquido fluiu pelo meu corpo. Suspirei.

Edward observava pelo canto do olho. Removi a seringa, limpei-a cuidadosamente e voltei a guardá-la na caixa.

A luz do sol pareceu vacilar contra as paredes. Havia nuvens se formando.

— Você conversou com meu pai ontem — comentei. — O que ele lhe disse?

As manchas douradas nos olhos de Edward brilharam. Ele não respondeu.

— Ele ao menos se desculpou por quase tê-lo afogado?

O olhar dele se perdeu pelo quarto, catalogando quase todos os objetos que havia ali.

— Ele me parece ser o tipo de pessoa que nunca pede desculpas por alguma coisa.

— Você é mesmo uma pessoa perspicaz.

— Nós chegamos a uma espécie de... acordo, creio eu. Não acho que ele tenha a intenção de me matar enquanto estiver dormindo, se é isso que você quer saber.

Desenrolei a manga da blusa e abotoei-a ao redor do pulso. O medicamento já estava clareando minhas ideias. Observei

Edward, o rapaz de carne e osso que estava no meu quarto, não o espectro que vira em meu sonho. Fosse o que fosse que ele meu pai tinham conversado, ele não pretendia me contar.

— Bem, eu lamento pelo que ele lhe fez. Se eu soubesse que meu pai reagiria daquela forma, eu...

— Não lamente. Você não tem culpa.

Deslizei meus dedos pela borda desgastada da caixa.

— Imagino que você me dirá que suas suspeitas estavam corretas. Apenas um louco poderia viver neste lugar.

Os dedos dele traçavam círculos no tampo da mesa.

— Não é somente ele, Juliet. Eles levam um arsenal sempre que precisam sair desta fortaleza. O que há aqui para se ter tanto medo?

Tamborilei os dedos na caixa, nervosamente. Lembrei-me do brilho da luz do lampião de querosene que balançava sobre a minha cabeça, iluminando seu rosto, enquanto suas mãos corriam sobre minha pele nua.

— Você me despiu ontem à noite? — perguntei bruscamente.

Ele não conseguiu esconder sua surpresa. Passou as mãos pelos cabelos embaraçados que lhe cobriam a nuca.

— Se eu... a despi?

Apertei a caixa, sentindo-me tola. Parecia que havia testado uma teoria cedo demais.

— Deixe para lá — disse eu, rapidamente.

— Por que você acha que...

— Eu acordei com uma camisola que não me lembro de ter vestido.

Por um momento seus olhos procuraram os meus, tentando perscrutar minha mente. Estudando o som do nosso silêncio. Seus lábios se entreabriram, fazendo uma pergunta sem pronunciar sequer uma palavra.

"Você gostaria que eu a despisse?"

Ele dera indícios sobre seu interesse, mas como poderia esperar que eu pensasse em tais coisas em um momento como aquele, logo quando eu acabara de reencontrar meu pai após dez anos de separação? E era preciso considerar Montgomery, com aquele quase beijo. Edward nem havia começado a me conhecer. Se ele soubesse de algumas coisas que eu fiz, ou das coisas obscuras em que às vezes eu pensava, provavelmente mudaria de ideia.

— Eu não a despi — disse ele, e o silêncio que surgiu a seguir pareceu esmagador.

A respiração se esvaía pelos meus lábios, pressionada por alguma força invisível. Havia uma ligação entre nós que estava crescendo, pulsando, batendo no mesmo ritmo do meu coração. Percebi que aquele talvez não fosse o meu último sonho com Edward Prince. E o próximo sonho poderia ser mais bem recebido.

Capítulo 15

DEIXAMOS O MEU QUARTO e encontramos meu pai e Montgomery no prédio principal. Todo o piso térreo formava um salão enorme, com o teto alto e janelas amplas construídas em um ângulo específico para deixar o lugar arejado e, ao mesmo tempo, impedir que a luz do sol entrasse. Havia uma mesa de jantar atrás de uma área de estar, com sofás e uma lareira de pedra. Uma escadaria simples levava até o segundo andar, oculto por duas portas fechadas, e outra porta no térreo provavelmente levava à cozinha. A sala era composta de um conjunto eclético de móveis finos em estilo rococó, embora estivessem desgastados e puídos, e algumas mesas e cadeiras toscas de madeira. No canto havia um piano — a madeira negra da sua estrutura fora castigada em alguns pontos e uma de suas pernas estava quebrada, no entanto o instrumento estava tão lustroso que quase chegava a brilhar. Um suspiro escapou pelos meus lábios. Havia um quê de elegância que eu não esperava encontrar naquele lugar.

Montgomery estava à mesa polindo um rifle e olhou para mim quando entrei. Ele se levantou num sobressalto, limpando as mãos com um pedaço de pano. Só de vê-lo meu rosto corou, lembrando-me do quase beijo em meu quarto que, inesperadamente, transformara-o em Edward no meu sonho.

Mas talvez eu estivesse entendendo as coisas de maneira errada. Talvez Montgomery estivesse apenas imerso em lembranças fortes do passado, e aquilo não tenha tido nenhum outro significado. Era eu que estava praticamente me oferecendo a ele, de qualquer forma. As ações de homens e mulheres eram um enigma bastante misterioso. E eu mal conseguia decifrar meus próprios sentimentos; não poderia nem mesmo imaginar como seriam os de outra pessoa.

Meu pai fechou o livro que estava lendo e olhou para mim.

— Ah, você está usando um dos vestidos de Evelyn. Ela não gostava desse, pelo que me lembro. Era simples demais. Venha sentar-se para tomar uma xícara de chá. Você perdeu o horário do café da manhã, que foi servido há algumas horas.

Meus pés se moveram pela sala, seguindo aquela ordem. Uma sensação estranha tomou conta de mim, como se eu estivesse entrando em uma lembrança. Talvez fosse a disposição dos móveis. Ou o cheiro do tabaco do meu pai. Algo que vinha de um passado distante e que estava armazenado naquele espaço delicado que existe entre o consciente e o inconsciente.

Repousei meus dedos no encosto do sofá, tentando me lembrar. O toque do veludo gasto trouxe as sombras de uma lembrança. Olhei para os meus dedos. Será que já vira aquele sofá antes?

A lembrança quase veio à tona, então um dos nativos da ilha entrou, espantando-a para longe. Vestido com uma camisa larga de algodão e uma velha calça azul do exército, ele trazia uma bandeja com chá e sanduíches. Tentei não observá-lo com tanta atenção. Balthazar e o garotinho eram anormalmente peludos, mas aquele homem não tinha um fio de cabelo sequer. Em vez disso, o topo da sua cabeça estava coberto com algo que se parecia com escamas encaroçadas, no mesmo tom da sua pele. Era magro e de estatura mediana, com olhos nervosos. Enquanto os outros andavam de maneira hesitante com suas pernas estranhas, aquele se movia como se estivesse se esgueirando pela casa. Ele deixou a bandeja sobre a mesa de centro, com um movimento um pouco abrupto, fazendo com que as xícaras batessem levemente contra os pires, e ajustou os punhos da sua camisa, onde percebi que as escamas causadas por aquela estranha doença continuavam a cobrir sua pele até a ponta dos dedos.

— Ah, obrigado, Puck — disse meu pai, sorrindo.

Os olhos curiosos do homem me observaram, como se nunca tivessem visto uma mulher antes. Pelo que percebi, talvez aquilo fosse um fato. Ele se afastou em direção a um cômodo nos fundos, movendo-se daquela mesma maneira furtiva. Deixei escapar um suspiro.

Um relógio sobre a cornija marcava a passagem do tempo com um som alto. "Tique-taque." Como a pulsação das minhas veias. — Onde você conseguiu este sofá, pai?

Ele ergueu uma sobrancelha. — Estou surpreso por você se lembrar. Você ainda era muito jovem — respondeu ele. Insisti com o olhar questionador, e ele apontou para o móvel. — Ele estava em nossa casa, em Belgrave Square.

Belgrave Square. Agora eu me lembrava. O sofá, a poltrona verde, a escrivaninha ao lado da janela. Toda aquela mobília era nossa. O mesmo sofá onde eu costumava tirar sonecas quando era criança. Havia um rasgo no forro que corria junto com uma das costuras. Deslizei um dedo por cima dele, como se pudesse fechá-lo num passe de mágica.

— Tudo que havia na casa foi leiloado há vários anos. Como conseguiu encontrar os móveis?

— Isso é obra de Montgomery — disse ele, servindo o chá em uma das xícaras. — Uma cadeira é uma cadeira, se você quiser a minha opinião, mas Montgomery queria os móveis da nossa antiga casa. E ele tem talento para encontrar coisas

— continuou, indicando a estante de livros ao lado da janela. — Ele juntou uma bela coleção de objetos. Tenho certeza de que você se lembrará de alguns deles. Mas, primeiro, sente-se um pouco. Você está me deixando nervoso com suas andanças. Você também, Prince. Precisaremos encontrar alguma função para você aqui na ilha, se é que me entende.

Olhei na direção de Edward. Ele se acomodou devagar em uma das poltronas de couro desgastadas, e eu fui até o sofá. Meu pai serviu-me uma xícara de chá. — Você dormiu até a metade do dia. Como está se sentindo? Espero que tenha mantido a regularidade das suas injeções.

— Sim. Eu me sinto bem. Apesar disso... — Tomei um gole do chá, desejando que ele pudesse aliviar o tremor na minha voz. — Bem, eu acordei vestindo uma camisola que não era minha. Imaginei se alguém havia entrado no meu quarto — eu disse, observando Montgomery pelo canto do olho. Se não foi Edward, então, talvez...

Meu pai não deu tanta importância àquilo, fazendo um gesto que indicava que eu deveria ignorar o que acontecera.

— Ah, foi Alice. Ela encontrou a camisola no baú da sua mãe. Ah, e por falar nela... — Seu olhar se desviou para um ponto atrás da minha orelha esquerda. — Venha conhecer nossos convidados, Alice.

Um tremor eriçou os pelos da minha nuca. Havia outra pessoa atrás de mim, e eu não a havia notado? Outra mulher nesta ilha cheia de homens? Eu me virei para olhar.

Uma garota, dois ou três anos mais nova que eu, estava em meio às sombras da parte de trás da sala. Fiquei perplexa. Não havia qualquer deformidade em suas articulações ou curvatura em sua postura. Tinha estatura pequena, mas proporções perfeitas. Percebi que, depois de passar algum tempo cercada pelo andar cambaleante dos nativos e seus queixos protuberantes, a normalidade daquela garota parecia se destacar de todo o resto.

— Não se envergonhe — disse meu pai. — Esta é a minha filha. Você já ouviu Montgomery e eu conversarmos a respeito dela. Venha se apresentar.

A garota saiu das sombras, hesitante, e sua respiração acelerada fazia seu peito se mover rápido. Era uma garota naturalmente bonita, embora não estivesse livre de deformidades. Seu lábio superior era partido e se encurvava na direção da base do nariz, como os lábios de um coelho. Um caso de lábio leporino. Ela escondeu a boca por trás dos dedos e me cumprimentou com um aceno de cabeça quase imperceptível. Não precisava sentir tanta vergonha. O lábio leporino lhe causaria vários dissabores em Londres, mas não se destacava tanto naquele lugar, se comparado às deformidades dos outros ilhéus.

— É um prazer conhecê-la, senhorita — disse ela, com uma voz tão suave que eu mal consegui compreender. Seus olhos eram grandes e expressivos. Seu olhar buscou Montgomery, como se ele pudesse lhe transmitir segurança.

Meu pai indicou Edward com um gesto distraído. — E, é claro, você conheceu o Senhor Prince ontem à noite.

Ela estudava as tábuas do chão com aqueles olhos enormes, sem dizer nenhuma palavra. Imaginei que ela talvez nunca tivesse conversado com um belo cavalheiro. Com seu cabelo desgrenhado e botas sujas, Montgomery dificilmente poderia ser considerado um cavalheiro.

— Bem, Alice, por que não vai ver se Balthazar precisa de ajuda com os animais?

Ela baixou a cabeça e atravessou a sala rapidamente, trocou algumas palavras que não consegui ouvir com Montgomery, e, em seguida, ele colocou uma mão em seu ombro e sorriu.

Eu logo desviei o olhar, sentindo que tinha observado algo que não devia. Percebi que eu era nova na ilha, mas Montgomery não era. Aquela era sua casa. Provavelmente ele conhecia Alice havia anos.

— Quanto a você, Montgomery, vá verificar se Puck e os outros já terminaram de guardar a carga. Não quero que os ratos encontrem as caixas como da última vez.

Obediente, Montgomery foi até a porta, onde um casaco de lona estava pendurado em um gancho. Uma leve chuva começou a cair do lado de fora. Ele vestiu a jaqueta antes de sair. Foi dolorido perceber que ele seguia as ordens do meu pai tão rapidamente, apesar de não ser mais um criado. Eu me levantei e fui até a estante para ver quais eram os objetos que Montgomery havia encontrado durante suas viagens a Londres.

A prateleira superior estava cheia de livros de que eu me lembrava vagamente de ter visto quando era criança. Agripa, Paracelso, Alberto Magno. As obras completas de Shakespeare, encapadas em verde e com letras e bordas douradas. *Troilo e Créssida, Eduardo III, Noite de Reis.* Contornei as letras douradas com meus dedos, tentando me lembrar das histórias que meu pai lia. Na estante ao lado havia outros livros, uma garrafa de vidro e uma lata de tabaco para cachimbo. Eu abri a lata e inspirei o aroma profundamente.

— Você costumava fumar isso em Londres. Aquele professor com quem você tinha amizade trazia esse tabaco do Caribe.

— Tem razão. Professor Von Stein. Esse, sim, era um homem que sabia lidar com uma garrafa de conhaque. Conhaque e charutos no Café du Lac, com vista para a Ponte de Londres. Não podia ser melhor.

Eu não disse que fora o professor Von Stein quem conseguiu o emprego para mim no King's College depois que meu pai foi expulso da instituição. Nem que ele, como todos os antigos colegas do meu pai, havia renunciado à sua amizade e o declarava um monstro a qualquer pessoa disposta a ouvir.

— Se você gostava tanto disso, por que trocou tudo por um lugar tão selvagem? — perguntou Edward.

Eu mal dei ouvidos à conversa deles. Queria ouvir a resposta do meu pai, mas, na segunda prateleira, de cima para baixo, encontrei uma fotografia emoldurada que chamou a minha atenção. Uma mulher com um bebê nos braços, em trajes de batismo. Peguei a fotografia.

— Você é do tipo curioso, não é mesmo, Prince? Bem, este lugar não era completamente selvagem. Alguns missionários anglicanos estavam no navio, quando saí da Inglaterra. Foram eles que me falaram sobre a existência desta ilha, embora dissessem que era um paraíso — disse ele, olhando para o fundo da sua xícara vazia. — Mas eles desapareceram há um bom tempo.

— E você nunca retornou à Inglaterra?

— Montgomery faz essa jornada se for necessário. A maior parte dos nossos suprimentos pode ser adquirida de navios mercantes a caminho da Austrália ou de Fiji, embora às vezes surja alguma eventualidade que requer uma viagem mais longa.

O diálogo entre os dois era como um farfalhar distante de folhas secas. Observei cuidadosamente a fotografia, enfeitiçada. A mulher era a minha mãe. Seu rosto jovem era tão belo, tão bem cuidado. Em suas últimas semanas de vida seu rosto parecia com o da própria Morte.

Puck entrou pela porta, silencioso como um murmúrio. Sussurrou algo ao ouvido do meu pai. Meu pai olhou para o relógio sobre a cornija.

— Bem, não vou almoçar nem jantar hoje — anunciou ele. — Dei início a um novo projeto ontem à noite que requer a minha atenção imediata e prolongada.

Ele se levantou e me deu um beijo suave na têmpora, como se eu ainda fosse uma criança. Como se eu não houvesse viajado para tão longe e arriscado tantas coisas para encontrá-lo.

Não deveria esperar que ele mudasse. Ele passava dias trancado em seu laboratório, e eu teria sorte se conseguisse vê-lo nos horários das refeições. As coisas ainda eram como costumavam ser.

Edward tamborilava os dedos nos braços da poltrona de couro, observando. Ocasionalmente a musculatura do seu queixo se movia em um pequeno espasmo.

Tive a impressão de que ele entendia os meus sentimentos. Ele deixara a Inglaterra para fugir do próprio pai, embora não quisesse comentar os detalhes. Fizera alguma coisa que parecia assombrá-lo mesmo antes do naufrágio do Viola. De qualquer maneira, ele devia saber uma coisa ou duas a respeito de pais dominadores.

E dessa vez meu pai não se trancou imediatamente em seu laboratório. Seus olhos negros olharam para a fotografia que eu tinha nas mãos e depois examinaram o meu rosto.

— Deixe-me fazer algo para compensar tudo isso. Amanhã nós sairemos para fazer um piquenique em um lugar onde você pode observar toda a extensão da ilha. Estou curioso para saber que tipo de pessoa minha filha se tornou.

Meus pulmões se expandiram, enchendo-se com ar fresco e uma felicidade quase infantil. Olhei para Edward e pisquei. Ele havia se levantado. Estava com os braços cruzados e as costas voltadas para mim, enquanto olhava pela janela.

E foi então que meu pai disse aquilo que eu mais esperava ouvir.

— Estou feliz por você ter vindo, Juliet.

Capítulo 16

No dia seguinte nós sairíamos cedo, durante a manhã, antes que o sol da tarde transformasse o caminho pela selva em uma experiência infeliz. Esperei ansiosamente, mas Montgomery chegou ao amanhecer, já suado e cheirando a cavalo, para dizer que houvera um problema. Um acidente no lado mais distante da ilha. Alguns dos nativos tinham se ferido, e um até fora morto. O piquenique teria que ser adiado por um dia. Aquele dia passou, e depois outro, e mais outro, até que Montgomery parou de falar a respeito. Era o meu pai quem dava as ordens na ilha, então ele, naturalmente, tinha deveres e responsabilidades mais prementes do que um piquenique. Porém, nada daquilo servia para aliviar o vazio da minha decepção.

Passei aqueles primeiros dias explorando o entorno, utilizando minhas habilidades com a limpeza para ajudar, quando podia. Era um lugar simples, uma propriedade rural, e a ordem e a lógica por trás daquilo eram agradáveis. Todos tinham uma função, até o pequeno Cymbeline, que colhia ervilhas na horta e alimentava as galinhas. Não havia nenhum traço do caos, da sujeira, das multidões ou da mecanização de Londres. Após alguns dias eu já havia me acostumado ao ritmo da vida na ilha. "Eu poderia ter um futuro aqui", pensei. A ideia fez minha cabeça girar.

Alice permanecia na cozinha durante a maior parte do tempo, escondida pela fumaça do fogão a lenha e por sua própria timidez. Edward também preferia ficar sozinho, ensimesmado, como se a desolação da ilha o deixasse ansioso. Mesmo assim, chegamos a jogar uma partida de gamão juntos.

Certa manhã, enquanto eu estava escovando o cabelo com o pente de prata, ouvi uma batida suave na porta.

— Sim? — disse eu, girando a maçaneta. Alice recuou, de modo tímido, sem me encarar, escondendo a cicatriz no rosto. Seus cabelos loiros pareciam incrivelmente brancos sob a luz do início do dia, e seus olhos se fixaram no pente de prata em minha mão.

— A expedição já vai sair, senhorita. O doutor pediu que eu viesse verificar se você já está pronta.

— Qual expedição?

— Bem, o piquenique, senhorita.

Eu pisquei. Havia afastado o piquenique da minha cabeça, junto com todas as outras promessas que meu pai não cumprira, e levei um momento para relembrar.

— Sim — gaguejei. — Sim, estou pronta. Dê-me cinco minutos.

Ela não tirava os olhos do pente. Havia algo de muito delicado nela, muito vulnerável, e, ao mesmo tempo, de uma maturidade muito além da pouca idade que tinha. Eu percebi aquele mesmo ar em outras garotas da pensão onde eu vivera, especialmente as mais novas. Imaginei que ela fosse uma órfã. Eu sabia qual era a sensação de viver em uma solidão terrível, embora, para mim, essa experiência tenha tido um final feliz ao encontrar meu pai, que não via fazia tempo. Mas duvidava que Alice tivesse a mesma sorte.

Estendi o pente para ela. — Pode ficar com ele, se quiser.

Os olhos de Alice se arregalaram. Ela não se moveu. Peguei sua mão e pressionei o pente contra sua palma.

— Não, senhorita. Não posso.

— Eu não preciso dele — disse eu, apontando para a escova de prata que estava sobre a penteadeira, que formava par com o pente. — Está vendo? Eu não preciso dos dois.

Um breve sorriso se formou em seu rosto quando guardou o pente no bolso do seu avental. Entretanto, ela logo cobriu a boca malformada com a mão e, com um cumprimento tímido, voltou para a cozinha.

Eu tinha certeza de que ela não fazia parte do grupo dos nativos da ilha. Como uma garota tão jovem chegara até a ilha para trabalhar para o meu pai?

Trancei o cabelo, experimentei o chapéu da minha mãe e olhei-me no espelho. Aquela peça já estava fora de moda, mas, ainda assim, fazia com que eu parecesse glamorosa e ousada. Alguém que pudesse inspirar orgulho, ou, pelo menos, era isso que eu esperava. Vi a carroça do lado de fora, na área central do complexo, com uma cesta de vime e alguns cobertores. Edward estava apoiado contra a lateral da carroça, vestindo roupas limpas. Ele estava se recuperando rapidamente, e os hematomas em seu rosto já tinham praticamente desaparecido. Não consegui deixar de notar que, se não fosse pela cicatriz discreta que ele tinha no rosto, poderia até ser um homem bonito.

Montgomery prendeu Duque, o cavalo, à carroça, esforçando-se para atar uma correia de couro rígido.

— Ah, Juliet — disse meu pai. Um buquê de belas flores do campo amarelas repousava ao seu lado, na carroça. — Está pronta para ir?

As flores, a comida, o esforço para fazer com que eu me sentisse bem. Assenti, com medo de falar. Algumas palavras poderiam simplesmente quebrar todo o encanto. Nem em um milhão de anos eu imaginaria que meu pai sairia para colher flores para dá-las de presente à sua filha.

— Que belas flores — disse eu, finalmente.

Ele olhou para as flores sem demonstrar emoção. — Ah, sim. Montgomery achou que elas acrescentariam um toque de elegância, algo de que você talvez estivesse sentindo falta. Foi ele quem organizou o passeio, a comida, tudo. Você sabe que eu não tenho muita habilidade para lidar com isso. Onde você as encontrou, Montgomery?

Edward se endireitou, tentando arrancar uma farpa na abertura da parte traseira da carroça.

Montgomery se esforçou para prender a tira de couro, até conseguir enfim afivelá-la corretamente.

— Na parte mais ao norte da ilha — disse ele, enfastiado.

Eu podia sentir o sangue me subindo ao rosto. Fora Montgomery quem trouxera as flores. Em algum momento, durante o dia anterior, ele colhera flores como costumava fazer quando visitávamos alguns primos no interior. Minha mãe as colocava em um pote de vidro sobre a mesa dos criados, na cozinha, dizendo que a mesa da sala de jantar só poderia ter os arranjos florais preparados de modo adequado.

Edward enxugou a testa, observando as flores cuidadosamente. Em seguida, olhou para Montgomery, que as observava com a mesma intensidade. Engoli em seco. Será que estavam com ciúme um do outro?

— Você vem conosco? — perguntei a Edward.

Ele começou a falar, porém meu pai o interrompeu.

— O passeio é apenas para membros da família — disse meu pai. Por um momento, imaginei se aquilo incluiria Montgomery, ou se Montgomery viria com a gente apenas para conduzir a carroça. — De qualquer forma, já dei uma tarefa a Prince. Ele vai catalogar os estoques da despensa. Um rapaz bem-educado como você pode fazer isso sem problemas, não é, Prince?

Edward virou as costas, agindo de maneira um pouco abrupta. — Aproveite as flores — resmungou ele para mim antes de voltar para o prédio principal. Respirei fundo. Lucy nunca me disse o quanto os rapazes podiam ser complicados.

Meu pai estendeu a mão para me ajudar a subir. — Vamos lá, antes que o sol nos derreta.

Subi na traseira da carroça. Montgomery amarrou as últimas correias e segurou as rédeas, sentando-se no assento do condutor. Puck e um dos criados corcundas abriram o portão para nós, e nos pusemos a caminho.

O dia estava bonito. O céu azul se estendia até tocar o oceano, que conseguíamos enxergar nas brechas por entre as árvores. Eu trocara um inverno inglês cruel pelo quente sol tropical e o belo canto de pássaros desconhecidos.

Enquanto avançávamos, meu pai descrevia aquela vegetação incomum e a vida selvagem sobre a qual eu apenas lera em seus livros. Eu ouvia, embora meus pensamentos insistissem em se concentrar em Edward e Montgomery. Se eu estivesse em Londres, e se ainda fosse rica, a próxima primavera seria a minha época de debutar. Lucy e eu conversaríamos incessantemente sobre os rapazes — os homens — nas reuniões dançantes, nos bailes de gala e nos piqueniques de verão no parque.

Entretanto, depois que perdemos nossa fortuna, eu não podia mais me dar ao luxo de pensar nos rapazes. Tudo o que eu estava tentando fazer era ficar longe das ruas. E agora havia dois rapazes por quem meus pensamentos se dividiam. E, ainda assim, um deles era o nosso criado, fiz questão de lembrar a mim mesma. E o outro... bem, o outro certamente abandonaria a ilha na primeira oportunidade.

Montgomery levou a carroça até um rochedo onde o vento batia, bem acima do complexo e logo abaixo da chaminé fumegante do vulcão. Eu desci e fui até a beira do penhasco, onde toda a extensão da ilha se apresentava abaixo de nós, encontrando o mar na faixa de areia da praia. O vento balançava minhas saias, despenteava meu cabelo, e eu fechei os olhos, aproveitando-o.

— Não fique tão perto da beirada — sussurrou Montgomery. Meus olhos se abriram repentinamente.

— Venha aqui — chamou meu pai. — Não confie nesse vento forte.

Voltamos para perto da carroça. Montgomery começou a descarregar as coisas para o piquenique. Ele estendeu os cobertores sob um ponto protegido do sol, longe da beira do despenhadeiro. "Ele não é mais um criado", pensei, enquanto o observava tirando as coisas da cesta. Mesmo que ainda desempenhasse as tarefas de um criado.

— Você terá que se adaptar à nossa alimentação básica — disse meu pai, desarrolhando um jarro d'água. — A necessidade faz com que seja preciso viver de maneira simples neste lugar. Receio que temos apenas uma sopa de legumes fria e pão. E algumas frutas colhidas na selva.

— Eu não me importo com isso — declarei, sentando-me sobre o cobertor. Montgomery deixou o buquê de flores casualmente aos meus pés antes de encher as nossas tigelas de porcelana. Meu pai e eu nos acomodamos para comer.

— Bem, Juliet, quais foram as habilidades que você desenvolveu? — perguntou meu pai, animado.

— Habilidades? — retruquei, rapidamente cruzando meu olhar com o de Montgomery. Ele sabia que as únicas habilidades que eu adquirira envolviam limpar paredes de alvenaria e evitar a vida na sarjeta. Não era bem o que meu pai esperava. — Depois que minha mãe morreu, eu consegui um emprego na universidade.

Meu pai ergueu uma sobrancelha. — Um emprego? Você não ficou sob os cuidados de algum dos nossos parentes?

Hesitei. Aquilo não seria fácil. Ele não aprovava que sua filha trabalhasse, mas fora ele quem me forçara a fazer aquilo.

Tomei um gole d'água, tentando não me sentir irritada. Supus que ele não tivera alternativa. Talvez pensasse que, se partisse para um lugar distante, estaria fazendo o melhor que podia por nós. Ele não sabia que minha mãe viria a morrer. Ou que a gentileza dos nossos parentes não se estenderia por muito tempo.

— Não foi tão ruim — disse eu. Não sabia bem o motivo, mas não queria fazê-lo sentir-se culpado. Nosso relacionamento era muito frágil, como uma das trepadeiras cheias de flores brancas que cobriam o muro do jardim. Uma palavra dura, e as flores murchariam. — Aprendi a limpar. E a costurar um pouco.

— Costurar? Limpar? — disse ele, sem se impressionar. — A filha de um professor não deveria fazer esse tipo de trabalho. Não toca piano? Não faz bordados? O que aconteceu com todas aquelas coisas que sua mãe lhe ensinou?

Engoli em seco. — Acho que me lembro de como tocar piano. Um pouco, pelo menos.

— Sei.

Olhei para Montgomery em busca de ajuda. Um de seus braços repousava sobre o joelho, tocando um graveto contra sua canela em movimentos ritmados. — Bordados provavelmente não servirão para muita coisa por aqui — disse ele. — Talvez ela possa ajudar Alice com a limpeza.

Assenti discretamente com um movimento de cabeça, grata. Entretanto, meu pai parecia estar indignado.

— Uma filha minha não vai passar seus dias limpando ou esfregando nada. Não creio que um futuro marido queira uma garota com calos nas mãos — afirmou ele, apontando para as minhas unhas malcuidadas. Meu rosto empalideceu.

Montgomery interveio, falando com um tom suave: — Juliet, o que ele quer dizer é...

— Obrigado, Montgomery. Posso falar por mim mesmo. Não leve minhas críticas a mal, Juliet — disse meu pai. — É meu dever de pai cuidar para que você encontre um bom casamento. Você não poderá ficar nesta ilha para sempre. Quando sair daqui, precisará encontrar um marido. Sua mãe deveria tê-la preparado para agradar a um homem, mas faleceu cedo demais para isso, infelizmente. Estou apenas tentando determinar o que deve ser feito com você.

"O que deve ser feito comigo". Aquelas palavras eram como uma lâmina que rasgava a minha carne. Certamente, eu não era digna de poder me casar, mas era importante demais para ter alguma função na ilha. Que outras alternativas restavam?

— Eu conheço um pouco sobre medicina — disse, apressadamente. — Estudei os livros que você deixou. Trabalhei nas salas de cirurgia do King's College, e conheço anatomia e biologia. Talvez eu possa ajudá-lo com seu trabalho.

Até mesmo o rosto de Montgomery ficou pálido com aquela declaração. Meu pai olhou-me com uma expressão séria e dura, e, em seguida, riu: — Uma garota interessada em ciência. Muito moderno da sua parte. Sugiro que encontre interesses mais apropriados. Montgomery, temos um velho conjunto de linhas e agulhas para bordado, não temos?

— Mas eu posso ajudá-lo!

— Isso é admirável, Juliet, mas você só iria atrapalhar. É melhor deixar a ciência para os homens. As mulheres têm uma constituição delicada demais.

Lutei contra meu impulso de discutir. Queria lhe falar sobre todas as coisas que vi. Por Deus, todas as coisas que fiz com minhas próprias mãos. Contudo, não estava preparada para pisotear as flores delicadas do relacionamento que havia entre meu pai e mim.

— Você tem razão — concordei, odiando-me por dizer aquilo. Meu pai tinha um talento especial para dobrar todas as pessoas à sua vontade, e, aparentemente, eu não seria uma exceção àquela regra. — É claro.

Montgomery me olhou com uma expressão de dúvida, mas não estava em situação onde pudesse me julgar.

O som de cascos de cavalos quebrou a tensão. Balthazar vinha pela trilha cavalgando Duquesa, com duas cartucheiras de munição atravessadas sobre o peito, o rosto preocupado e olhos que se moviam freneticamente. Um rifle estava amarrado à sela. Puck vinha correndo logo atrás, a pé, com outro rifle nas mãos. Montgomery se levantou num salto para recebê-los.

Fiz menção de me levantar, porém meu pai balançou a cabeça negativamente. — Tenho certeza de que não é nada com que você precise se preocupar. Montgomery vai cuidar disso.

— E se alguém estiver ferido?

— Tudo está sob controle — avisou meu pai, comendo um morango. — Eu sei de tudo que acontece nesta ilha. Você precisa confiar em mim — disse ele, inclinando a cabeça e me estudando como se eu fosse algum espécime exótico. Seus olhos eram como duas estrelas negras, fazendo com que eu me esquecesse dos rifles, da comoção e da expressão preocupada no rosto de Balthazar.

Ou quase.

Observei Montgomery correr os dedos pelos cabelos, com os músculos tensos, enquanto dizia algo que eu não conseguia ouvir. Puck andava de um lado para outro, com movimentos furtivos, sussurrando palavras apressadas que faziam com que Montgomery apertasse firmemente sua mão ao redor da coronha da pistola.

Olhei na direção do oceano resplandecente, e para a ilha selvagem, mas bonita, que se estendia abaixo de nós. Fosse lá o que estivesse acontecendo, aquela ilha era a minha casa agora. Pelo menos até o próximo navio passar. Eu queria fazer parte daquele lugar.

— Não vim até aqui para fazer bordados — falei, com firmeza. — Posso ajudá-lo. O trabalho de Montgomery vale pelo de dez homens. Deixe-me ajudar com o seu trabalho no laboratório. Se não puder ajudá-lo com seus experimentos, pelo menos me deixe cuidar das suas anotações. Tenho certeza de que deve haver alguma coisa que eu possa fazer.

Seus olhos negros pareciam me atravessar, estudando, pensando, analisando. Eu quase conseguia ver as engrenagens girando e se encaixando em sua cabeça. Ele mastigou outro morango lentamente.

— Ajudar-me com o meu trabalho, hein? — disse ele, deslizando os dedos distraidamente pela barba, que não fazia havia alguns dias. Seus olhos não estavam mais focados em mim, mas em algum ponto além do oceano. — Sim, talvez eu possa usá-la para alguma coisa, afinal.

Sorri, embora não me sentisse tranquila. Aquelas palavras eram exatamente o que eu queria ouvir e, mesmo assim, considerando as armas e aquela expressão curiosa em seus olhos, havia algo que parecia não se encaixar. — Ótimo. Não vou decepcioná-lo.

De repente, seus olhos voltaram a me encarar com uma intensidade assombrosa. — O que você sabe sobre aquele rapaz, o Senhor Prince?

— Edward? — eu respondi, endireitando-me. — Pouca coisa.

Os dedos delicados do meu pai acariciavam a barba rala que lhe cobria o queixo. Lembrei-me daquela conversa que eles tiveram tarde da noite — algo que Edward ainda relutava em falar a respeito — e imaginei o que meu pai teria a lhe dizer depois de tentar afogá-lo.

— Talvez seja hora de mudarmos isso — disse meu pai.

Não consegui perguntar o que ele quis dizer exatamente. Conhecer Edward mais a fundo não iria ajudá-lo em seu trabalho, a menos que aquilo fosse um subterfúgio para que eu não o atrapalhasse. Ou que ele pensasse que a maneira mais rápida de cumprir com seus deveres de pai fosse fazendo com que Edward Prince me desposasse.

Capítulo 17

NO CAMINHO DE VOLTA PARA a casa, eu não pude deixar de notar a tensão nas mãos de Montgomery enquanto ele segurava as rédeas, assim como o olhar arregalado de Balthazar enquanto vigiava a selva. Os dois estavam em estado de alerta. Algo de ruim havia acontecido, independentemente do que meu pai dissera. Desde que aquele nativo fora acidentalmente morto, todos estavam inquietos.

Alice veio me buscar para o jantar naquela noite, dizendo que meu pai esperava que eu estivesse vestida de modo adequado para a ocasião. Revirei o baú da minha mãe, até que encontrei uma blusa branca e uma saia cor de alfazema. Roupas elegantes não combinavam com um lugar tão selvagem, mas aquela não era uma ilha qualquer. Era a ilha do meu pai.

Fiquei do lado de fora das portas duplas que levavam ao salão, que estava bem iluminado. Ali dentro, meu pai e Edward conversavam enquanto bebiam conhaque, de maneira surpreendentemente amistosa, enquanto Montgomery observava a selva escura pela janela, com os braços cruzados. A mesa de jantar estava arrumada com tudo que haveria de mais elegante em uma recepção em Londres, e aquilo destoava bastante do estado primitivo da ilha.

Quando entrei, todos os olhos se voltaram para mim. Edward se endireitou. O diálogo que ele estava tendo com meu pai chegou ao fim. Aparentemente, as roupas elegantes da minha mãe chamavam a atenção. Montgomery me olhou por um longo momento, em silêncio, e foi até a mesa para se servir de um copo de conhaque.

Edward estava usando um terno refinado com um colete cinza-chumbo que ficaria perfeito em qualquer jantar formal em Londres. Ele sorriu, embora o músculo em seu queixo se movesse com um espasmo. — Você está linda. Como um dos anjos sobre os quais Milton escreveu.

— Um anjo caído, talvez — disse eu.

Do outro lado da sala, Montgomery nos observava, vestindo sua velha calça de montaria e uma camisa larga de linho. Havia lavado as mãos e o rosto, mas pouca coisa além disso. Não era um cavalheiro como Edward. Ele pertencia ao mundo selvagem.

— Sente-se, por favor — pediu meu pai, puxando uma cadeira para mim. — Receio que, até o momento, Montgomery e eu estivéssemos descuidados em relação aos nossos modos. Agora que temos convidados, é hora de nos lembrarmos de que não somos animais.

Montgomery se sentou à minha frente, manipulando os talheres com certa inquietação. Imaginei se aquele momento em que nossos lábios estiveram tão próximos vivia em seus pensamentos. Se fosse esse o caso, ele não dizia nada. Será que aquela atração era apenas a minha imaginação?

Alice veio encher nossos copos com vinho e foi seguida por Balthazar, que trouxe uma terrina de sopa. Mantinha o rosto virado e não olhava para ninguém, com exceção de Montgomery. Ela empalideceu visivelmente quando se aproximou para servir Edward, com seu terno fino e modos elegantes.

Por algum tempo ficamos sentados em silêncio. Creio que a sofisticação repentina e as roupas elegantes pegaram a todos de surpresa e não sabíamos realmente o que fazer ou como agir. O tique-taque do relógio contava os segundos sobre a cornija. Eu olhava para meu pai de maneira rápida e discreta várias vezes, perguntando a mim mesma quais seriam suas reais intenções ao dizer que eu deveria tentar saber mais a respeito de Edward. E ainda queria saber o que fizera com que Balthazar e Puck interrompessem o piquenique com tantas armas de fogo.

— Bem, Prince, parece que você já está mais familiarizado conosco agora. Entretanto, nós temos a desvantagem de não saber nada a seu respeito — disse meu pai, tamborilando os dedos distraidamente contra a base do seu cálice de vinho e me observando com discrição. — Juliet, especificamente, está curiosa a seu respeito.

Observei a curva da minha colher com bastante atenção, desejando que meu pai não fosse tão explícito sobre quaisquer planos que estivesse arquitetando para Edward e para mim.

— Você vem de uma boa família, presumo — sugeriu meu pai.

— Meu pai é um general.

— É uma alta patente. É estranho que você tenha lhe dado as costas.

Minha colher parou a meio caminho da boca. Eu estava intrigada pela história de Edward, mesmo sem a pressão do meu pai para me aproximar dele. Edward me apresentara apenas lampejos breves. Nunca perguntei diretamente o que fizera com que ele deixasse a Inglaterra com tanta pressa, e ele também nunca pedira que eu lhe contasse toda a história da minha vida para que pudesse dissecá-la. Aquilo parecia com um pacto mútuo e silencioso — ele poderia ter seus segredos, e eu teria os meus. De qualquer forma, não me deixava menos curiosa.

Edward esfregava o guardanapo de seda macia entre os dedos, limpando a garganta. Distraidamente, imaginei como seria o toque daquelas mãos na minha pele. Fortes, mas bem cuidadas. Como eram no meu sonho. A colher escorregou dos meus dedos e caiu de volta no meu prato com um tilintar constrangedor.

— Há muitas coisas sobre as quais não concordamos — disse Edward.

— Mesmo assim, uma pessoa precisa obedecer ao seu pai, não acha? — perguntou meu pai, deslizando o dedo médio pela borda do seu cálice. O copo vibrou, emitindo um som agudo e desagradável.

— Chega um momento em que um homem precisa tomar suas próprias decisões. Viver sua própria vida.

O som agudo que meu pai criava, deslizando o dedo pela borda do cálice, ficou cada vez mais alto. Até que, repentinamente, ele parou. — Para o seu bem, Senhor Prince, espero que seu pai venha a perdoá-lo no futuro. No meu caso, posso dizer que estou feliz por ter uma filha obediente — afirmou ele, abrindo um meio sorriso.

Ele estava esperando que eu retribuísse o sorriso. "Obediente". Eu já o vira agir assim com a minha mãe, com seus antigos colegas e com seus alunos. Ele tinha um talento para manipular as emoções das pessoas que era digno de um hipnotizador. Eu queria muito acreditar que tudo estava bem naquela ilha. E que empurrar Edward do atracadouro para a água do mar fora apenas uma brincadeira. Mas, na realidade, ele não conseguiria manipular minhas emoções. Eu agia de maneira analítica. Lógica.

Eu era igual a ele.

Endireitei-me na cadeira, brincando com o guardanapo.

— Por que você nunca me escreveu? — perguntei. — Ou por que nunca foi me visitar?

A sala ficou em silêncio, com exceção do tique-taque do relógio.

A expressão em seu rosto mudou, quase imperceptivelmente. Ele pousou a faca de carne sobre o tampo da mesa.

— Eu gostaria de poder visitá-la, é claro. Mas nunca poderia voltar à Inglaterra. Existe um pequeno problema envolvendo um mandado de prisão contra mim.

— Mas o mandado é infundado, não é? Você é inocente das acusações que lhe fizeram — retruquei, com a voz mais dura do que deveria ser. Não exatamente obediente. — Não é verdade?

Seus dedos batiam contra o cálice. — Parece que minha filha tem a mesma mentalidade questionadora que você, Senhor Prince — disse ele, com a voz controlada a força. Ele respirou fundo e relaxou em sua cadeira. — O sistema de Justiça não é nada justo — afirmou ele. Uma amargura acabou por lhe tingir os olhos, mas eu percebi que não fora a minha pergunta que o enervara, e sim a lembrança das falsas acusações. — Meus rivais acadêmicos se mancomunaram para me difamar e, assim, roubar o meu trabalho. Infelizmente, eles conseguiram o que queriam.

— Mas, se não é verdade...

— Não estamos falando sobre o que é ou não é verdade, Juliet. Estamos falando sobre as coisas nas quais as pessoas querem acreditar — disse ele, esfregando a testa. — Você ainda é jovem. Não sabe o quanto o mundo pode ser injusto — suspirou ele. — Você ficou irritada por eu não lhe trazer para viver comigo, e tem todo o direito de se sentir assim. Pensei que esta vida não seria adequada a uma criança, correndo, fugindo e se escondendo em uma ilha a várias milhas de distância de qualquer coisa.

Bem, pelo menos ele tinha razão naquele aspecto. Não era uma vida agradável para uma criança. Mas, ainda assim, ele trouxera Montgomery quando fugira.

Meu pai se inclinou para a frente. Estendeu o braço sobre a mesa e segurou minha mão. O hipnotizador desaparecera, e ele agora parecia apenas um homem velho, solitário e cansado. — Eu estava errado, Juliet — disse ele, com os longos dedos envolvendo a minha mão pequena. — Bem, que tal deixarmos o passado para trás?

Puck estava atrás da cadeira do meu pai, com uma garrafa de champanhe empoeirada nas mãos para celebrar aquela refeição elegante. Seus dedos escamados retiraram a folha de alumínio ao redor do gargalo, hesitando em desarrolhar a garrafa até que eu lhe instruísse. Os olhos do meu pai crepitavam com a promessa de uma vida em conjunto, novamente uma família.

Alice me entregou uma taça de champanhe. A borda estava lascada. Assim como o meu prato de sopa, meu copo de conhaque e todo o belo e refinado jogo de jantar. Havia pedaços lascados e rachaduras em tudo. Nada ali era perfeito, no entanto tudo funcionava.

Meu olhar cruzou o do meu pai, e eu assenti. Por trás dele, Puck puxou a rolha do champanhe.

Após o jantar, um silêncio confortável tomou conta da sala. O tique-taque do relógio não parecia ser tão agressivo, e eu consegui apreciar aquela atmosfera com alguns elementos de ordem e calma.

Meu pai fumava um charuto, como costumava fazer. Seu olhar permanecia fixo na noite escura, além das muralhas que cercavam o complexo. — Sim, é bom tê-la aqui — refletiu ele. — Um pai tem o dever de conhecer sua filha. Estou até começando a não me sentir tão incomodado com a sua presença, Prince.

Edward não riu.

Meu pai soprou uma pequena nuvem de fumaça escura e aromática em direção ao teto alto. — Por que não toca uma música para nós ao piano? — perguntou ele. — Faz muito tempo que não ouvimos uma música que fosse adequada, embora Balthazar tente tocar alguma melodia de vez em quando.

Montgomery levantou os olhos do tampo da mesa, onde estivera esfregando uma rachadura e, provavelmente, pensando em como poderia consertá-la. Lembrei-me de que, ainda no navio, ele dissera que queria me ouvir tocar novamente. Senti meu coração se apertar.

— É claro — disse eu, levantando-me, esperando parecer mais confiante do que realmente estava. Todos nós fomos para a área social do salão. Montgomery se apoiou contra o batente da porta, mantendo-se a distância. O assento do piano me chamava, e eu me sentei, hesitante, como se receasse que ele pudesse me morder. Fazia anos que eu não tocava, e imaginei se conseguiria adiar essa situação até que tivesse tempo para praticar.

Toquei um acorde de dó maior.

— Acho que está desafinado — disse eu.

— Eu nunca saberia se você não dissesse — comentou Montgomery. Eu o encarei por cima do meu ombro, irritada. Ele não estava ajudando.

Deslizei os dedos sobre as teclas. Estavam desgastadas. Era muito diferente do piano perfeitamente construído que tínhamos em Belgrave Square. Eu tomava lições de piano toda semana com um tutor. Minha mãe dizia que algum dia eu tocaria para meus pretendentes, depois para meu marido, e, finalmente, ensinaria meus próprios filhos. Entretanto, depois que meu pai nos abandonou, o piano foi a primeira coisa que vendemos.

Havia uma peça de Chopin que ela costumava tocar. Era dissonante, com uma melodia curiosa que soava como o vento durante a noite. Era sombria e parecia bastante adequada à ilha. Fechei meus olhos e pousei os dedos sobre as teclas, tentando lembrar-me da sensação que a música causava. Toquei o primeiro acorde, ajustando-me à rigidez das teclas. A umidade tornava as cordas pegajosas e envergava a madeira, mas a música soava. E, para essa composição em particular, de algum modo, tudo aquilo era adequado. Foi então que a sensação voltou a tomar conta de mim, sentada ao lado da minha mãe no banco do piano, observando seus dedos longos sobre as teclas. Como um pássaro em uma gaiola com a portinhola aberta, a música fluiu para fora de mim.

Eu me esquecera daquilo que mais amava ao tocar piano. A precisão das notas e a complexidade matemática dos sons e compassos. Era como uma equação complicada, com a qual você precisa trabalhar com o coração em vez de usar lápis e papel. Eu me concentrei nas teclas, esvaziando a minha mente. Toquei sem parar, até o último compasso, quando deixei o acorde soar até que o último vestígio do som desaparecer. Meus dedos deslizaram das teclas. Em seguida, abri os olhos.

Para a minha surpresa, Alice, Balthazar e Puck estavam ao redor da mesa, quase paralisados em meio às tarefas de limpar a mesa e recolher os pratos, com expressões bastante estranhas em seus rostos. Lágrimas brilhavam nos olhos de Balthazar. Percebi que eles, provavelmente, nunca tinham ouvido música de verdade antes.

Meu pai se levantou e bateu as mãos uma contra a outra, lentamente, e os outros logo o acompanharam nos aplausos. De repente, o clima da sala parecia estar mais acolhedor. Finalmente eu conseguira fazer algo que lhe agradava.

Todos vieram falar comigo — Edward, Alice e os outros empregados. Tinham muitas perguntas. Que música era aquela e onde eu a havia aprendido? Eu ia tocar mais? Poderia ensinar Alice? Eu estava acostumada a ser desprezada como qualquer outra arrumadeira, por isso a atenção que eu estava recebendo era quase esmagadora.

Percebi o olhar de Montgomery. Ele sorriu para mim, como se compartilhássemos algum segredo. Em seguida, eu percebi a razão pela qual foi aquela melodia, dentre todas as outras, a de que eu me lembrara primeiro. Era a favorita de Montgomery. Certo dia, quando éramos crianças, eu o encontrara sentado no banco do piano. Sua lata de cera e a escova de lustrar estavam esquecidas no chão. Sentei-me ao lado dele e coloquei suas mãos sobre as minhas para que ele pudesse sentir os movimentos dos meus dedos, enquanto pressionava as teclas. Comecei a tocar uma música de Vivaldi, mas ele balançou a cabeça. "Essa não", disse ele. Ele queria que eu tocasse aquela que tinha um som estranho.

A música de Chopin.

Montgomery desviou o olhar, ocupando-se com uma lasca de madeira no batente da porta.

— Adorável. Simplesmente adorável — disse meu pai, com um sorriso discreto. Ao seu lado, Balthazar enxugava uma lágrima. De repente, senti-me como se estivesse cercada, como se eles estivessem se aproximando. A onda de emoções era forte demais, sufocando-me. Joguei o corpo sobre a banqueta do piano, desesperada para conseguir respirar.

— Você está bem? — perguntou o meu pai. Subitamente, o sorriso havia desaparecido, substituído pela determinação fria do médico. Ele tocou a minha testa.

— Estou só um pouco tonta.

Mas ele me encarava como se eu fosse um corpo gelado sobre a mesa de autópsia. Tocou meu braço para verificar a pulsação. A picada da injeção que aplicara pela manhã surgiu, vermelha, contra a palidez da pele do antebraço. Mais vermelha do que deveria estar. Inchada.

— O que é isso? — vociferou ele.

— Só uma pequena infecção. Provavelmente contraí no navio.

— Você está aplicando seu medicamento? — perguntou ele, franzindo os lábios. — Você não deixou de fazê-lo nem um dia, não é?

Pressionei a outra mão contra a minha testa. De repente, cada som naquela sala foi amplificado, como se viesse de um alto-falante na pista do hipódromo. Alice limpando a mesa. A respiração acelerada de Edward. O homem coberto de escamas que sussurrava algo para Balthazar.

— Estou bem! — gritei. Puxei meu braço para me desvencilhar. — Estou bem. Só preciso descansar um pouco.

Meu pai olhou para o relógio que estava sobre a cornija.

— É meia-noite. Fiz você ficar acordada até tarde.

— Está tudo bem, estou apenas cansada — disse-lhe. Tentei me levantar, mas minhas pernas estavam fracas.

— Alguém a ajude a voltar para o quarto — ordenou meu pai.

Logo, tanto Montgomery quanto Edward estavam ao meu lado, cada um deles me tomando por um dos braços.

Meu rosto ardia quando olhei para um, depois para o outro. Dois rapazes, dois pares de mãos nos meus pulsos. Um par era áspero e calejado; o outro, forte, porém macio. Minhas emoções se misturavam em um nó tão apertado que ameaçava interromper a minha circulação.

— Leve-a, Prince — disse o meu pai. Havia um tom diferente em sua voz, algo que me fez pensar no quanto ele queria que eu conhecesse Edward mais a fundo. Edward parecia contente em poder me acompanhar, contudo Montgomery apertou meu pulso com mais força. Não queria me deixar a sós com Edward.

— Pai, por que você não me leva? — perguntei, tentando tranquilizar a situação. — Como nos velhos tempos.

Meu pai resmungou, mas me ajudou a levantar. Apoiei-me em seu braço, sentindo-me cercada pelo forte cheiro de produtos químicos que exalava do seu paletó. Será que ele estivera no laboratório antes do jantar? Eu não tinha notado o cheiro até então. Olhei com mais atenção. Três fios grossos de pelo brilhavam no seu colarinho. Percebi que não vira a pantera, o macaco ou qualquer dos outros animais desde que cheguei.

O que meu pai havia feito com eles?

Ele me acompanhou até o pátio, onde o ar noturno resfriou meu rosto. As galinhas não estavam mais ali. Provavelmente tinham ido se empoleirar em algum canto fresco e escuro. Os sons das nossas botas contra o piso ecoavam até o pórtico, o único som de humanidade entre os trinados dos pássaros e outros sussurros da selva.

Talvez eu devesse me sentir deslocada naquele lugar tão distante das ruas barulhentas de Londres. Entretanto, havia uma serenidade ali, como se eu houvesse atravessado a fronteira e entrado em um lugar que fosse ao mesmo tempo novo e familiar. Aquele homem grisalho não era um estranho. Era o meu pai.

Ele parou do lado de fora da minha porta e deu palmadinhas suaves na minha mão, aquela em que estava o anel da minha mãe, como se o escândalo nunca houvesse acontecido. "E realmente nunca aconteceu", fiz questão de lembrar a mim mesma. Foram apenas boatos.

— Espero que não se arrependa de ter vindo até aqui — disse ele. — Não sei o que você imaginava que iria encontrar, mas eu sei que uma velha fortaleza espanhola e um homem idoso e enrugado provavelmente são uma decepção.

— Não estou decepcionada — disse-lhe, pousando minha mão sobre a dele, apertando-a antes de me virar para abrir a porta do meu quarto e girar aquela maçaneta estranha.

— Ah, Juliet — disse ele. E eu me virei. Metade do seu rosto estava coberta por sombras profundas, enquanto o branco dos seus dentes brilhava, refletindo as luzes distantes do salão. — Ficarei no laboratório até bem tarde da noite. Já comecei a trabalhar com os novos espécimes. Não fique alarmada se vier a acordar durante a noite. Os animais... bem, eles gritam, você sabe. É uma consequência infeliz das vivisseções. Eles não deixam ninguém dormir.

Durante um instante o mundo pareceu ficar imóvel. E logo depois as nuvens voltaram a se mover pelo céu e o vento voltou a soprar. Percebi que ele havia me encantado, assim como encantava todas as pessoas. Pensei que era muito inteligente. Pensei que conseguiria perceber suas tentativas de manipulação. Mas eu só ouvira o que queria ouvir.

Ele nunca dissera que as acusações eram infundadas. Apenas que eram injustas.

Capítulo 18

Os ruídos começaram durante a noite, no momento em que a lua estava em seu ponto mais alto no céu. Não eram gritos exatamente. Eram mais parecidos com gemidos. Uivos. Sons aos quais eu não conseguia dar nome. Fiquei deitada na cama, acordada, observando as formas estranhas que a luz do luar criava contra as paredes caiadas. Não conseguia identificar qual era o tipo de criatura sobre a qual ele estava trabalhando naquele laboratório sem janelas, com as paredes pintadas de vermelho-sangue. Ouvi a pantera emitir toda sorte de uivos e gritos no navio, mas nada se parecia com os sons que vinham do laboratório.

Fosse o que fosse, era grande.

Lágrimas se formaram ao redor dos meus olhos. Eu as enxuguei, irritada. A única coisa na qual eu conseguia pensar era no fato de ter obtido o que queria: respostas. Por que eu deveria me surpreender? Nunca suspeitara de que os boatos fossem verdadeiros em algum lugar escondido nos recessos da minha mente? E o que dizer de todas as outras coisas estranhas que estavam acontecendo: a morte daquele nativo e Balthazar surgindo no lugar onde estávamos fazendo o piquenique, armado de rifles? Meu pai mentira para mim a respeito de tudo.

Quanto mais irritada eu ficava, mais lembranças espinhosas começavam a aparecer, como corpos afogados subindo à superfície da água. Lembro-me da voz dele chamando por Crusoé. "Venha aqui, garoto, olhe só que bom cachorro você é", e a porta do laboratório se trancando com um estalido rápido e seco. Lembro-me de como os olhos dos criados ficavam vermelhos e inchados nas manhãs seguintes às noites em que ele fazia cirurgias. Os gritos os mantinham acordados também. Entretanto, nenhum de nós chegou a falar a respeito. Especialmente Montgomery.

Pensar em Montgomery fez com que minhas mãos apertassem os lençóis. Ele passou boa parte da sua vida na ilha. Provavelmente sabia da culpa do meu pai. Por que não me disse nada? Em seguida, lembrei-me do quanto ele tentou me dissuadir da ideia de viajar até aqui. Ele me avisou, sem entrar em muitos detalhes. Mas eu insisti. Disse que teria que vender meu corpo nas ruas se ele não me trouxesse consigo.

Mas será que a situação atual era melhor? Saber dessa verdade terrível e angustiante?

Um grito doloroso rasgou a noite. O susto fez com que eu jogasse os lençóis para fora da cama, e eu senti o suor encharcando meu pescoço. Seria o cachorro? Eu não conhecia nenhuma criatura capaz de emitir um som tão inumano. Conforme os gritos se arrastaram, assombrando-me a cada vez que tentava respirar, minha mente começou a devanear entre lugares cada vez mais sombrios. Imaginando o que faria um animal gritar daquele jeito. Imaginando a criatura estendida, acorrentada, com linhas tracejadas riscadas em sua pele com tinta preta. E por quê? Que motivos ele tinha para tanta crueldade? Ele já não precisava fazer as dissecações para fins de conhecimento. Ele já conhecia cada corpúsculo, cada curva dos nervos. Não, ele não estava estudando. Estava trabalhando em algo novo. Algo diferente.

Minha mente procurou por uma resposta entre os recortes de luar nas paredes. Qualquer que fosse o experimento no qual ele estivesse trabalhando, tudo começara em seu laboratório em Belgrave Square quando eu era criança. Com os anos, ele foi se retraindo, trabalhando cada vez mais, até a alta madrugada. Mesmo quando estava conosco, seus olhos sempre se mantinham na porta, como se metade da sua mente estivesse permanentemente ligada àquele laboratório. Fosse o que fosse sua nova descoberta, aquilo o havia consumido a ponto de fazer com que abandonasse tudo em sua vida. Era mais importante do que sua reputação, sua esposa e até sua filha.

Foi essa ideia que me fez levantar da cama. Após imaginar durante anos qual era o tipo de ciência que ele desenvolvia naquele porão embolorado, uma ciência que ele amava ainda mais do que a mim, eu tinha uma chance de vê-la. Meus pés se enfiaram rapidamente em dois chinelos de pano, como se pudessem pensar por si sós. A necessidade de saber me puxava, como se eu fosse uma marionete, ordenando que eu me vestisse rapidamente, abrisse a porta e descobrisse no que o meu pai estava trabalhando, o que o havia levado às raias da loucura.

Um único lampião estava no meio do pátio, balançando levemente com a brisa. O movimento fazia com que a luz se projetasse em ângulos estranhos, formando sombras que se alongavam e depois desapareciam. Havia um brilho suave sob a porta do laboratório.

Esperei até que a luz do lampião diminuísse e então disparei pelo pórtico, passando pelo alojamento dos criados e o celeiro para chegar ao laboratório, onde pressionei minhas costas contra a parede de zinco. A emoção de poder finalmente conhecer os segredos do meu pai atacava vários pontos do meu corpo, fazendo-me sentir selvagem. Os gritos haviam cessado, mas a minha cabeça latejava, confundindo meus sentidos. Um choro baixo e lamentoso começou a emanar dali, crescendo até se tornar um ganido ensurdecedor. Apertei as mãos contra as orelhas.

Isso era loucura. A curiosidade dentro de mim não podia ser natural. Afastava-me ainda mais da minha mãe, da razão, das regras e da lógica. Mas havia momentos em que eu não conseguia resistir.

Encostei minha testa contra a parede e fechei os olhos. Não se tratava apenas da minha curiosidade ou da minha fascinação pela anatomia, ou de como eu conseguira cortar a cabeça de um coelho com um machado sem hesitar, quando vários rapazes na mesma sala de cirurgia não tenham sido capazes disso. Essas coisas eram sintomas da mesma doença: um tipo de loucura que herdara do meu pai. Havia uma atração visceral me levando em direção às possibilidades mais sombrias da ciência, tênue linha que separa a vida da morte, em direção aos impulsos animais escondidos por trás de um corpete e um sorriso.

"Volte", ouvi minha mãe sussurrar. "O que ele está fazendo é errado." Mas ela não estava mais aqui para ralhar comigo. Eu estava livre dela, da sociedade e dos olhos vigilantes da Igreja. Podia fazer tudo o que quisesse. Mas o que é que eu realmente queria? Seguir aquela curiosidade intensa até a porta do laboratório do meu pai, ou dar ouvidos ao fantasma da minha mãe e voltar para a cama, onde eu poderia fechar os ouvidos e ignorar todos aqueles gritos?

De repente, os ganidos cessaram. Senti o ar sumir dos meus pulmões. Um tufo de pelos brancos como a neve flutuou lentamente sob o pórtico de pedra. Eu o apanhei e esfreguei entre os dedos. Ao meu lado, a entrada escura do celeiro se abria como um abismo. Olhei cuidadosamente para dentro da estrutura.

Do meio da escuridão surgiu uma forma branca, saltando até a soleira da porta, a poucos centímetros dos meus pés.

Era um dos coelhos. De algum modo, ele conseguira escapar da sua gaiola.

Meu pai não comia coelhos. Eles estavam ali para encontrar seu fim na lâmina afiada de um bisturi. Para servir à prática da ciência. Mas meu pai não fora acusado de praticar ciência. Ele fora acusado de crueldade. Já havia atravessado aquele limite proibido fazia muito tempo. E eu não podia simplesmente me deitar naquele colchão de penas e escutar os gritos. Para entender a minha própria curiosidade, eu precisava entender a dele.

Voltei ao laboratório. A porta de zinco tinha o mesmo tipo de maçaneta que o resto das estruturas. Eu a apertei lentamente, prendendo a respiração. Senti quando o trinco girou e se encaixou no mecanismo da fechadura. Ela se abriu silenciosamente em meio à escuridão da noite.

O cheiro forte de álcool e formol surgiu pela porta aberta. Naquele instante, eu era novamente uma garotinha entrando às escondidas no laboratório do pai. A lembrança era tão forte que eu quase fechei a porta e voltei correndo para o meu quarto.

Mas ouvi um sussurro em meio à escuridão.

Prendi a respiração para que os odores não me afetassem. Meus olhos se ajustaram lentamente. Do outro lado da sala, uma figura sombria estava ao lado de uma mesa de cirurgia de madeira, cercada por um lampião e velas colocadas no alto de uma estante. A luz das velas se refletia em dezenas de potes de vidro dispostos em prateleiras nas paredes, como as velas para orações colocadas em uma catedral escura. A diferença era que aqueles potes de vidro não continham velas votivas; guardavam coisas que eu sequer poderia imaginar.

Espécimes. Experimentos. Pesadelos.

E a figura ao fundo, o sacerdote profano, era o meu pai. Estava de costas para mim, mas eu identificava o contorno firme dos seus ombros e o formato da sua cabeça. A criatura na mesa, fosse o que fosse, estava parcialmente coberta por um lençol, e tudo que eu conseguia discernir era o formato esguio de alguns membros, a mancha escarlate de sangue no lençol, uma pilha de toalhas aos pés do meu pai e o brilho prateado dos instrumentos cirúrgicos. O som de fluidos gotejando lentamente me lembrou o tique-taque do relógio na sala de jantar. Meu pai disse algo em voz baixa. Imaginei que fosse mais um dos seus mandamentos sombrios, uma espécie de oração terrível, mas eram apenas lembretes que ele dizia a si mesmo. Ele levou a lâmina até a altura da mesa. O bisturi pressionou a carne firme, que cedeu, e a lâmina cortou os músculos como se fossem manteiga.

A coisa que estava na mesa ganhou vida com um gemido dolorido. Senti aquele grito como se fosse uma lâmina atravessando o meu coração. Grossas algemas de couro mantinham seus membros presos aos cantos da mesa, mas ela se contorcia incontrolavelmente sob o lençol. Minha palma, encharcada pelo suor, escorregava na maçaneta. Enxuguei-a na saia. Por mais que estivesse aterrorizada, meus olhos estavam fixos naquela mesa.

Meu pai parecia não se incomodar nem um pouco com o tormento da coisa sobre a mesa. As algemas se esticavam, e os elos das correntes batiam uns contra os outros, mas resistiam. Ele continuava cortando. Uma incisão aqui, outra ali, com a graça de um maestro regendo uma orquestra. Ele murmurava algumas notas de uma canção. "A música de Chopin", percebi com um choque. Vi somente alguns lampejos enquanto suas mãos trabalhavam por cima da criatura. Um pedaço de pele, pálido e ainda com restos de gordura subcutânea escorrendo, aberto na região da panturrilha da criatura. Um pedaço esbranquiçado de osso que brilhou sob a luz da vela. Meu pai o cobriu com uma toalha para estancar o sangue, mas a toalha logo ficou encharcada. Ele a retirou cuidadosamente e a descartou na pilha aos seus pés, que crescia. Havia muito sangue. Fez com que eu me sentisse enjoada. Por um momento, meus pensamentos saíram do controle, transformando-se em um apetite primitivo. "O que ele está fazendo?" Não era simplesmente vivissecção. Era muito mais do que isso.

Ele estava criando alguma coisa.

Ele se afastou, permitindo que eu conseguisse ver mais claramente. Consegui ver a perna que estava sob o lençol, e minha garganta se apertou. Em vez de dedos, havia uma perna cujo pé havia sido decepado, envolvida em uma atadura ensanguentada. "Não, não, isso é errado." Agora era a minha própria voz, não a da minha mãe. Não importava o que ele descobrira ou qual propósito superior ele pensava estar seguindo. Havia atravessado o limite de um lugar do qual não se pode retornar.

A pele da coisa parecia estar pálida, uma cor doentia. Provavelmente ele havia raspado os pelos da criatura, pois a perna parecia quase humana, exceto pela articulação estranha do joelho. Engoli em seco. Era a mesma articulação desajeitada que já vira antes, em Balthazar e nos membros malformados de alguns dos outros ilhéus.

Não podia ser coincidência. Uma ideia vaga do que ele estava fazendo naquele laboratório começava a permear meus pensamentos. Ele estava fazendo cirurgias nos ilhéus... Mas por quê?

Meu pai voltou para a mesa de cirurgia com uma braçadeira de madeira e colocou-a ao redor do tornozelo, prendendo-o firmemente no lugar. A música que ele murmurava desapareceu quando ele pressionou os dedos delicadamente dos dois lados do joelho. Com um grunhido, ele jogou todo o seu peso contra a perna e quebrou a articulação do joelho, forçando-a contra a braçadeira.

Gritei. Não consegui evitar. Mas a lamúria da criatura foi mais alta que o meu grito, encobrindo a minha voz. Aquele berro fez com que as portas de vidro dos armários tremessem. Uma vela caiu da prateleira, chocando-se contra a mão do meu pai. Ele soltou um palavrão e afastou a mão, arrancando o lençol da criatura.

Desviei o olhar, mas era tarde demais. O corpo animalesco estava estendido de uma maneira que não era natural, e seus membros estavam abertos e separados como os de um ser humano. Era impossível dizer que tipo de criatura era, ou qual havia sido anteriormente.

Senti que ia vomitar. Lutei para conter as lágrimas raivosas e assustadas. Assustada pela criatura e assustada por mim mesma, por herdar a curiosidade doentia do meu pai. Eu deveria me levantar e voltar correndo para o meu quarto, para me esquecer de tudo aquilo. Não era o sangue ou a carne do animal que me causava enjoo, mas o que ele estava fazendo. Era maligno. Ele era tudo o que disseram que era. Um louco. Um demônio.

Um monstro.

Sua voz surgiu pela porta entreaberta.

— Maldito diabo. Rapaz, venha aqui segurá-lo!

Ele estava conversando com alguém. Aproximei meu olho da abertura da porta. A coisa que estava na mesa havia se livrado de uma das algemas e estava agitando o tampo da mesa numa tentativa de se libertar. Outra figura surgiu, vinda de um canto escuro, com uma aparência bastante fantasmagórica através das lágrimas que me cobriam os olhos. Quando se aproximou da luz das velas, eu reconheci os cabelos loiros que lhe caíam sobre os olhos e o rosto bonito e bronzeado. Ele jogou seu peso sobre a coisa que estava na mesa, prendendo-a sob seu corpo, e fincou-lhe uma agulha no braço. Meu coração subiu até a garganta.

Montgomery. Ele não apenas sabia dos experimentos do meu pai como também participava de tudo. Fechei os olhos com força. "Não, Montgomery. Não pode ser."

Meu joelho escorregou e bateu contra a porta de zinco do laboratório. Ela tremeu com um som alto e metálico que reverberou pelo lugar e me tirou todo o fôlego. Atrevi-me a olhar para o laboratório e vi meu pai se virando, observando atentamente a abertura da porta.

— Quem está aí? — gritou ele. Em seguida, acrescentou: — Vá descobrir, Montgomery. Use os cães se precisar.

Bati a porta para fechá-la. Minhas pernas gritavam para que eu fugisse. "Corra."

Mas... para onde? O portão estava trancado. Eu estava presa.

Corri para a escuridão aconchegante do celeiro, escondendo-me, fugindo, movendo-me. Olhei para o teto. Era feito de palha — assim, haveria uma chance de conseguir me esgueirar entre as fibras e chegar ao telhado. Dali por diante havia a incerteza do terreno selvagem da ilha, mas seria melhor do que a certeza do que estava acontecendo no laboratório. Agarrei um forcado e, apoiando-me sobre um cavalete, enfiei-o no teto, esquivando-me da palha e dos gravetos que caíam sobre mim, até que alguns raios do luar surgiram pelo buraco. Segurei nas vigas de sustentação do teto, tomei impulso e me ergui, atravessando a palha do telhado até chegar ao ar quente da noite.

Nada importava, exceto eu ficar longe da verdade.

O som de passos pesados ecoou pelo pátio. Montgomery. Ele logo descobriria que eu havia desaparecido e me caçaria com os mastins. Ele me arrastaria de volta para o pesadelo do meu pai em questão de minutos.

Desci pelo buraco no telhado, chutei a trava que prendia a porta da gaiola e tirei dois coelhos que se debatiam lá dentro. Eles se contorciam em minhas mãos. Voltei a subir no cavalete e os coloquei no teto pelo buraco na palha. Em seguida, voltei à gaiola para pegar os outros e fazer o mesmo, antes de me erguer de novo e atravessar o telhado uma última vez. Os coelhos não conseguiriam parar os mastins, mas poderiam atrasá-los.

Caí ao chão. Senti uma dor forte tomar conta das minhas canelas. Em seguida, eu estava correndo cegamente pela selva.

Capítulo 19

Não parei de correr até que os primeiros raios do amanhecer conseguiram passar entre as copas das árvores. Os latidos dos cachorros, distantes como fantasmas, poderiam ter sido apenas obra da minha imaginação. Mais perto, o som de água corrente me levou até um riacho. Desabei na margem para encher a minha garganta seca com água fresca.

Durante aquela noite frenética, sob a luz da lua e sentindo os sons dos gritos ecoando, era imperativo conseguir fugir. Mas, sob a luz do dia, eu duvidava da minha decisão. Meus braços estavam cobertos com arranhões vermelhos. Eu sabia que meu rosto não poderia estar muito diferente. Os sapatos de pano já não eram muito mais que farrapos. Eu os retirei, gemendo, e atirei-os no riacho. Eles me seriam inúteis agora. Coloquei meus pés machucados na água. Enterrei o rosto nas mãos, perdendo a noção de mim, enquanto ouvia o som gorgolejante do riacho.

Uma mão tocou meu ombro.

Eu me levantei de um salto, pronta para gritar, mas, tão rápido quanto aquela primeira mão, outra já estava cobrindo a minha boca.

— Fique quieta. Sou eu.

O pânico fez com que eu tentasse me desvencilhar, rasgando o vestido da minha mãe contra as pedras do rio.

— Edward!

Por haver corrido até onde eu estava, Edward estava com o rosto encharcado de suor. Tudo o que consegui fazer foi olhar para ele como se estivesse vendo um fantasma. Ele me seguira. Meu sonho voltou com força. O sangue em suas mãos e aquele beijo frio.

— O que está fazendo aqui? — perguntei, enquanto lutava para recuperar o fôlego.

— Vi você pela janela do meu quarto, correndo pela selva como se um demônio estivesse nos seus calcanhares — disse ele, jogando água em seu rosto e pescoço. Depois, enxugou-se com o punho da camisa. — Vim atrás de você. Este lugar não é seguro, Juliet.

— Você viu? Viu o que há no laboratório?

Ele fez uma pausa. Observou meus pés inchados e machucados, meu vestido rasgado. — Não, mas eu ouvi os gritos. Posso imaginar o que ele estava fazendo lá dentro. Eu lhe disse que não havia uma boa razão para um médico vir até este lugar. Mas você não deveria ter fugido. É perigoso. Eu não conseguiria suportar a ideia de você se machucar...

Meu coração se apertou um pouco ao perceber que ele arriscara sua própria segurança para vir atrás de mim. E logo em seguida eu me lembrei do motivo que me fizera fugir e de como a minha curiosidade me atraíra até aquele laboratório como se eu fosse um animal faminto circundando uma presa fácil. Estremeci, sentindo asco de mim mesma.

— Eu tive que fugir — acrescentei. Massageei meus pés, tentando dar-lhes vida novamente, apertando-os com força até sentir que eles doíam. — Eu vi algo que seria melhor não ter visto — comentei, olhando-o nos olhos, perguntando-me se ele seria forte o bastante para conseguir lidar com a verdade. Ele havia sobrevivido por 20 dias no mar. Teve a coragem de fugir de uma vida abastada — coisa que não era fácil de fazer. Algo dentro de mim queria testar a sua força, ver o quanto ele seria capaz de aguentar.

Ele baixou a voz. — O que você viu?

Fechei os olhos e repassei a cena do laboratório. Os membros retorcidos, como os de Balthazar e o restante dos ilhéus. Todos aqueles animais enjaulados. Minha cabeça suspeitara de que havia uma conexão, mesmo que meu coração se recusasse a acreditar: meu pai poderia estar criando coisas, criaturas, a partir dos animais que passavam por aquelas vivisseções.

Balancei a cabeça. — Não importa. Não posso voltar. Pensei que poderia haver outras pessoas na ilha. Os missionários, talvez...

— Este lugar é perigoso. As pessoas estão morrendo.

Assumi uma expressão séria.

— O nativo que foi morto? Meu pai disse que foi um acidente.

— Não foi um acidente. Nenhum acidente faz com que o coração de uma pessoa seja arrancado do peito por garras.

Minhas costas se enrijeceram, forçando-me a levantar. Achava que meu pai não me dissera a verdade, mas nunca pensei que as coisas pudessem ser tão graves. — O que quer dizer com isso?

— Encontraram o corpo perto da praia. Três marcas de garras no peito. Se já não fosse ruim o bastante, esse não foi o primeiro caso. Ainda estão encontrando alguns dos corpos. Puck me contou histórias horríveis.

Olhei para a selva escura. Edward não estava preocupado com os cachorros, mas com um animal selvagem muito mais perigoso. Lembrei-me das cartucheiras de munição que Balthazar trazia atravessadas no peito. Do meu pai comendo um morango lentamente, dizendo-me que não havia nada com que me preocupar.

Balancei a cabeça. — Montgomery teria dito alguma coisa. Ele não teria permitido que eu viesse até aqui se este lugar fosse realmente perigoso.

— Montgomery passou seis meses longe da ilha. Ele não sabe — prosseguiu Edward. — Eles não sabem o que está matando as pessoas. É por isso que eu vim atrás de você. Temos que voltar antes que essa perigosa criatura nos encontre.

— Não! Não posso voltar para meu pai. Você não entende? Não quero mais vê-lo. Nunca mais.

— É melhor do que ser estraçalhado pelas garras de um animal! — disse ele, respirando fundo. — Você precisa voltar. Seja lá o que foi que viu no laboratório, finja que não viu. Apenas por algum tempo, até que consigamos pensar em uma maneira de sair da ilha.

— Você não está entendendo — disse eu, amargurada. — Eles mentiram para mim. Meu pai e Montgomery. Desde criança eu ouvia rumores... houve um escândalo... — continuei, balançando a cabeça. As lágrimas estavam ameaçando cair, e eu me detestava por demonstrar aquela vulnerabilidade. Anos da minha vida estiveram equilibrados em uma única pergunta: que tipo de homem era o meu pai?

Agora eu sabia.

Mas Edward não sabia. Ele pensava que eu fora até aquele lugar simplesmente para me reunir com um pai que não via fazia muito tempo. Inclinei-me para a frente, com as mãos cobrindo o rosto. — Você não entende.

Ele parou de falar. O tique nervoso em seu queixo recomeçou. — Eu sei alguma coisa a respeito do escândalo — disse ele.

Minha cabeça se ergueu rapidamente. — Como assim?

Ele me observou como se pudesse prever a minha reação. — Quando eu estava em Londres...

Alguma coisa rosnou por entre as árvores, silenciando-o. Perdi o equilíbrio e quase caí no riacho. Era um ruído assustador, nem humano, nem animal.

Edward mexeu os dedos, que tinham alguns hematomas, e esqueceu o que ia dizer. — Precisamos voltar. Pode correr? — perguntou ele, olhando para os meus pés descalços.

— Vou dar um jeito.

Corremos pela selva. O terreno tinha um leve declive, e nós tropeçamos entre as trepadeiras e espinhos ao corrermos pela folhagem densa que arranhava nossos braços e pernas e se enrolava ao redor dos nossos pés. Tropecei em uma raiz retorcida e caí no chão, batendo o joelho em uma pedra pontiaguda e afundando as mãos em camadas úmidas de folhas que apodreciam. Esfreguei as mãos no vestido enquanto Edward me ajudava a levantar.

— Psiu! — disse ele. — Escute.

Ficamos juntos, com a minha cabeça tão próxima do seu coração que quase conseguia ouvir as batidas. Sempre havia sons na selva. Insetos. Pássaros. Rangidos e estalidos, como se fossem sussurros. Como se alguém sempre estivesse seguindo, observando através da cortina interminável de folhas.

— Pensei ter ouvido... — A voz dele sumiu no ar. Por um momento, éramos apenas nós dois e nossos corações batendo no meio da floresta.

E foi então que a coisa rosnou novamente, um som abrupto e agudo. Eu podia sentir aquele ímpeto raivoso.

O que quer que fosse, descobrira nosso rastro.

Corremos entre a folhagem, abrindo caminho por espaços apertados entre as árvores e continuando a seguir o declive da encosta. Como se a ilha estivesse nos guiando. Para onde, eu não sabia.

Olhei para trás rapidamente, imaginando o que seria aquilo: um animal selvagem ou algo pior. Mas a selva era densa demais. Poderia estar a poucos metros de distância, e eu não seria capaz de enxergá-la.

Meus pés doíam muito com aquela correria. Chegamos a outro riacho, e Edward correu, passando por cima de algumas pedras, mas eu decidi parar por alguns segundos para recuperar o fôlego e colocar os pés doloridos na água fresca. Meu coração estava acelerado, e cada batida ecoava nos ouvidos. Quando olhei ao redor, Edward havia desaparecido no meio das árvores.

Atrás de mim, a coisa gritou.

— Edward! — chamei. Mas o som do riacho abafou as minhas palavras. Tive que me esforçar para sair da água, escorregando no lodo. Meus dedos agarravam o solo fofo e encharcado da margem. As trepadeiras espinhosas daquele lugar se enroscavam no meu cabelo, prendiam-se no meu vestido e deixavam marcas e arranhões nos meus braços. A ilha me queria para si. Arranquei as trepadeiras com as mãos nuas, sentindo pontadas de dor, mas sem me importar. Não deixaria a ilha me aprisionar.

Uma trepadeira espinhosa se soltou e me atingiu diretamente no rosto. Caí na água, lutando para conseguir respirar. Estava tremendo.

Se a ilha não me deixasse prosseguir para chegar até Edward, eu encontraria outra maneira. Segui o curso do riacho, andando o mais rápido que podia, seguindo o leito sinuoso. Percebi que a água removeria o meu cheiro e apagaria meus rastros. Não haveria nada que os animais pudessem seguir.

A não ser os rastros de Edward.

Tentei dizer a mim mesma que ele ficaria bem. Ele era mais forte do que parecia. Era um sobrevivente.

Parei para tomar fôlego. Fiquei ali por um tempo, que pareceu se estender por várias horas, tentando escutar algum som, mas não ouvi nada. Fosse o que fosse que estivesse nos perseguindo, eu conseguira despistá-lo. Deitei-me no riacho, deixando que ele me encharcasse toda, e as minhas lágrimas se misturaram com as águas da ilha.

Mais tarde, voltei a seguir as curvas e volteios do riacho até que meus pés estivessem entorpecidos. Encontrei um galho para usar como muleta, pois um corte sob os dedos do pé esquerdo sangrava. Meus pensamentos ficavam mais agitados a cada passada. Tentei aguçar os ouvidos para escutar os cães, para tentar encontrar o caminho de volta até a fortaleza. Aquilo significava que eu teria que encarar o meu pai, engolir o meu desgosto, a decepção e o medo, mas, pelo menos, estaria viva. Por que ele não me disse a verdade sobre as mortes?

Sobre quais outras coisas ele poderia estar mentindo?

De uma maneira ou de outra, a minha vida inteira me guiara até aquele momento, até ele, e agora eu não tinha nada. Não podia voltar a Londres. Não podia nem mesmo ter certeza sobre as verdadeiras motivações de Montgomery.

De qualquer forma, era inútil pensar naquilo. Eu estava totalmente perdida e não ouvia o latido dos cães havia várias horas.

O riacho fez uma curva, e uma pequena ponte apodrecida com um corrimão bloqueou o meu caminho.

Parei onde estava, surpresa. Uma ponte significava que havia pessoas por perto. Aquela, certamente, não era usada havia alguns anos, mas estava a uma boa distância do complexo, e era velha o bastante para estar na ilha antes da chegada do meu pai. Olhei entre as árvores, perguntando-me quem poderia ter construído aquela ponte e se aquelas pessoas ainda estariam vivas, se seriam perigosas. Tudo o que eu conseguia ouvir era o gorgolejar da água e o vento.

Saí do riacho. O chão ali era mais fofo. Segui cautelosamente até que cheguei a uma clareira.

Havia uma cabana envelhecida no meio daquela clareira.

Parei.

Meus pés não ousaram se aproximar mais, embora eu soubesse que provavelmente haveria algo de útil ali dentro. Tentei me lembrar do que meu pai falara sobre os habitantes anteriores da ilha. Os espanhóis, que construíram o forte. E os missionários anglicanos. Meu pai dissera que não havia mais nenhum deles na ilha. Mas ele não comentara sobre o que acontecera exatamente com essas pessoas.

Dei a volta ao redor da cabana, cuidadosamente. A grama da clareira espetava os meus pés machucados. Uma das vigas de suporte do teto estava quebrada, e o telhado em um dos lados havia afundado. O teto estava oxidado e esburacado em alguns pontos. Ninguém poderia viver aqui agora, mas os antigos ocupantes poderiam ter deixado um par de sapatos velhos para trás. Talvez uma faca. Eu ficaria contente até mesmo se encontrasse uma ripa de madeira com alguns pregos enferrujados na ponta — qualquer coisa que eu pudesse usar como arma.

Fui até a cabana, ainda mancando. Os degraus de madeira haviam apodrecido há um bom tempo, e se esfacelado. Deixei o galho retorcido de lado e me ergui para chegar até o piso arqueado da varanda. As solas dos meus pés deixaram pegadas ensanguentadas nas velhas tábuas do piso, que protestaram sob o meu peso quando atravessei o vão da porta de entrada. A porta estava entreaberta, e só tive que empurrar mais um pouco.

As dobradiças rangeram, arrepiando a minha pele. Olhei dentro da casa. O interior estava tão dilapidado quanto o lado de fora. Tinha poucos móveis — uma mesa baixa e uma cama de madeira. Nenhum sinal de que alguém a habitasse. Entrei na cabana, mas senti que algo puxava a minha saia. Com um grito eu a puxei, mas ela havia apenas se prendido em um prego, no batente da porta.

Senti um aperto na garganta. Uma cabana abandonada pelas pessoas não significava que estivesse livre de algum animal selvagem que a utilizasse como toca.

Um animal selvagem... talvez um animal que estivesse matando os ilhéus, dilacerando-lhes o peito com suas garras. Olhei para a clareira, procurando sinais de que eu estava sendo observada. Nenhum tufo de grama se mexia. Entrei na cabana e fechei a porta atrás de mim sem conseguir respirar. Havia um trinco tosco de madeira preso à porta, que eu demorei um pouco para conseguir travar.

O sol brilhava entre os buracos enferrujados do telhado, jogando fachos de luz por toda a sala. A poeira dançava pelo ar.

Minha respiração começou a se acalmar. Disse a mim mesma que estava sozinha. Limpei a sujeira da única janela da cabana com a ponta da manga da minha blusa. Do lado de fora não havia nada além da varanda vazia e do galho que eu usara como muleta, encostado em um dos pilares.

Sobre a mesa havia o resto de uma vela e uma garrafa verde e suja, cheia de poeira e com alguns corpos petrificados de insetos voadores. Percebi um armário no canto e girei o ferrolho. A porta se soltou na minha mão e uma enorme chave inglesa caiu aos meus pés, por pouco não esmagando meus dedos. Saltei para trás, com o coração na garganta. Várias outras ferramentas caíram daquele armário, batendo no piso com um som abafado de metal. Um martelo com a cabeça em forma de garra. Um enorme prego de aço para fixar trilhos aos dormentes de ferrovia. Uma tesoura enferrujada. Minha mão se fechou ao redor da tesoura. Embora as lâminas estivessem enferrujadas, elas poderiam ser usadas como arma. Eu a coloquei no bolso.

Virei-me na direção da cama, assustando-me com o que vi. Ali estavam os restos de um colchão de palha e de uma velha colcha cobertos de grossos pelos amarelados. Alguma coisa deitara sobre aquela cama. Imagens surgiram na minha cabeça, um animal selvagem com garras grandes o bastante para rasgar um homem ao meio.

Remexi no bolso da minha saia e tirei a tesoura, empunhando-a. Com a outra mão, toquei na colcha, hesitando. O pelo tinha uma textura áspera e rude. Não pertencia a este lugar. Alguma criatura certamente estivera aqui.

E poderia retornar.

Uma necessidade desesperada de fugir tomou conta de mim. Quando me virei, percebi algo impressionantemente branco sobre a cornija que encimava a lareira do lugar. Aproximei-me para ver o que era.

Na cornija estava uma pequena garrafa de vidro, quebrada na altura do gargalo e preenchida com água até a metade. Na garrafa havia uma flor branca solitária, ainda fresca.

Alguém esteve aqui. Um ser humano.

Senti um calafrio.

Não era a toca de algum animal selvagem — era a casa imunda de uma pessoa. Fui correndo até a porta, mas o trinco de madeira não girava.

Ouvi um rangido na varanda. Retirei a mão do trinco, como se ele estivesse pegando fogo. Meu corpo ficou imóvel, como se fosse feito de pedra. Fechei os olhos.

Esperei.

Toquei os lábios trêmulos com a língua, devolvendo-lhes um pouco de umidade.

Outro rangido. E mais outro, tão lento quanto a minha respiração. Alguém estava andando pelas tábuas envergadas do outro lado da porta.

Meus olhos se abriram rapidamente. Não me atrevi a dar qualquer passo ou revelar a minha presença. Do lugar onde eu estava era possível ver o lado de fora pelo canto da janela. A sombra de uma figura alta surgiu do outro lado da varanda.

O trinco da porta vibrou.

Recuei, sentindo o grito silencioso que saía de cada um dos meus poros. Não havia outra saída naquela cabana. A janela ficava na mesma parede onde a porta estava, e a chaminé desabara. Olhei para cima, e a luz do sol me cegou momentaneamente. O telhado nunca aguentaria o meu peso.

O trinco vibrou novamente.

Lutei contra o medo que me consumia. Entrar em pânico não me serviria de nada. Eu precisava que a minha cabeça estivesse alerta. Não tinha dúvida de que ele era maior que eu, o que significava que não conseguiria dominá-lo. A tesoura era uma extensão da minha mão, letal e pronta para atacar. Precisava apanhá-lo de surpresa assim que a porta se abrisse. Atacar um ponto que fosse vital e macio, fácil de dilacerar com a tesoura. O abdômen. Não, não... os olhos. Eu poderia escapar mais facilmente de um atacante cego.

O trinco vibrou mais uma vez, dessa vez com mais força. O suor escorria pelas laterais do meu rosto. Em algum lugar, por baixo de todo aquele medo, havia uma forte emoção. Eu quase conseguia sentir o seu sabor, como as cinzas de uma chaminé. No minuto seguinte, eu poderia cegar um homem com as minhas próprias mãos.

Do lado de fora, em algum lugar no meio da selva, um dos mastins uivou. Uma pequena nesga de esperança.

De repente, a porta ficou imóvel. O cão uivou novamente, e vários outros uivos se uniram ao primeiro. Haviam farejado um rastro. Tentei espiar pela janela, mas não vi nada. A tesoura estava encharcada de suor na minha mão.

Em seguida, da mesma maneira súbita que os passos surgiram, eles desapareceram.

Esperei dez segundos. Vinte. Perdi a conta. Ainda assim, a maçaneta não se moveu. Forcei minhas pernas a andarem até a janela. A varanda estava completamente vazia.

Será que os cães o haviam assustado? Ou ele estava simplesmente escondido ao lado da porta, esperando por mim? Fiquei imóvel por um bom tempo, antes que a poeira no ar começasse a me sufocar como se fosse um veneno. Bati no trinco com a tesoura até conseguir movê-lo. Abri a porta lentamente. O suor escorria pelo meu rosto e encharcava a blusa. Dei um passo em direção à varanda.

Não havia ninguém lá. Mas ele deixara algumas pegadas molhadas nas tábuas envergadas da varanda, ao redor das minhas próprias pegadas ensanguentadas. Agachei-me para estudar a pegada mais próxima da porta. Era muito maior do que a minha. Ele estava descalço, o que era estranho. Ainda mais estranho era o número de dedos em seus pés.

Um, dois, três.

Capítulo 20

Endireitei-me na varanda da cabana e comecei a observar a selva. Uma estranha sensação de estar sendo observada tomou conta de mim. A ilha estava cheia de vida, porém eu não conseguia ver nada. As coisas que viviam ali sabiam se mover silenciosamente, como fantasmas, escondendo-se nas sombras, sussurrando. Os espaços entre as folhas podiam ocultar todo tipo de perigo.

Agarrei o galho que usava como bastão de caminhada e saltei da varanda, gemendo quando os meus pés descalços e doloridos tocaram o chão. Corri para a borda da clareira. O suor escorria pelo meu pescoço, acumulando-se no espaço entre meus seios. À minha frente, a grama estava amassada pelas pegadas de alguém que passara por ali recentemente. Um inseto zumbiu atrás de mim. A selva vigiava cada um dos meus movimentos.

Virei-me e atravessei a clareira, rumando na direção do latido dos cães. A grama alta rasgava a minha saia. Eu conseguia ver a fumaça do vulcão entre as árvores, mas deveria haver uma segunda coluna de fumaça vindo da chaminé do complexo. Havia duas possíveis explicações. Ou o fogo não estava aceso, ou eu estava muito longe. Decidi dar a volta na ilha até encontrar uma estrada. O terreno foi ficando gradualmente mais plano conforme eu me aproximava da costa, contudo acabei chegando a uma área cheia de espinheiros emaranhados. Meu bastão de caminhada se tornou uma ferramenta para abrir caminho. Pelo menos bater naquelas trepadeiras ajudava a me distrair e a esquecer um pouco que eu não sabia qual caminho devia tomar. E que não sabia se Edward estava bem.

Ele poderia estar vagando pela ilha, perdido como eu. "Eu sei a respeito do escândalo", dissera ele. Mas, se isso fosse verdade, por que não dissera nada antes? Por que concordou em vir se sabia que meu pai era um louco?

Esmaguei outra planta espinhosa com meu bastão. Edward Prince era tão difícil de entender quanto as curvas e volteios no labirinto da selva. Todas as direções pareciam ser a mesma. Trepadeiras enormes e cheias de pedúnculos se agarravam aos troncos das árvores de muitos galhos. Espinheiros se enroscavam como a crina de um cavalo selvagem.

Um grito soou ao longe, e uma onda de medo fez com que eu começasse a correr. A criatura com três dedos nos pés ainda estava à solta — homem, animal ou assassino, eu não sabia. Talvez estivesse me vigiando agora. Esperando que a noite caísse. Seguindo meus passos como um fantasma. Quanto mais eu corria, mais o medo aumentava. Enxuguei o suor da testa, mas uma nova camada tomou seu lugar. Comecei a correr, cada vez mais rápido, até trombar com um trecho cheio de plantas de caules recobertos por folhas. Quando consegui atravessar, percebi que estava ao lado de um riacho pequeno e sinuoso.

Deixei-me cair na margem. As batidas da minha pulsação eram ensurdecedoras. Um pássaro piou, e em seguida outro. Mas nenhum perseguidor-fantasma surgiu na selva por trás de mim. Minha respiração se normalizou lentamente.

Joguei água no meu rosto ardente e deitei-me sobre o musgo e as folhas, deixando meus pulmões se encherem de ar. Nada naquela ilha era previsível. Ela era viva como uma pessoa, cheia de desejos, mentiras e contradições. Eu não sabia no que confiar. Cada barulho me fazia imaginar que um perseguidor estava por perto. Nenhuma trilha ou caminho no meio das árvores levava a qualquer lugar. Como eu podia confiar nos meus próprios instintos? Foram eles que me levaram até a ilha para testar uma teoria, um desejo desesperado, de que o mundo estava errado a respeito do meu pai.

Meus instintos estavam errados.

Minha visão estava embaçada e minha cabeça latejava. Não havia tomado minha injeção naquela manhã. Enxuguei o rosto e percebi uma faixa vermelha cobrindo meu braço. O sangue escorria dos arranhões causados pelos espinheiros. Toquei minha testa, meu rosto e meu pescoço. O sangue se grudava à minha pele como piche. Eu havia me tornado presa da ilha, mas, como no meu sonho, não sentia dor. Apenas uma fascinação pelas teias de cortes e marcas ensanguentadas pelo meu corpo. Eu estava desaparecendo, me afastando cada vez mais da humanidade.

Será que o mesmo acontecera com meu pai?

Alguma coisa ligeira e úmida passou por cima da minha mão. Sentei-me, com um grito. Do outro lado do riu vi outro lampejo, que chegou mais perto, movendo-se com uma velocidade incrível. Era do tamanho de um rato, mas tinha uma coloração rosada estranha, parecia cor da pele. Quanto mais tempo permanecia sentada e imóvel, mais criaturas apareciam, amontoando-se do outro lado do riacho. Curvei-me para a frente para beber, trazendo a água à boca com as mãos em concha. Ao levantar os olhos, percebi uma delas em pé em uma pedra, sobre as patas traseiras e a cabeça inclinada. Soltei uma interjeição de surpresa. Não estava com medo, apenas um pouco confusa. Nunca vira nenhum animal como aquele. Era um pouco menor do que um rato, sem pelos, e tinha o rosto de uma tartaruga. A coisa deu um pequeno grito e voltou a desaparecer entre a folhagem. Por alguns momentos, nenhuma folha se agitou.

Estudiosos descobriam novas espécies a todo momento, mas aquelas, de alguma forma, não pareciam ser naturais. Meus pensamentos estavam tão confusos que eu quase não percebi que a água havia adquirido uma coloração escura, um tom parecido com ferrugem. As pequenas criaturas estavam congregadas na margem oposta, saltando e tagarelando.

— Por que vocês estão tão animados? — murmurei, atravessando o rio para me aproximar delas. As criaturas se afastaram, espalhando-se pela área, revelando um pedaço mutilado de carne e pelos — um dos coelhos que eu tinha soltado. A surpresa fez com que eu saltasse. O coelho estava dilacerado, mas não fora comido. O sangue ainda escorria na direção do riacho.

Fora morto recentemente.

Algo muito maior do que as coisas-rato o havia matado. Talvez algo com três garras, grande o bastante para matar os nativos. Voltei correndo para a margem oposta, enfiando-me numa moita de bambus para me esconder. As criaturas-rato desapareceram. A selva estava tomada pelo som gotejante da água e o canto onipresente dos pássaros. Lentamente, consegui identificar duas vozes.

Duas vozes que discutiam.

As vozes tinham uma inflexão estranha e rudimentar, como a de Balthazar. "Não rastejarás na terra", eu me lembrava de ouvi-lo dizer. "Não matarás outros homens". Eram as vozes dos ilhéus, o que significava que eles eram leais ao meu pai e poderiam me levar até o forte. Mas algo me deteve. Não havia prova de que o assassino fosse um animal selvagem. Não seria difícil para um homem disfarçar ferimentos a faca de modo que se parecessem com marcas de garras.

Aproximei-me devagar, em silêncio.

— Ele diz César — falou um deles.

— Não comerás da carne. Não comerás da carne. Bobagem — respondeu o outro.

Pressionei meu peito contra as folhas apodrecidas. Entre as raízes retorcidas, identifiquei duas figuras que estavam de costas para mim. Elas andavam arrastando os pés enquanto falavam, com movimentos rápidos e desajeitados. Ilhéus, com certeza. O capim alto os escondia da cintura para baixo, o que me impedia de ver se estavam descalços ou de contar quantos dedos eles tinham nos pés.

Por meio da cortina de folhas percebi que um dos homens tinha mais ou menos o mesmo tamanho de Balthazar, talvez fosse até maior, com cabelos pretos oleosos e um casaco de lona como o de Montgomery. O outro era menor, com uma camisa branca suja. Seus cabelos, de um amarelo-palha, estavam presos na altura da nuca. Aqueles homens eram ainda mais deformados que os criados do complexo. Enfiei a mão no bolso em busca da tesoura, para o caso de alguma coisa acontecer.

— Não comerás da carne — resmungou o maior, indicando algo na mão do outro. A cabeça do coelho. Uma gota de suor escorreu pelo meu rosto. Montgomery disse que eles não comiam carne, mas rasgar um coelho no meio não parecia ser exatamente uma ação digna de um vegetariano. — Não matarás — acrescentou.

Aqueles homens não eram meus aliados, e isso estava bem claro. No entanto era arriscado demais voltar ao riacho. Bastava um galho se partir, e eles saberiam que eu estava ali.

O nativo de cabelo loiro rosnou e agitou a cabeça do coelho. — Bobagem! Bobagem! — disse. Ele andava com passos mais graciosos que o outro ilhéu. Seus movimentos ágeis e rápidos me lembraram a pantera no Curitiba, andando de um lado para o outro, observando, tensa e pronta para saltar a qualquer momento. O homem maior andava com passos hesitantes, como se não estivesse acostumado com seus próprios pés. Eles continuavam a discutir.

Por mais que estivesse aterrorizada, eu não conseguia tirar meus olhos deles. Um dos livros de Darwin falava sobre uma ligação entre animais e humanos, chegando mesmo a sugerir que vínhamos de uma forma animal primordial. Aqueles homens poderiam ser resquícios dessa forma, evidências das teorias de Darwin. Mesmo assim, eu não conseguia esquecer aquela estranha torção de um membro na mesa de cirurgia do meu pai. Quer dizer que eles eram criaturas das teorias de Darwin? Ou criaturas do laboratório do meu pai? A ideia me atingiu como se perfurasse dolorosamente a minha cabeça no espaço entre os olhos. Se a minha ideia louca estivesse certa, se o meu pai estivesse gerando criaturas a partir dos animais enjaulados... Não. Tais coisas não eram possíveis.

Senti uma pontada afiada na minha perna e contive um gemido. Uma formiga devia ter entrado por baixo da minha saia. Bem, eu teria que deixá-la me picar. Em seguida algo maior se moveu, algo do tamanho do meu punho, subindo pela minha perna, fazendo com que o tecido da saia se agitasse como uma onda. Algo liso, como uma mão carnuda, roçava contra a pele nua da minha coxa.

Quase saltei para fora de mim mesma. Balancei a saia freneticamente, até que um daqueles ratos repugnantes caiu no chão. Ele correu para longe e desapareceu por baixo de um tronco apodrecido. Minhas mãos ainda tremiam. Foi então que me lembrei dos dois homens e voltei a me prostrar no chão. Mais adiante, o homem mais baixo havia se virado e observava a moita de bambu atentamente.

A ânsia me subiu até a garganta. Eu não sabia se ele tinha me avistado. De qualquer modo, eu conseguia ver seus rostos claramente agora, e era horrível olhar para eles. O homem de cabelos escuros tinha o mesmo queixo projetado para a frente de Balthazar, parecido com o de um urso, embora fosse ainda mais desmazelado, com um dente do tamanho do meu polegar aparecendo atrás do seu lábio inferior.

O rosto do homem loiro também era bastante estranho, mas, ainda assim, eu não conseguia desviar o olhar. Sua pele estava coberta com pelos amarelados e manchas castanhas suaves. Seus olhos penetrantes surgiam por baixo de uma testa de aparência severa. Seu nariz era largo, porém achatado, o que lhe dava uma aparência poderosa e leonina. Dentes caninos pontudos brilharam quando ele agitou o nariz para cheirar o ar.

Prendi a respiração. Então era disso que Montgomery tinha medo. As armas, os olhares preocupados que esquadrinhavam a selva. Ele e meu pai tinham medo dessas criaturas.

O homem loiro olhou diretamente para o lugar onde eu estava escondida. Seu companheiro fez uma careta e começou a falar, mas o menor o silenciou com um toque no braço. Ele me observava de modo fixo, como um caçador, as narinas se dilatando e os olhos se estreitando. Em seguida, ele agarrou o casaco do homem de cabelos escuros e o puxou bruscamente para dentro das árvores. Em um segundo, todos os indícios de que eles estiveram ali haviam desaparecido.

Levou algum tempo até que eu conseguisse pensar claramente outra vez. O crepúsculo havia começado a cair, e a floresta estava encoberta por uma névoa. Os homens poderiam ter dado a volta e estar no meu encalço agora. Se eles estivessem ali, vigiando, esperando, não havia nada que eu pudesse fazer a não ser continuar andando. Trêmula, fui até o riacho. Parecia impossível encontrar um lugar seguro para passar a noite.

Seguindo o riacho até as partes mais distantes da ilha, ouvi o som de uma queda d'água. Uma clareira se abriu à minha frente. O luar refletia em uma cachoeira que formava uma piscina relativamente profunda. Depois de passar tanto tempo no túnel escuro formado pelas árvores, o luar brilhava com uma luz prateada que transformou tudo em uma visão de sonho. Havia algo estranho naquela cachoeira, uma luminosidade mais forte, como se ela tivesse brilho próprio. A piscina natural era delimitada por uma margem rochosa, e eu a escalei cuidadosamente, com os pés escorregando nas pedras lisas. O estrondo da cachoeira era ensurdecedor. Cheguei até um afloramento e tentei me equilibrar sobre aquela rocha que estava apoiada num ponto instável.

Havia um espaço atrás da cortina de água, amplo o suficiente para que uma pessoa conseguisse se esgueirar pela passagem. Olhei para dentro da gruta. O brilho vermelho de chamas me saudou.

— Isso é... fogo? — murmurei. Em seguida, duas mãos surgiram por trás da cachoeira, agarraram meus ombros e me puxaram através da cortina de água.

Capítulo 21

Encharcada, eu lutei contra meu atacante, mas a torrente de água me cegava. Em seguida, ela desapareceu, e me encontrei em uma caverna pouco profunda iluminada por uma pequena fogueira.

— Edward! — gritei. Havia um corte na lateral da sua camisa, e o sangue manchava sua calça na altura do joelho, mas, mesmo estando exausta e assustada, eu coloquei meus braços ao redor dele. Sem pensar. Precisava apenas sentir que ele era real.

— Tive medo... pensei que aquela coisa o tivesse alcançado — disse eu.

— Sou mais rápido do que ela.

Meus dedos se apertaram ao redor da camisa suja que ele usava, puxando o tecido. Desejei poder expressar o alívio que eu sentia ao ter os braços dele ao meu redor.

Os dedos de Edward me tocaram na altura da cintura, puxando-me para perto, e, por um momento, não pensei em pudores. As regras da sociedade não poderiam nos alcançar ali, atrás da cachoeira. Afastei-me um pouco para perguntar se ele estava bem, mas o desejo incontrolável que ele tinha no rosto roubou minhas palavras. Antes que eu fosse capaz de formular um pensamento coerente, ele me beijou.

Seus lábios eram frios, assim como no meu sonho. Senti-me atordoada; mal era capaz de pensar enquanto suas mãos apertavam meu corpo ao redor da cintura. E então, tão rápido quanto ele me beijou, eu o afastei e recuei até o outro lado da caverna.

Senti um calafrio que não esperava com o toque daqueles lábios. Algo que era surpreendentemente atraente e confortável.

— Juliet... — disse ele, com o tom entre pedido de desculpas e desejo latente. — Desculpe. Eu pensei que...

— Não diga mais nada — falei. O barulho da cascata era ensurdecedor. — Simplesmente esqueça o que aconteceu.

Ele andava de um lado para outro, um pouco agitado, como se quisesse se aproximar, mas soubesse que não devia.

— Não quero esquecer.

— Edward, por favor... — Eu me deixei cair contra as pedras frias, com os olhos fechados. A água havia entrado nas camadas internas das minhas roupas, deixando a minha pele arrepiada.

Ele parou de andar. — É Montgomery, não é? Você gosta dele — disse Edward, enfim. O fogo se refletia nas manchas douradas dos seus olhos enquanto ele esperava que eu negasse o argumento, mas eu não o fiz. Eu nem mesmo sabia o que sentia em relação ao que estava acontecendo. Precisava de tempo para pensar, analisar...

— Você disse que ele foi seu criado — falou ele, interrompendo meus pensamentos. — Que não havia nada entre vocês.

— E não há. Ainda não. Meu Deus, eu não sei.

Edward levantou a voz, encobrindo o barulho da cachoeira.

— Ele estava no laboratório, não é? Ajudando a criar aquelas aberrações. Ele é tão ruim quanto seu pai, Juliet! Como você pode amá-lo?

— Eu nunca disse que o amava!

Minha pulsação se acelerou com todos os argumentos enfurecidos que se formavam na minha cabeça, mas consegui parar por um instante. Algo que Edward dizia não parecia se encaixar. — Como você sabe o que eles estavam fazendo no laboratório? Você disse que não viu nada.

Uma expressão de culpa se formou no rosto de Edward, e com isso eu soube que ele mentira. O chão estava coberto de brasas da fogueira, que haviam se espalhado quando tentei me desvencilhar. Ele se ajoelhou para recolhê-las, evitando o meu olhar.

Eu o observei enquanto ele juntava as brasas com movimentos rápidos das mãos para não se queimar.

— Há quanto tempo você sabe? — perguntei, tentando manter a voz calma.

Ele se levantou lentamente, esfregando as mãos na calça. A luz da fogueira dançava em seus olhos. Por um momento apenas nos olhamos. Ele estava medindo a minha reação. Tentando decidir o quanto deveria me contar.

— Desde que estávamos no Curitiba — contou ele. — Desde a primeira vez que Montgomery mencionou o nome Moreau. — Edward mexeu nervosamente os dedos cheios de cicatrizes e voltou a andar de um lado para o outro. — Meu tio conhecia um dos detetives da Scotland Yard que trabalhou no caso. O massacre do King's College, foi esse o nome que deram. As investigações foram discretas, mas eles suspeitavam que seu pai estava tentando juntar e costurar animais para criar algo que fosse mais ou menos humano. Quando eu era criança, isso me causava pesadelos. E, quando vi Balthazar e os outros ilhéus, eu tive certeza — disse ele, com os olhos iluminados. Ele não era somente o rapaz ingênuo que todos imaginavam, e eu sempre soube que havia algo mais em Edward. — A teoria da Scotland Yard estava certa.

— Balthazar é meu amigo — retruquei. — Ele não é uma criação de laboratório.

— Seu amigo? Ele é um monstro!

Enxuguei a água, as lágrimas e o suor do rosto. Edward não conhecia Balthazar como eu. Balthazar podia ter algumas deformações, mas não era um monstro.

— Não, não é — contestei. — Cymbeline... ele é só um garotinho. E aquele homem com as escamas...

— Puck.

— Puck — repeti, chutando uma das brasas que ardiam. O mesmo nome do duende de *Sonho de uma Noite de Verão*. Um nome adequado, já que sua existência era tão inacreditável quanto qualquer conto de fadas. — Não são todos monstros.

— Você está tentando racionalizar as ações do seu pai — disse Edward, elevando a voz. Estávamos gritando, e o motivo não era simplesmente o barulho da cachoeira. — Tentando justificar o que ele faz.

— Você sabia a verdade e não me contou! — retruquei, colocando os braços ao redor do meu próprio peito e me virando na direção da cortina de água, deixando que a cachoeira afogasse meus pensamentos. Edward estava enganado. Eu não estava defendendo meu pai. Estava defendendo aquela parte de mim que sabia que o que meu pai fazia era maligno, mas que estava incrivelmente orgulhosa pelo que ele conseguira fazer. O sangue do meu pai corria nas minhas veias também. Será que ele não entendia?

Aquilo doía. Um estranho conhecia a verdade que eu procurara durante toda a minha vida.

— Você devia ter me contado.

— Por que você acha que eu vim com vocês até esta ilha? — gritou ele. — Eu podia simplesmente ficar no Curitiba. Você acha que eu tinha medo daquele capitão imbecil? Eu vim porque você não sabia no que estava se envolvendo! Você estava indo em direção ao perigo de olhos fechados e não queria ver as evidências que estavam bem debaixo do seu nariz.

Andei de um lado para outro, abraçando-me com ainda mais força. Percebi que ele estava certo. Eu sabia de tudo, o tempo todo, e tudo estava escondido nos cantos mais profundos da minha mente. Foi meu coração, meu coração fraco e humano, que me traiu, não a minha cabeça.

Edward não mentiu para mim. Eu menti para mim mesma.

Esfreguei meu rosto com uma mão trêmula, sentindo que o mundo havia virado de cabeça para baixo. — Você devia ter continuado no Curitiba, então. Não há nada para você aqui.

— Eu vim aqui por sua causa, Juliet! — disse ele. Estava tão perto da cachoeira que a água dançava sobre seus ombros como uma chuva fina. Ele enxugou a água dos olhos. — Eu vim até aqui porque não conseguia deixar de pensar em você quando estávamos no Curitiba. E ainda não consigo.

Por um momento, a água caiu à nossa volta com um estrondo. Ele fora até ali, sabendo que meu pai era um louco, por minha causa. Meu coração batia com tanta força que pensei que toda a selva podia ouvi-lo. Toquei meus lábios frios pelos respingos da cachoeira e ainda úmidos após o beijo que compartilhamos. Ainda desejando. Mas isso era errado. Meu coração pertencia a Montgomery, não a Edward. Muitas coisas haviam acontecido, e eu não era capaz de decifrar meus próprios sentimentos.

Sentei-me junto a uma das paredes, fechando os olhos e afastando a onda de emoções. Edward continuou andando pela gruta por mais algum tempo e depois suspirou. Ele se sentou ao meu lado, com um gemido.

— Você está machucado — disse eu finalmente, na esperança de mudarmos o assunto.

— Levei um tombo depois que nos separamos. Acho que quebrei uma costela.

Peguei um graveto fino que estava no chão da caverna, girando-o por entre os dedos. Tentava não pensar em Montgomery, que ajudava meu pai com seu trabalho horrível, enquanto Edward, que viera até a ilha para me proteger, só tentara me beijar.

Após alguns segundos, Edward puxou uma faca de açougueiro do bolso do seu casaco.

— Onde conseguiu essa faca?

— Enquanto você estava conversando durante o jantar, eu estava roubando a prataria da casa — contou ele, tentando afiar a ponta de um pedaço longo de madeira para criar uma lança. Meu Deus, será que nosso desespero havia chegado a esse ponto? Ele segurava o bastão e a faca com muita força. Não sabia direito o que ele ou eu deveríamos fazer. Tudo que conhecia sobre lanças viera provavelmente da leitura de *Robinson Crusoé*.

O graveto parou de girar nos meus dedos. — Como você sabia que precisaria de uma arma?

— Seu pai tentou me matar cinco minutos depois que cheguei. Foi uma pista excelente.

Voltei a girar o graveto entre os dedos, arranhando sua superfície com a unha. Até que, enfim, joguei o graveto na fogueira.

— Eu vi dois ilhéus na selva. Não eram como Balthazar, ou aqueles grandalhões no ancoradouro. Eram selvagens. Mataram um dos coelhos, rasgaram o pobre animal ao meio. Não sei o que fariam se descobrissem que eu estava lá — declarei. Estremeci ao me lembrar dos olhos penetrantes de um dos nativos. Ele estava olhando diretamente para a moita de bambus. Será que não me viu mesmo?

A faca na mão de Edward parou de se mover. — Isso é estranho. Montgomery disse que ninguém come carne nesta ilha.

Eu pensava a mesma coisa. Observei Edward, impressionada por ele não estar assustado a ponto de perder o juízo. A luz do fogo dançava nos contornos fortes do seu rosto. Uma parte da sua face estava envolta em sombras, e uma luz quente manchava seu nariz e sua testa. Talvez aquela imagem ficasse um pouco deslocada sob as luzes elétricas, que estavam ficando cada vez mais populares em Londres. Imaginei se voltaríamos a ver Londres algum dia. No pequeno mundo da caverna, atrás da cachoeira, parecia que éramos as únicas pessoas que restavam sobre a terra.

— O que faremos, então? — perguntei. — Não podemos ficar aqui para sempre. Vai levar um ano até que outro navio chegue.

— Outros navios devem passar por perto, a caminho da Austrália ou de Fiji. Montgomery disse que há uma rota polinésia de comércio marítimo perto da costa.

— Está dizendo que devemos arriscar a sorte em uma jangada e esperar até que um navio nos encontre? — retruquei, apertando os braços para suprimir um calafrio. — Vamos ficar à deriva. Ou afundar em uma tempestade. Ou morrer de sede. Você, mais do que qualquer pessoa, deveria saber disso.

Ele se encostou contra a parede da caverna, observando a fogueira. O tique nervoso que tinha no queixo fez seu músculo pulsar uma única vez. Conversara pouco a respeito do que acontecera quando o Viola afundou. Não precisava fazê-lo. Tudo estava escrito nas cicatrizes das queimaduras de sol que ainda lhe marcavam o rosto.

— Que escolha nós temos? Seu pai está enlouquecido. O que o impede de realmente encontrar algum uso para nós? Talvez ele nos amarre àquela mesa de cirurgia.

— Ele não faria isso. Ele é o meu pai — respondi. Não queria ouvir aquilo. Não queria especular até que ponto meu pai havia chegado ou quais limites ele ultrapassara.

Edward colocou um dedo no meu rosto e o virou para que eu o encarasse. — Você sabe o que sinto por você. Não precisa dizer nada. Não importa. Vim aqui para protegê-la e é isso que vou fazer. Amanhã nós encontraremos o caminho de volta ao forte. Vamos agir como se tudo estivesse bem e dizer que simplesmente nos perdemos na selva enquanto estávamos explorando. Depois, vamos descobrir uma maneira de sair desta ilha — disse ele, colocando uma mecha do meu cabelo para trás da orelha. — Não vou deixar que nada a machuque.

Estudei a nova cicatriz que lhe cortava o rosto logo abaixo do olho. Os hematomas haviam desaparecido, mas isso não significava que não estivessem ali, debaixo da pele, martelando os ossos.

— O que era aquela fotografia? — perguntei, antes que pudesse me conter.

Um ar de surpresa tomou seu rosto por um segundo. E, logo em seguida, uma linha de expressão entre seus olhos ficou um pouco mais pronunciada. — Qual fotografia?

— Você tinha uma fotografia nas mãos quando nós o encontramos. Estava muito castigada pela água para que fosse possível identificar o que havia nela. Eu não a vejo desde que você estava no navio.

Ele deu de ombros com um movimento curto, o cenho franzido, como se a lembrança dos dias que passara no bote salva-vidas o incomodasse.

— Não me lembro de nenhuma fotografia.

Ficamos ali por algum tempo, escutando o som da água em nosso próprio mundo particular, atrás da cachoeira. Não acreditei, nem por um minuto, que ele houvesse se esquecido da fotografia. Mesmo assim, o segredo pertencia a ele, assim como os motivos que o levavam a mentir. A noite ficou mais fria, e o meu vestido ensopado fez com que minha pele ficasse branca. Timidamente, fiquei apenas com minha blusa longa e deixei o vestido perto do fogo para que secasse. Sabia que meus tornozelos e meus braços estavam desnudos. Os olhos de Edward brilharam sob a luz mortiça da fogueira e não refletiram os modos de um cavalheiro. Contudo ele não tentou me beijar outra vez.

A clausura da caverna pareceu se fechar à nossa volta, com uma pressão tão forte quanto a lembrança do beijo. Eu sabia que Edward não me machucaria. Mesmo assim, não me sentia completamente à vontade ao lado dele.

Deitei-me ao lado do fogo, sentindo cada pedra e fenda no chão da caverna. Edward se deitou atrás de mim, mantendo uma distância respeitável de pouco mais de meio metro, mas próximo o bastante para que eu sentisse o calor do seu corpo. Adormeci ao som forte da cachoeira e das milhares de perguntas que se amontoavam na minha cabeça.

Acordei no meio da noite e vi que as brasas da fogueira estavam quase apagadas. Edward e eu havíamos nos aproximado durante o sono. Minha cabeça repousava contra o seu ombro e as mãos dele estavam ao redor da minha cintura, agarrando-me com força; e nossas pernas estavam escandalosamente entrelaçadas. O que eu sentia ao lado dele não era segurança; em vez disso, era um tipo de conexão mais profunda, algo que eu nem conseguia compreender. Eu tinha uma lembrança vaga, parecida com um sonho, de senti-lo me envolvendo com os braços, inspirando o aroma do meu cabelo, murmurando algo contra o meu rosto. Eu poderia impedi-lo se quisesse. Mas fingi estar dormindo e o abracei, trazendo-o para mais perto de mim.

Pela manhã, Edward tinha desaparecido. As brasas estavam frias em meio à luz que entrava na caverna através da cortina de água. A caverna parecia diferente à luz do dia, sem sombras agarradas aos cantos escuros. Era apenas um afloramento úmido, sem nada de especial a não ser por alguns tufos de musgo perto das poças e mais aranhas do que eu tentaria contar.

A faca que Edward deixara ao lado do fogo, quando nos deitamos para dormir, havia desaparecido também.

Espiei pela entrada da caverna. Um rapaz estava se banhando na parte rasa da piscina natural formada pela cachoeira. Afastei-me com um sobressalto, constrangida por ver Edward sem roupa. Eu nunca vira um homem nu até aquele momento. A lembrança do seu corpo contra o meu durante toda a noite e o beijo breve e não correspondido fizeram com que, repentinamente, eu sentisse uma onda de calor se espalhar pelo meu corpo.

Molhei o rosto com a água de uma poça. Fui verificar o meu vestido. Lavei os cortes nos braços. Por mais que tentasse me manter ocupada, não conseguia parar de olhar na direção da entrada da caverna.

— Ah, ao diabo com isso — murmurei, voltando até a cachoeira na ponta dos pés. O som do meu coração ecoava com força nos meus ouvidos.

Ele estava de costas para mim. Estava imerso até a altura do peito e se agachou na água, levantando-se em seguida, com uma mão sobre a costela machucada. Eu nunca o vira tão despreocupado. E, com certeza, nunca o vira tão... exposto. Ele não tinha o físico impressionante de Montgomery, mas havia algo em seus braços esguios que inegavelmente demonstrava força física. Os mesmos braços que me envolveram na noite anterior.

Abanei o rosto para tomar um pouco de ar.

Ele esfregou a cabeça e saiu da piscina de pedras. Meus dedos se enroscavam na fita macia que decorava o decote da minha blusa, sabendo que eu devia parar de observar. Ele poderia se virar a qualquer minuto. Aquele pensamento me causava arrepios.

Edward pegou sua calça e sua camisa, que estavam penduradas em um galho, com cuidado para não mover demais a região da costela, e vestiu-se rapidamente. Voltou na direção da cachoeira, e eu retornei à fogueira para esperar por ele. Coloquei o vestido de novo e fechei os olhos, acalmando o meu coração, imaginando o que minha mãe diria se me visse agora. Nunca havia nem mesmo ficado de mãos dadas com um rapaz. E, certamente, nunca havia observado um rapaz enquanto ele se banhava.

Uma centopeia rastejou sobre os dedos do meu pé e eu saltei para trás. Percebi que Edward ainda não retornara. Voltei para a entrada da caverna, mas a piscina natural estava vazia, e não havia nenhum sinal dele.

— Edward? — chamei, hesitante. Nenhuma resposta. Saí de trás da cachoeira e entrei na selva. Meu pé amassou uma fruta amarela apodrecida. Nenhum sinal dele.

— Edward, você está aí? — chamei novamente. Um brilho em meio às folhas caídas chamou a minha atenção e fui até aquele local. A faca de cozinha que ele me mostrara na noite anterior estava enterrada entre as folhas até a metade. Sangue fresco manchava a lâmina.

Chutei as folhas até encontrar pegadas na terra macia que contornava a piscina de pedras. Pés nus misturados com as marcas profundas das solas das botas de Edward. Elas iam e vinham em todas as direções. Tentei segui-las sob o calor cada vez mais forte, que me deixava tonta. Ainda mais tonta porque já fazia dois dias que eu não tomava minhas injeções.

— Edward? — chamei mais uma vez. O único som que ouvi em resposta foi o piado de um pássaro.

Capítulo 22

Escolhi uma direção a esmo e corri na velocidade máxima que meus pés machucados permitiam. A tesoura pesava no meu bolso, mas eu estava feliz por tê-la. Assim como a faca. Eu só conseguia pensar naquele coelho aberto e rasgado ao meio, em um lugar onde supostamente ninguém comia carne.

Parecia que alguém acabara de desenvolver esse hábito. E agora estava dilacerando com suas próprias garras qualquer coisa que vivesse. Eu tinha que encontrar o forte antes que o que estivesse à espreita me encontrasse.

Meu pé escorregou em outra daquelas frutas amarelas, e eu parei por tempo suficiente para encher meus bolsos. Vi uma tigela cheia dessas frutas quando estava no complexo, então elas provavelmente eram seguras. Talvez levasse algumas horas até que eu encontrasse outra coisa para comer. Meu plano era encontrar um riacho e segui-lo até a praia. Se eu circundasse toda a ilha e não conseguisse encontrar a trilha da carroça, subiria até o cume do vulcão, ou até o lugar mais alto que encontrasse, e procuraria o forte lá do alto.

Um pássaro piou acima de mim com um grasnado estridente e pouco natural. Percebi a presença daquelas criaturas semelhantes a ratos pelo canto dos olhos. Será que meu pai também as havia criado? Será que a ilha estava cheia não apenas com aqueles ilhéus corpulentos, mas com todo tipo de aberração?

Cheguei até uma pilha de seixos de rio que marcavam algum tipo de trilha. Segui o caminho estreito até encontrar outra pilha de pedras, onde parei para descansar. As frutas amarelas haviam se esmagado e seu suco manchara o tecido interno do meu bolso, mas eu ainda podia comê-las. Comi meia dúzia delas e joguei os caroços pegajosos no chão. Um trinado soou, vindo de algum lugar — um inseto ou um pássaro. Apertei o cabo da faca com mais força. E, nesse momento, percebi que qualquer pessoa que encontrasse aquela pilha de caroços saberia que eu passara por ali.

Joguei-os no meio das árvores para esconder meus rastros. Satisfeita, esfreguei minhas mãos cobertas com os restos pegajosos das polpas na saia. Quando me levantei para continuar, um dos caroços voou de volta pelo ar em um arco gracioso, pousando aos meus pés.

Empunhei a faca e me virei. Havia algo por perto.

— Quem está aí? — gritei. Minhas palmas estavam encharcadas de suor. Mordi o lábio para reprimir o medo. "Tente acertá-lo nos olhos".

Um rosnado felino surgiu atrás de mim, e me virei. — Saia daí! Mostre-se! — berrei.

Um grunhido forte soou em meio às árvores. As folhas tremeram. Uma figura veio na minha direção, andando sob as sombras das copas das árvores. Sua postura encurvada e as manchas em sua pele o tornavam quase invisível.

Era o ilhéu loiro. Aquele que matara o coelho.

— Você — sussurrei, brandindo a faca. Medo misturado com fascinação. Aquela criatura que andava e respirava fora criada na mesa de cirurgia do meu pai. De algum modo, meu pai tinha conseguido o impossível: transformou um animal em um homem. Ou quase.

— Não se aproxime — adverti.

— "Saia daí". "Não se aproxime". Decida-se, garota — disse ele. Aquelas palavras soavam como um chiado. Eu deveria sentir medo. Devia estar aterrorizada. Mas a mera existência daquele homem, o fato de saber em que ele realmente consistia era tão encantador que não havia lugar para o medo.

— Não chegue mais perto — adverti-o, erguendo a faca. Ele saiu de trás das folhas, mas permaneceu perto dos limites da clareira. Sua camisa branca estava remendada com retalhos de linho. As mangas estavam arregaçadas até os cotovelos, revelando antebraços cobertos por pelos loiros. Pela primeira vez eu conseguia vê-lo abaixo da cintura, onde uma cauda se movia de um lado para outro. Um músculo nas minhas costas se contraiu involuntariamente. "Uma cauda".

Observei a maneira como ele se movia, tão silencioso, tão gracioso. O equilíbrio perfeito entre um animal e um humano. Enjoei ao lembrar-me de um dia quando ainda estava no Curitiba observando o macaco. Aquilo era algo que eu desejara durante um bom tempo: uma maneira para que os humanos pudessem compartilhar dos talentos dos animais.

Eu era muito parecida com meu pai.

A criatura se aproximou, recapturando a minha atenção.

— Se você tentar me machucar, eu vou cortar a sua garganta — ameacei.

— Machucá-la? — replicou ele, com os lábios se retorcendo em um rosnado. — Há maneiras muito melhores de machucar uma garota perdida do que atirar frutas nela.

— Quem é você? — esbravejei.

— Jaguar — pronunciou ele.

— Jaguar? Meu pai não lhe deu um nome, como fez com os outros?

— Jaguar — disse ele, novamente.

— Foi ele que o criou? Foi ele que o transformou nisso? Responda!

— Garotas perdidas precisam ter cuidado. A selva é um lugar perigoso, dizem.

Uma gota de suor rolou pela minha nuca. Ele estava tentando me assustar. Mas, se realmente quisesse me atacar, certamente já teria se lançado contra mim.

Continuei segurando a faca com firmeza, mas abaixei-a.

— Por que você está me seguindo? — perguntei.

Ele inclinou a cabeça. — Você é que estava me seguindo. Você estava na moita de bambus. Observando.

Então ele tinha me visto. Podia ter me atacado, e não o fez. Estreitei os olhos, imaginando o motivo. Ele esticou os lábios em resposta. Percebi que era inteligente. Mais inteligente do que a maioria dos humanos.

— Onde está Edward? — perguntei.

— O náufrago.

A surpresa quase fez com que eu largasse a faca. Como ele sabia?

Minha descompostura fez o sorriso em seu rosto se abrir ainda mais.

— Montgomery me falou sobre o náufrago — disse ele. — Montgomery diz que devo vigiar a garota. Não disse que devo vigiar o náufrago.

— Quando você falou com Montgomery?

— Perguntas. Perguntas. Venha comigo.

A pata dele se curvou, chamando-me para que eu o acompanhasse. A ponta da cauda estremeceu. Senti que estava sendo atraída na direção daqueles olhos amarelos hipnóticos. Mas consegui me conter.

— Não vou a lugar nenhum com você — declarei, apertando a faca. — Isso é loucura.

— Não é seguro sem mim.

— Não é seguro com você! — Recuei, pisando em um galho que se partiu sob o meu pé. — Prefiro me arriscar sozinha.

— Você não sabe o que está lhe caçando — disse ele, torcendo o nariz. — Eu sei.

Aquelas palavras eram desconcertantes. Em toda a ilha, eu não conseguia imaginar outro animal ou homem mais aterrorizante do que a criatura que estava à minha frente. E, mesmo assim, se não fora ele quem atacara os ilhéus até matá-los com suas garras — e eu não tinha certeza de que ele não o fizera —, alguma outra coisa fora responsável pelas mortes.

— O que é que está me caçando? — perguntei cautelosamente.

— O monstro — respondeu ele, com os lábios encurvados de maneira diabólica. Eu não sabia se ele era tão louco quanto meu pai ou se estava apenas brincando comigo. De qualquer forma, a situação era ridícula. Conversar com um experimento ambulante. Ainda assim, ele não tentara me machucar, e isso era mais do que eu poderia dizer em relação a vários humanos.

— Quero ir até o complexo — falei.

Ele inclinou a cabeça. — A Casa do Sangue.

Um suspiro tenso escapou dos meus lábios. "Casa do Sangue". Ele só poderia estar se referindo a um lugar. O laboratório vermelho.

— Venha comigo agora. Nada de perguntas. Nada de perguntas.

Concordei com um aceno de cabeça hesitante e agitei a faca para que ele indicasse o caminho. Ele se movia pela folhagem de maneira tão silenciosa que quase não deixava uma trilha para que eu o seguisse. Minha saia se prendia em cada espinho. Eu fazia dez vezes mais barulho do que ele ao andar pela selva. Estudei a maneira como ele caminhava, dissecando seus movimentos. A ponta do pé tocava o chão, e, com um movimento suave, firmava-se sobre o calcanhar, que apenas roçava contra a superfície. Seu corpo se movia de um lado para outro, com um balanço quase imperceptível, o que lhe dava um equilíbrio maior. Imitei seu jeito de andar, e, em pouco tempo, andava quase tão silenciosamente quanto ele.

Jaguar não usava sapatos. Contei os dedos que ele tinha nos pés várias vezes, e o resultado era sempre o mesmo. Cinco. Não era ele quem estava de tocaia na porta da cabana.

O monstro.

Ele não olhou para trás nem uma vez. Em alguns momentos, seu espectro se misturava à selva como uma sombra. Tive que andar mais rápido, tropeçando às vezes, para conseguir acompanhá-lo. Minha cabeça doía. O calor era insuportável. Perdi o equilíbrio e tive que me segurar em uma árvore para não cair. A falta das minhas injeções estava me afetando cada vez mais. Já conseguia ouvir o som da tontura antes de senti-la, e minha visão se desintegrava em manchas negras.

O toque do pelo ralo contra o meu braço me fez saltar. Agarrei a faca com força, embora estivesse fraca demais para brandir a lâmina.

— Afaste-se — adverti. Mal conseguia ouvir minha própria voz com o som do sangue que circulava nas minhas orelhas. — Só preciso de um momento para descansar.

Mas ele se aproximou. Eu podia sentir o cheiro de bolor que ele tinha, um misto de lã e suor envelhecido.

— Você está doente — disse ele, com a umidade quente do seu hálito umedecendo meu pescoço.

— Estou somente um pouco tonta. Logo vai passar — respondi. Meus dedos apertavam o ponto sensível na parte interna do meu cotovelo.

As pontas grossas dos dedos dele tocaram meu antebraço, girando meu cotovelo de maneira gentil. A faca na minha mão caiu no chão, inútil. Fechei os olhos.

Ele deslizou um dedo pela parte interna do meu braço. Havia algo ao mesmo tempo familiar e perverso naquele toque. Uma criatura como ele não deveria existir, e, mesmo assim, ali estava ele, no meio das árvores, ao meu lado.

Ele cheirou meu braço. Algo úmido e quente tocou o lugar onde a agulha penetrava na carne.

Abri os olhos de susto. Ele tinha me lambido. O choque fez com que eu recuperasse os sentidos.

"Ele tinha me lambido!"

— Solte-me! — gritei, desvencilhando-me.

— O remédio do doutor — disse ele.

— Sim — respondi, agarrando com força a parte interna do meu cotovelo. Minha boca estava aberta, buscando palavras. — Continue andando.

"Ele é um animal", procurei lembrar a mim mesma. "Perigoso".

— Como quiser — assentiu ele.

Procurei deixar uma distância maior entre nós enquanto ele me levava na direção de um vale. Havia apenas mais árvores e mais trepadeiras até onde a minha vista alcançava. Entramos no meio de um grupo de plantas parecidas com samambaias, maiores do que eu. Conforme a silhueta dele surgia e desaparecia no meio daquelas folhas verdes, eu deixava que a distância entre nós aumentasse ainda mais, até que ele era apenas uma sombra ao longe.

Foi então que me virei. Não sabia se ele estava me levando até o complexo ou não. Não sabia se ele era o assassino ou não.

E não tinha intenção de descobrir.

Usando os mesmos passos silenciosos e calculados dele, desapareci no meio da selva.

Capítulo 23

Andei durante horas. Talvez menos. Talvez mais. A selva se erguia ao meu redor como uma fortaleza de árvores e pedras. Pelas brechas entre as folhas, eu conseguia ver a coluna de fumaça onipresente do vulcão subindo em direção ao céu, sem parar.

Depois de algum tempo, consegui sentir o cheiro de uma fogueira. O cheiro se embrenhou no meu cabelo e nas minhas roupas, impulsionando-me para a frente, até que eu pude ouvir um som suave de marteladas. As árvores se abriram em uma clareira. Abri caminho entre o capim alto e vi que estava nos limites de uma aldeia.

Eu cobri imediatamente o nariz com a mão. A fumaça trazia um forte odor de comida apodrecida e animais sujos. Algumas cabanas mal construídas, com telhados de palha, tinham sido erguidas nos limites da aldeia, com caminhos de terra batida entre elas. Ratos cavoucavam as pilhas de comida apodrecida. Um deles sibilou quando eu passei perto.

Espiei dentro da porta de uma das cabanas e vi alguns indícios de vida: um galho de árvore transformado em arado, uma pilha de tecido amarrotado jogada em um canto, cebolas esturricadas secando ao sol sobre alguns caibros.

O som de pancadas começou outra vez, assustando-me. Percebi que não eram marteladas, e sim como as batidas de um tambor. Conforme me aproximava, eu ouvia vozes e grunhidos. Uma das vozes, entoando uma cantilena, parecia sobrepor-se às outras.

Não tinha certeza se devia me esconder ou me mostrar. Não podia confiar totalmente naqueles moradores da ilha, os nativos, mas, pelo menos, aquelas pessoas viviam um resquício de vida normal em uma aldeia, diferente do que ocorria com Jaguar. Esgueirei-me pela próxima trilha até conseguir ver o centro da aldeia. Dezenas de ilhéus estavam reunidos, com os pés batendo contra o chão de terra, fazendo a poeira levantar, e agitando as mãos no ar. A maioria estava vestida como Jaguar, com roupas esfarrapadas de lona azul, embora algumas mulheres usassem cortes de tecido desbotado ao redor do corpo. Todos eles se moviam a passos curtos e com os ombros encurvados.

Ver tantos deles, uma aldeia inteira, me deu a impressão de que seria inconcebível que meu pai houvesse realmente criado aquelas pessoas. Eu não podia negar que parecia haver algo errado com eles. Mas fabricar algo tão complexo quanto um homem que falava, dançava e usava calça... isso era impossível.

O grupo se afastou para abrir caminho. No meio deles estava um homem alto com um par robusto de chifres de alce crescendo entre os cabelos castanhos. Fiquei boquiaberta. Os dentes, e até os chifres, das outras criaturas davam a impressão de serem deformações, porém os chifres daquele ser pareciam se adequar perfeitamente à sua imagem. Seu rosto e seus braços estavam voltados para o céu, e o manto de cor vermelho-sangue que ele vestia arrastava no chão. Sua voz tinha o som do zumbido de um enxame de besouros. Ao seu lado estava um garoto pequeno, cuja altura mal chegava à minha cintura. Era Cymbeline, embora a selvageria do lugar tivesse lhe roubado a meiguice. Seus olhos se focaram em mim, e ele me apontou.

Todos se viraram. Os rostos daquelas pessoas pareciam saídos de um pesadelo. Um deles poderia até mesmo ser um assassino.

"Corra", dizia meu corpo, mas era tarde demais. Eles já estavam me cercando, com as mãos imundas buscando meu cabelo e puxando-me pelas roupas. Arrastaram-me até que eu estivesse no meio de todos. O homem com os chifres de alce levantou seu cajado, silenciando o vozerio selvagem.

— A mão dela — comandou o homem.

Ao meu lado estava uma mulher calva de olhos oblíquos, com uma pele estranhamente translúcida que parecia refletir a luz do sol. Ela agarrou a minha mão com quatro dedos lisos e fortes. Tentei me desvencilhar, sentindo asco.

— Uma mulher de cinco dedos — disse ele.

A mulher sibilou, revelando a língua bipartida de uma cobra. Uma píton, pensei comigo mesma. Era onde eu vira aquela pele antes. O homem com rosto de javali, ao lado dela, também tinha um dedo a menos em cada mão, assim como as duas crianças maltrapilhas que se agarravam à minha saia. Todos os outros tinham apenas quatro dedos, com exceção do homem alto que usava o manto, cujos cinco dedos eram longos, rígidos e estavam cobertos por uma camada rala de pelos grossos.

— Uma mulher de cinco dedos! — gritou ele, e a turba se aproximou para ver. Seu hálito malcheiroso fazia meu estômago revirar. Minha doença me dominava, enfraquecendo-me e retorcendo as minhas entranhas.

— Quem é você? — perguntei ao homem de manto.

— César — sibilou a mulher-píton, acariciando a manga do meu vestido com os dedos fortes.

A multidão repetiu a palavra, entoando-a como um trovão. César. César. César.

O homem com os chifres de alce baixou o cajado. As pontas afiadas dos seus chifres brilhavam sob a luz do sol.

— Eu sou César — disse ele. — O sacerdote da ilha.

Um animal que tentava se passar por um homem religioso. Era tão absurdo quanto os mandamentos que Balthazar recitava no navio. Montgomery se recusara a me contar o que significava aquilo, e agora eu entendia o porquê. Eu pensaria que ele estava louco.

— De onde você vem, cinco-dedos? — perguntou ele.

Havia algo muito humano em seus olhos castanhos.

— Da Inglaterra — respondi.

A multidão repetiu a palavra, mas ela lhes parecia estranha.

— Um lugar além do mar — explicou César. A turba murmurou e assentiu, embora ainda parecesse confusa.

— Você veio com o outro — disse César, indicando o homem com rosto de javali com um aceno de cabeça. — Traga o homem de cinco dedos.

Eu me estiquei para enxergar entre a cabeça daquelas pessoas, enquanto ele desaparecia no meio delas. A mulher-píton alisava ansiosamente a pele dos meus braços, e seus dedos faziam cócegas. Outra mulher se aproximou, tentando pegar meu anel, mas a mulher-píton ameaçou mordê-la. Em seguida, sorriu para mim, como se nós duas fôssemos superiores aos outros.

A multidão começou a gritar quando o homem com rosto de javali retornou. Ele empurrou um corpo machucado e sujo aos meus pés.

— Edward! — falei, caindo de joelhos. Ele conseguiu se sentar, com uma mão na cabeça, cobrindo um pequeno corte que sangrava. — Você está bem?

Ele assentiu, olhando com desconfiança para o homem com rosto de javali, e esfregou o sangue ressecado em sua testa com a manga da camisa. — Tudo considerado, estou bem — disse ele, cuspindo uma mistura de sangue e saliva no chão de terra. — Eles me pegaram perto da cachoeira. Seu pai está por trás de tudo isso. Eles acham que o seu pai é algum tipo de deus.

A turba ficou mais agitada. Eles andavam à nossa volta, inclinando-se em nossa direção, observando cada um dos nossos movimentos. Cymbeline e os outros dois meninos se jogaram no chão, engatinhando até onde estávamos, mas César apontou seu bastão para eles.

— Não rastejarás na terra!

Os garotos recuaram e se ergueram sobre os próprios pés.

Eu me levantei, e Edward me trouxe para perto de si, apenas por um segundo.

— Aconteça o que acontecer, fique perto de mim.

Antes que eu pudesse perguntar o que ele queria dizer com aquilo, uma sombra cobriu-lhe o rosto. A multidão ficou quieta em poucos instantes. Virei-me e vi o rosto de um tipo diferente de besta-fera que nos observava, com um guarda-sol branco equilibrado sobre o ombro.

Capítulo 24

Meu pai sorria. — Ah, aí estão vocês. Tivemos um trabalho dos diabos para conseguir encontrá-los.

Edward e eu nos levantamos rapidamente. Olhando entre algumas brechas no meio da multidão, consegui perceber que Montgomery estava em pé, ao lado da carroça, com um rifle apoiado contra o quadril e evitando o meu olhar. Senti certo alívio ao vê-lo. Ele nos levaria de volta à segurança das muralhas do complexo, longe dos perigos que espreitavam na selva. Mesmo assim, eu não conseguia tirar da cabeça a imagem daquele animal preso à mesa de cirurgia, nem do meu pai cantarolando enquanto a vela escorria lentamente e Montgomery o auxiliava. Senti-me traída, como se o garoto que eu idolatrava não fosse nada além de uma fantasia. E, mesmo assim, observando-o na multidão, eu ainda sentia a força da ligação que tínhamos, uma ligação que agora estava complicada pela presença de Edward.

— Estou vendo que já conheceu nossos vizinhos — disse meu pai. — Deixe-me apresentá-la formalmente.

Meu pai agia como se tudo aquilo fosse normal. Olhei para Edward. Havíamos concordado em fazer o jogo do meu pai até podermos escapar da ilha, mas isso era excruciante. Meu pai tinha me abandonado. Mentido para mim. Arruinado a minha vida. Eu tinha que me controlar para não pular em cima dele e arranhar seu rosto inteiro. Quase cheguei a preferir enfrentar o assassino a voltar junto com ele.

Aqueles monstros o encaravam com olhos arregalados e lábios que tremiam. Ali ele era rei. E Montgomery ficava à margem dos acontecimentos, como um príncipe relutante.

De repente, senti que meus joelhos fraquejavam. As serpentes da minha doença estavam rapidamente tomando conta de mim, enrolando-se ao redor das minhas pernas. Edward me agarrou pelo cotovelo, porém eu o afastei, cambaleando um pouco. Precisava de uma injeção. Precisava me afastar da presença opressiva do meu pai, que chegava até mesmo a me roubar o oxigênio.

Apoiei-me sobre os joelhos, respirando em golfadas rápidas. Tremendo. Tentando aplacar a fúria que sentia em relação àquele homem, alguém que um dia chamara de família. Senti a mão de Edward no meu ombro, ouvi algumas palavras de conforto, contudo não consegui distingui-las. Tudo o que eu conseguia ver era a criatura amarrada à mesa, contorcendo-se de dor. O sangue do torturador corria em minhas veias, uma herança cruel. Apertei os dedos contra os olhos para não chorar. Mas um soluço, um único soluço, escapou.

E a mão de Edward desapareceu.

Vi o que aconteceu pelo canto do olho, um movimento rápido. A multidão ao meu redor gemeu, surpresa. Ouvi um estalo, como o de um graveto se quebrando. E, em seguida, um indício de sangue.

Tudo aconteceu rápido demais.

Meu pai recuou, com um passo vacilante, as mãos no rosto, e o guarda-sol caiu no chão. O sangue lhe escorria entre os dedos. O punho de Edward ainda estava fechado. Ele havia socado meu pai, bem na boca. Espantei-me.

O que acontecera com a ideia de fingir que tudo estava bem?

Edward flexionou a mão. — Ele fez você chorar — explicou.

Montgomery correu em meio à multidão enquanto os ilhéus se agitavam, inquietos, com o cheiro de sangue. César levantou seu cajado, o manto vermelho esvoaçando ao seu redor como uma cortina. Ele parecia mais refinado, mas até mesmo as suas narinas se dilataram com o cheiro do sangue.

Montgomery saltou sobre Edward e os dois rolaram pelo chão. Os dois se engalfinharam, levantando uma nuvem de poeira. A mulher-píton se colocou na frente do meu pai para protegê-lo. Vários outros seguiram seu exemplo. Finalmente, Montgomery conseguiu dominar Edward, deixando-o de joelhos e segurando-lhe os braços contra as costas.

Meu crânio latejava como se eu estivesse bêbada. Montgomery era um escravo da vontade do meu pai. Ajudava-o com sua obra horrível, defendia-o, mesmo à custa de Edward. Mas ele não era cruel, e, no fundo, o meu coração sabia disso. Meu pai poderia tê-lo arrastado até ali quando criança, o criado e o instruído a fazer coisas horríveis, no entanto Montgomery não era um monstro. Não deveria agir como se fosse uma marionete nas mãos do meu pai.

— Não dê ouvidos a ele! — gritei, socando o ombro de Montgomery. A surpresa fez com que ele hesitasse. Cravei meus dedos em sua mão, tentando fazer com que ele soltasse Edward. — Largue-o!

— Parem com isso! — A voz do meu pai era como a voz trovejante de Deus. Gotículas de sangue se espalharam quando ele falou.

Uma mão áspera cobriu minha boca. Escamas encaroçadas rasparam meus lábios — Puck. Encolhi-me, enojada, sentindo o gosto do suor em sua palma. Ele envolveu seu outro braço ao redor do meu corpo e me afastou de Montgomery com a força de dois homens.

Meu peito arfava. A tensão ainda crepitava no ar. Os nativos cercavam meu pai, embasbacados, mas ele os afastou, enxugando o sangue do lábio cortado. Olhei fixamente para Montgomery. "Não lhe dê ouvidos", pensei. "Você sabe que isso é errado".

Montgomery apenas desviou o olhar.

— Realmente, isso não é maneira de se portar — falou meu pai, puxando seu lenço e cuspindo nele. — Precisamos dar bons exemplos a eles. Especialmente você, Juliet.

— Eu sei o que você está fazendo naquele laboratório — esbravejei. — Você é um monstro!

Meu pai me encarou com seus olhos negros sérios e impenetráveis e voltou a guardar o lenço no bolso do colete.

— Solte-os. Eles não voltarão a fugir. Não têm para onde ir.

Um rosnado baixo veio das profundezas da garganta de Puck, mas ele me soltou. Lentamente, Montgomery soltou os braços de Edward.

Meu pai pegou o guarda-sol, que agora estava quebrado e manchado. — Quer dizer que você descobriu meu segredo, não é? Você viu o que havia naquela mesa e viu os meus ilhéus. E, é claro, chegou à única conclusão lógica. Você é esperta, afinal de contas. Mais esperta do que deveria — disse ele, com os olhos negros brilhando. — É uma pena que você não seja um menino.

— Você passou dos limites. Este é o trabalho de Deus, não o nosso.

— São as mesmas coisas que sua mãe dizia — afirmou ele. Não estava me elogiando. Ele caminhava entre aqueles monstros, removendo torrões de terra dos seus pelos e endireitando-lhes as roupas esfarrapadas, assim como um pai faria com seus filhos. Um homem peludo, com cabelos loiros que lhe caíam pelos olhos, se endireitou quando meu pai se aproximou. Meu pai pôs uma mão amistosa em seu ombro. — Juliet, minha querida, estes animais receberam uma grande dádiva. Foram transformados em gente por uma ciência metódica e embasada. São excepcionais, não percebe? Capazes de pensar e agir como seres humanos, mas sem a corrupção da humanidade.

A raiva começou a subir pela minha espinha.

— Você prestou atenção demais no que esse rapaz tolo lhe disse. Ele não é um de nós; eu lhe disse isso desde o início. Vamos voltar para o forte. Você precisa de uma injeção, de comida e de água. Vou lhe explicar meu trabalho. Você só está se sentindo assim devido ao choque. Quando compreender a ciência que existe por trás de tudo, verá as coisas do meu jeito.

A raiva que eu sentia foi encoberta por uma fraqueza cada vez maior nas minhas pernas. Eu sentia que minha doença me dominava cada vez mais intensamente. Curvei-me, abraçando os joelhos. Quando minhas pernas cederam, os braços de Montgomery repentinamente estavam ao meu redor, levantando-me sem nenhum esforço. Percebi que o coração dele batia acelerado sob o tecido da sua camisa.

— Leve-a de volta imediatamente — ouvi meu pai dizer, embora estivesse a ponto de perder os sentidos. — E quanto a você, Prince... quando voltarmos, você e eu precisaremos reexaminar a natureza do nosso acordo.

Se o acordo tinha qualquer relação com a intenção do meu pai de fazer com que eu me casasse com Edward, eu não podia imaginar que meu pai ainda estivesse feliz com o genro que escolhera.

A aldeia girava enquanto Montgomery me carregava em seus braços em meio à multidão. A mulher-píton se aproximou, deslizando seus dedos carnudos delicadamente contra o meu rosto. Montgomery ordenou que se afastasse. Eu me agarrei aos seus bíceps, sentindo vertigem. Seu coração batia mais rápido.

— Eu tentei lhe avisar — disse ele, num sussurro feroz.

Ouvi o enorme cavalo de carga grunhir, seguido pelo som das dobradiças enferrujadas das tábuas da portinhola traseira. Em seguida, os braços de Montgomery desapareceram, substituídos por tábuas rígidas. Havia algo ao meu lado, na carroça, algo longo e envolto em panos. O odor de sangue coagulado fez minha garganta se fechar. Rolei para longe do cheiro, fraca demais para conseguir me sentar.

— Você insistiu em vir até aqui — sussurrou Montgomery, ríspido. Não consegui discernir se ele estava bravo comigo ou consigo mesmo. — Eu devia ter recusado. Eu esperava que... diabos. Não importa.

Sua voz sumiu, e a carroça começou a se mover. Cada solavanco causava a sensação de ser jogada de um lado para outro, como se estivesse ao sabor das ondas do mar. Um movimento mais brusco fez com que eu rolasse por cima daquilo que estava envolto em panos. Minha mão tocou uma substância pegajosa.

Olhei para a minha mão. Um sangue grosso, em processo de coagulação, se prendia em meus dedos. Eu havia rolado para cima de algo que devia ser um corpo. O sangue encharcava o tecido em três longas manchas que cruzavam o tronco. Outra vítima.

"O monstro", como dissera Jaguar.

A carroça voltou a balançar com um solavanco, e o tecido saiu de cima do rosto. Era uma das mulheres nativas, ou teria sido. A mandíbula fora arrancada, deixando apenas incisivos longos e serrilhados postos em um grito permanente. Cortes marcavam-lhe o rosto e a testa, que já estavam cobertos por um enxame voraz de moscas. Um grito estrangulado encheu a minha garganta, mas nunca cheguei a ouvi-lo. Já tinha me perdido em meio a uma escuridão reconfortante.

Capítulo 25

Acordei em minha cama no complexo. Minha memória estava confusa, afogada nos pântanos lamacentos da minha mente, um lugar onde eu estava satisfeita em deixá-la. Eram apenas alguns lampejos. A pele que se soltava do rosto da mulher morta. Manchas de sangue no tecido que a cobria. Moscas zumbindo como nuvens de tempestade. Ainda havia resquícios de um gosto de sangue em minha boca e um perfume de alfazema no ar.

Um murmúrio suave enchia os cantos do quarto como se fosse a luz do sol. Por um momento, imaginei que eu estava de volta à minha casa, em Belgrave Square, e minha mãe cantarolava alguma coisa enquanto me preparava uma xícara de chá. Mas era um devaneio inútil. Londres nunca fora tão insuportavelmente úmida.

Abri meus olhos. O murmúrio não era mais do que o zumbido constante de um inseto, mas a alfazema era real. Alice estava ao lado de uma panela de cobre fumegante sobre a penteadeira, com as costas para mim, girando a flor entre as palmas para espalhar a fragrância. Montgomery estava ao seu lado, espalhando, com uma escova, uma substância grossa e transparente no espelho. Metade do espelho estava estilhaçada, com as rachaduras se espalhando como uma teia de aranha. Não me recordava de como aquilo havia acontecido.

Alice levou os dedos até o rosto, inspirando o aroma suave e terreno. Ela levantou as mãos em concha até Montgomery. Ele inalou profundamente e depois abriu um sorriso tranquilo como eu não via desde que éramos crianças — e, mesmo naquela época, eram raras as ocasiões em que ele sorria assim. Senti uma pontada no coração. Eles estavam no meu quarto, entretanto davam a impressão de que eu era a intrusa ali.

— Alice — disse eu. O nome dela ficou embargado na minha garganta seca. Ela e Montgomery se viraram, surpresos. Sua mão se ergueu para cobrir o lábio leporino. Eu limpei a garganta. Vê-los tão à vontade deveria ter me alegrado, mas serviu apenas para retorcer algo dentro de mim.

Montgomery cruzou os braços aos pés da cama. O sorriso já desaparecera do seu rosto.

— Você acordou. Está se sentindo bem?

— Havia um corpo. Alguém morreu.

Ele agarrou a plataforma aos pés da cama com força.

— Uma mulher da aldeia.

— Outro "acidente"?

Ele não respondeu.

Vi meu reflexo no espelho. As rachaduras dividiam o meu rosto em milhares de pequenos pedaços.

— O que aconteceu com o espelho?

Montgomery lançou uma olhada rápida para ele, e sua expressão séria se refletiu milhares de vezes. — Não se lembra? Você jogou seu pente de prata nele. Ele se estilhaçou.

Sentei-me, estudando a imensidão de olhos refletidos nos estilhaços. — E por que eu faria isso?

— Você estava tentando me acertar.

Meu reflexo abriu um sorriso torto. — Provavelmente, eu estava mais lúcida do que eu pensava.

Os olhos arregalados de Alice estavam concentrados na toalha com a qual secava as mãos. Os lábios de Montgomery se abriram, e eu achei que ele diria mais alguma coisa, mas ele apenas balançou a cabeça negativamente.

— Vou dizer ao doutor que você acordou.

Meu reflexo surgiu no espelho, apenas o lampejo de uma expressão efêmera. Uma parte de mim estava triste por vê-lo sair. Ainda me importava com ele, e era isso o que me deixava ainda mais irritada. Irritada porque ele sabia que o que estava fazendo era errado e, mesmo assim, continuava leal ao meu pai. Com certeza o que eu queria quebrar não era o espelho, mas a influência do meu pai sobre Montgomery.

Alice molhou a toalha na panela de cobre. Em seguida, pressionou gentilmente o tecido contra minha testa. — Ele é um bom homem, senhorita. Quer o melhor para todos nós — disse ela, com os olhos cheios de emoção.

Eu conhecia aquele olhar. Alice estava apaixonada por Montgomery.

Um pouco da água escorreu pelo meu rosto e fez cócegas nas minhas orelhas. Fazia sentido, concluí. Ele era o único rapaz que não tinha casco ou garras em toda a ilha. E era bonito. Ah, era muito bonito. Senti um calor tomar conta do meu rosto e culpei o vapor da panela de cobre por isso.

— O doutor ficou muito assustado quando você se perdeu — contou Alice cordialmente, pressionando a toalha contra o meu pescoço. Ela era uma garota gentil e bonita. Será que eu estava ignorando algo óbvio? Uma sensação estranha tomou conta de mim. Talvez os sentimentos dela em relação a Montgomery fossem recíprocos. De repente, senti-me uma idiota. Achei que ele sentisse algo por mim. Ele praticamente me dissera; quase me beijara... será que eu estava exagerando os carinhos dele em minha memória, quando a dona do seu coração, na realidade, era outra pessoa?

— Foram as criaturas dele que me assustaram — resmunguei, com o pensamento focado em outra coisa. O cheiro de alfazema se misturava com o meu hálito, penetrando meu corpo. A infusão estava ali para me tranquilizar, mas eu tinha a sensação de que estava me sufocando. — Você sabia alguma coisa a respeito delas?

Alice deslizou a toalha pelas laterais do meu pescoço, pelo topo do meu nariz e a curva do meu queixo. — Sim, senhorita. Todos nós sabemos.

— É loucura. Humanos criados a partir de animais.

— É assim que as coisas são nesta ilha.

— Você não sente medo?

A toalha parou sobre o meu colo. O lábio de Alice estremeceu. — Muitas coisas me causam medo, senhorita.

Ela começou a limpar debaixo das minhas unhas com uma lixa de metal. A sujeira não me incomodava, mas ela a atacava com ímpeto.

— Ele acha que é Deus — falei. O comentário não interrompeu os esfregaços. A lixa pressionava a pele sensível debaixo das minhas unhas, causando um leve ardor. — Mas ele é louco.

A mão de Alice se moveu bruscamente, e a ponta da lixa penetrou minha pele. O sangue surgiu por debaixo da unha. Não sei dizer o motivo, mas comecei a rir. Quanto mais sangue fluía, mais eu ria, até que me senti uma louca. Alice apertava a toalha ao redor do meu dedo, com os olhos arregalados.

— Você precisa descansar, senhorita. Ainda não está bem.

O sorriso morreu em meus lábios. Recolhi a mão e lambi o sangue que a toalha não absorveu. Tinha um gosto rico, um sabor de ferro. — Onde estão os outros? Onde está o meu pai?

— No salão, senhorita.

Sentei-me na cama, jogando um vestido por cima da minha blusa, e corri descalça pelo pátio.

Interrompi um chá taciturno no salão. Alguns pedaços ressecados de bolo estavam sobre a mesa de café, ignorados. O chá parecia estar frio. Montgomery se levantou quando entrei, mas meu pai acenou para que ele voltasse a se sentar. Olhei para Edward. Aparentemente, não tinha nenhum osso quebrado. Pelo menos meu pai não o afogara para retribuir aquele soco no queixo.

— Está se sentindo... — começou Montgomery, contudo eu o interrompi.

— Para o inferno com o que estou sentindo — disse eu, cruzando os braços e olhando para o meu pai. — Quero uma explicação.

Para minha satisfação, meu pai fechou o livro que estava lendo. Aparentemente, grosserias conseguiam fazer os homens prestarem atenção. O relógio batia devagar. Meu pai indicou-me a poltrona com um aceno de cabeça. Deixei meu corpo afundar nela, agarrando com força os apoios de braços. Montgomery estava perto da estante de livros. Perto o bastante para escutar a conversa, longe o bastante para não se envolver.

— Você acha que sou um monstro — começou meu pai. — Ou um louco. Mas eu lhe asseguro que a pesquisa que eu e Montgomery fazemos aqui é exatamente o contrário disso. Somos pioneiros na ciência de manipular formas de vida.

— Carnificina, em outras palavras — retruquei. Meu olhar se voltou para Montgomery, desafiando-o.

Meu pai não se abalou. — Não posso controlar os termos que alguns ignorantes decidem usar para descrever o que faço.

— E a criatura na sua mesa de cirurgia? — esbravejei. — Como ela descreveria suas ações?

— Ela não pensa dessa maneira, Juliet. Era apenas uma pantera, acostumada a caçar. Em vez de desejar carne e sangue, ela agora colherá frutas e viverá em uma sociedade com outros membros da sua espécie. Eu lhe dei inteligência. Razão.

— Impossível. Nenhuma cirurgia é capaz de fazer isso.

— Minha técnica não está limitada à forma física. O cérebro também pode se beneficiar do processo cirúrgico. É uma questão simples de mapear a mente, saber o que pode ser aprimorado, estimulado ou removido. Requer instrumentos especiais e uma paciência quase infinita, é claro — disse meu pai, tomando um gole de chá.

Imaginei rapidamente em que lugar do cérebro a crueldade estaria armazenada. Ou se seria possível removê-la com um bisturi. Olhei para trás, onde Montgomery fingia ler um livro. Será que já havia tentado impedir meu pai de fazer aquilo? Seria um prisioneiro ou participava por livre e espontânea vontade?

Como se pudesse ler meus pensamentos, ele fechou o livro com força e o enfiou em uma das prateleiras. Sua manga se rasgou ao enroscar-se em um prego exposto. Ele fechou o pulso e socou o prego, como se sua raiva pudesse mandá-lo de volta ao seu lugar.

— Não acredito em você — falei.

Meu pai abriu um sorriso discreto. — A prova está bem aqui. Balthazar, pode vir até aqui por um momento?

Balthazar entrou na sala, arrastando os pés. Suas mãos cobriam a chaleira. Meu pai apontou para uma cadeira. Balthazar sentou-se, com os olhos piscando nervosamente. Do outro lado da sala, a atenção de Montgomery estava concentrada em nós. Um lampejo passou por seu rosto; uma lembrança talvez. Ele socou a estante com tanta força que os livros se agitaram. Edward levantou os olhos ao ouvir o golpe, mas Montgomery se virou e saiu pela porta.

"Covarde", pensei comigo mesma. "Deixou Balthazar aqui para enfrentar meu pai sozinho."

— Agora, considere Balthazar por um momento — a voz do meu pai voltou a atrair minha atenção. — Uma das minhas melhores criações, capaz até mesmo de andar pelas ruas de Londres, embora com um toque de estranheza devido à testa inclinada e à grande quantidade de pelos no corpo. Ele fala. Ele pensa. É capaz de sentir compaixão. Ora, ele até mesmo pegou um caramujo que estava no jardim e o levou para fora da muralha para que as galinhas não o comessem. Não foi isso, Balthazar?

Balthazar assentiu.

— Diga-me, Juliet. Você diria que este homem é uma abominação?

Balthazar sorriu. Achava que sua presença nos agradava. Não tinha noção de que meu pai estava falando sobre sua horrível origem. Lembrei-me de que Balthazar era o encarregado de cuidar do pequeno bicho-preguiça no Curitiba. E ele tinha chorado discretamente quando toquei Chopin no piano.

— Não — disse eu, gentilmente. Senti-me mais resoluta logo depois. — Mas também não posso dizer que ele é um homem.

— Ainda assim, ele é um homem — argumentou meu pai. — Um homem entalhado e forjado a partir da carne de um animal. Não fique tão horrorizada, Juliet. É apenas o resultado de uma cirurgia. Você está familiarizada com as práticas mais comuns, sem dúvida. Reparar ossos quebrados, fazer amputações e dar pontos em cortes na pele?

— Sim — respondi cuidadosamente.

— Ninguém questiona a mão de um médico que executa tais procedimentos. Ninguém diz que isso é carnificina. É ciência, e não é diferente do que se passa por trás das portas do meu próprio laboratório, pois o que faço são cirurgias. Enxertos de pele, reparos em ossos. Tudo em uma escala mais complexa, diga-se de passagem. Veja, há um processo fascinante que só consegui aperfeiçoar recentemente, pelo qual separo o esterno...

As explicações prosseguiram. Exemplos, detalhes, complicações do seu trabalho. Tudo aquilo fazia minha garganta secar e minha cabeça girar. Ele realmente havia conseguido.

Meu pai brincou de ser Deus e teve sucesso.

Eu tinha muitas perguntas, mas todas elas ficaram amontoadas na minha garganta. Quanto tempo demorava até que os enxertos se fixassem? Por que ele escolheu a forma humana? Qual era a aparência de um coração que fora cortado ao meio e costurado novamente?

Edward permanecia estranhamente em silêncio, chocado pelo horror de tudo aquilo, como eu deveria estar. E, por mais que eu soubesse que deveria sentir repugnância, minha curiosidade queimava com tanta força que fazia minha humanidade vacilar e desaparecer.

Meu pai continuou: — Balthazar, por exemplo. Ele é parte cão e parte urso — disse ele, traçando uma linha imaginária sobre o nariz de Balthazar. — Você pode perceber a influência canina no posicionamento do seu queixo, mas dê uma olhada nestas orelhas. São ursinas.

A silhueta de Montgomery preencheu o espaço da porta, e meu coração acelerou. Ele se ajoelhou ao lado da estante de livros com um martelo na mão. "Toc, toc". Cada martelada me causava um sobressalto.

"Toc". Edward se inclinou para a frente. De alguma forma, parecia conseguir ignorar as marteladas. — Mas... e as cicatrizes? — perguntou Edward. — E os ossos quebrados? Suas criações não mostram nenhum sinal de que passaram por cirurgias.

— Um acidente feliz causado pelo meu exílio. O isolamento desta ilha significa que praticamente não há doenças aqui. Um corpo pode se curar em questão de dias se não houver risco de infecção. É notável. Eu ouso dizer que muitas das minhas tentativas em Londres falharam unicamente por causa do ar ruim da cidade — disse ele, enchendo os pulmões de ar para comprovar seu argumento.

"Toc". O prego entrou mais fundo na madeira, como se Montgomery o estivesse martelando no meu próprio coração.

Seria tão difícil consertar um prego solto? Ele o acertou outra vez, e outra, determinado a endireitar aquela estante. Determinado a fazer algo direito, depois de ter feito tantas coisas erradas.

Pressionei a palma da mão contra o espaço dolorido entre as costelas.

— Mas e a dor? — sussurrei. O sorriso de Balthazar se desfez. Pelo canto dos olhos, eu vi que o martelo parou de se mover na mão de Montgomery.

Meu pai zombou da minha pergunta e tomou outro gole de chá. — A dor é apenas um sinal que o cérebro recebe. Como o impulso de espirrar. É desconfortável, mas pode ser tolerado.

Engoli em seco algo que era duro e amargo. — Você usa anestesia, não é?

— Não posso. Ela interfere na vivissecção. Faz com que o corpo rejeite o material novo. De qualquer maneira, animais estão acostumados à dor. É uma parte formativa de suas vidas. O nascimento de filhotes, a luta com outros animais por uma presa, a competição por uma parceira. Na verdade, a dor pode ser uma ferramenta muito eficiente. Quando eu termino de executar meu procedimento com eles, eles se tornam criaturas anormalmente dóceis, embora essa não seja a minha intenção. Perceba que a dor elimina neles o impulso de lutar.

Montgomery golpeou o prego com o martelo uma última vez, com força suficiente para fazer a madeira rachar. Um calafrio subiu pela minha espinha, pontuando o horror das coisas que meu pai dizia. Ele torturava aqueles animais com um desprezo enorme pelo seu bem-estar, como se fossem bonecos de palha. Estreitei os olhos, perguntando a mim mesma: será que meu pai sentiria a mesma indiferença se houvesse um ser humano em sua mesa de cirurgia em vez de um animal?

Eu não tinha certeza.

Montgomery enfiou o martelo no bolso traseiro da calça. Percebi que Alice estava sob o vão da porta. Ela provavelmente estava ali havia tempo suficiente para ouvir uma boa parte da conversa, porque seu rosto estava muito pálido. Montgomery a pegou pela mão e a levou para longe do salão.

— Qual é a sua intenção com tudo isso, doutor? — perguntou Edward, com a voz surpreendentemente firme.

Meu pai entrelaçou as mãos. — Estou buscando a forma de vida ideal. Assim como todos nós, não é verdade? A mesma razão pela qual escolhemos companheiras e procriamos. Queremos criar algo melhor que nós mesmos. Queremos a perfeição. Para mim, a perfeição é um ser com a capacidade de raciocínio de um ser humano, mas com a inocência natural das crianças, ou dos animais. Estou muito perto de conseguir o que quero. Você não faz ideia do quanto estou perto. Certa vez, eu pensei que... — disse, com os olhos negros brilhando, enquanto observava Edward. — Bem, no final, o experimento fracassou, como todos os outros. Eu nem sempre tentei criar humanos. Comecei com coisas menores. Ratos. Pássaros. Apenas remodelando suas formas, alterações menores. Mas não fiquei satisfeito. Continuei criando, continuei entalhando a carne. Ainda não cheguei à perfeição — explicou ele, suspirando profundamente, e indicou Balthazar com um gesto. — Montgomery cuida deles... dos meus fracassos. Ele os ensina a língua inglesa e algumas habilidades básicas e treina os mais inteligentes para trabalhar conosco aqui no forte. Também administra os tratamentos.

— Tratamentos? — perguntei.

Meu pai estendeu a xícara para que Balthazar lhe servisse mais chá. Uma gota caiu em sua calça de linho, e ele mandou Balthazar embora com um gesto, aborrecido. — Sim, tratamentos — disse ele, distraidamente, esfregando a gota com um guardanapo. — Eles recebem um soro para impedir que os tecidos rejeitem suas novas formas. Sem o soro, eles voltam ao seu estado original. É outra salvaguarda, compreende? Se alguma coisa der errado, nós interrompemos seus tratamentos, e eles voltam a ser carneiros, vacas ou quaisquer outros animais inofensivos dos quais foram criados.

— Mas eles são amálgamas — falei. — Você junta partes de animais diferentes.

Ele deu de ombros. — Bem, suponho que eles regrediriam ao ponto de se tornar carneiros ou vacas de aparência estranha. Mesmo assim, seriam inofensivos — disse meu pai. Ele tomou mais um gole do chá e depois colocou a xícara subitamente nas mãos de Balthazar, irritado. — O chá esfriou.

Balthazar olhava fixamente para o chá que se agitava na xícara, sem ter certeza do que devia fazer. Pousei minhas mãos sobre as dele.

— Deixe que eu cuido do chá — anunciei, mordendo as palavras. Lancei a xícara contra a lareira, onde ela se arrebentou em milhares de estilhaços brancos que cobriram o chão como flocos de neve.

Edward se levantou, surpreso, porém meu pai nem se mexeu.

Balthazar tremia. Coloquei a mão na curvatura anormal do seu ombro. — Não dê ouvidos a ele, Balthazar — disse eu. — Se há um monstro aqui, não é você.

Olhei meu pai com uma expressão dura e saí para o pátio, pisando no chão com força.

Capítulo 26

Parei ao lado da bomba d'água para me recompor. No jardim, Cymbeline colocava ervilhas tranquilamente em uma cesta de vime, como se aquele fosse apenas mais um dia normal. Todos os resquícios da pequena criatura que rosnava na aldeia haviam desaparecido. Ele cantava uma música estranha, embora a canção parecesse familiar. A melodia aos poucos tomou forma, até eu sentir que conseguia acompanhá-lo, as palavras gradualmente retornando à minha boca. "Um conto de inverno". Uma canção de ninar que minha mãe cantava para mim. Aquela música agora soava nos lábios daquele pobre animal entalhado na forma de um garotinho por um louco.

Corri para o estábulo. Precisava de um lugar para me esconder do mundo. A luz do sol dançava pelas frestas do telhado de palha. Desabei sobre um fardo de feno fresco, sentindo a dor tomar conta de mim em algum ponto profundo. Enterrei as mãos nos cabelos. A vergonha. Os boatos. Os sussurros. Como se eu ainda tivesse oito anos de idade. A diferença é que agora eu sabia.

Meu pai era um monstro. E um gênio.

A voz da minha mãe sussurrava, dizendo-me que tudo o que ele fazia ia contra os desígnios de Deus, contra a natureza. E, mesmo assim, uma parte de mim, pequena, mas poderosa, como um caco de vidro alojado no meu coração, sentia-se quase orgulhosa dele. Eu sabia que isso era errado. Mas ele era parte de quem eu era. Como era possível não sentir aquilo?

Ouvi passos na selaria, do outro lado da parede. Fiquei de joelhos, espiando na baia ao lado.

Montgomery parou o que estava fazendo, apoiando-se em um forcado, e afastou uma mecha de cabelo loiro para trás da orelha. De dentro da sua baia, Duque o acariciou no ombro, com o focinho. Montgomery afastou o cavalo carinhosamente. Lutei para conter minha fúria. Dentre todas as pessoas, é claro que tinha que ser ele. O garoto que eu idolatrava, o mesmo que agora me traía com um bisturi e um conjunto de algemas.

— Você tem jeito para lidar com animais — disse eu, friamente. — Ou seria melhor dizer criaturas?

Toda a fúria dos últimos dias invadiu meu cérebro e me fez esbravejar com Montgomery, quando o verdadeiro culpado por tudo aquilo era o meu pai.

Ele esfregou as mãos na calça sem fazer menção de reconhecer a minha alfinetada e empunhou o forcado para levantar outra carga de feno.

— Você gosta disso tudo, não é mesmo? — perguntei, erguendo-me. O feno que estava no meu vestido se espalhou por toda a parte. — Ter todas essas aberrações aos seus pés, prontas para obedecer a suas ordens.

Eu sabia que estava sendo cruel. Ele não merecia aquilo, e, mesmo assim, eu queria que ele sentisse as mesmas agulhadas de raiva que eu sentia.

Ele enfiou a ponta do forcado em uma pilha de feno.

— Até onde percebo, sou eu que estou fazendo o trabalho pesado aqui no estábulo.

Senti a raiva transbordar. — Você tem razão. Está trabalhando pesado nos estábulos. O trabalho certo para um criado. É isso que você é, não é verdade? Ainda está fazendo tudo o que ele manda — continuei, inclinando-me contra o portão de madeira da baia, entrelaçando meus dedos nas barras de aço. — Mesmo que seja o trabalho do próprio diabo.

— Isso não é justo — disse ele, jogando o feno na baia do cavalo e voltando para pegar outro monte.

— Você podia ter ficado comigo e com a minha mãe.

— Você não está entendendo — acrescentou ele. O forcado raspou no chão de pedra com tanta força que chegou a guinchar. — Eu era só um garoto. Já estava envolvido com o trabalho dele. Já era culpado dos mesmos crimes antes mesmo de saber o que estávamos fazendo — disse Montgomery. Ele jogou o feno na baia do cavalo e atirou o forcado contra a parede. — Não tive escolha.

Por um momento, ele descansou a mão no forcado, com a respiração acelerada. Mechas dos seus cabelos escapavam da fita que os amarrava em um rabo de cavalo e caíam por cima dos seus olhos, dando-lhe uma aparência selvagem, indomada. Havia mudado muito do garotinho tranquilo que eu conhecera. Teve que fazer isso, pois crescera tendo monstros como companheiros para as suas brincadeiras.

Ele se virou para ir embora.

— Espere!

Ele parou, com a mão na meia-porta do estábulo. Coloquei minha mão ao lado da dele, mantendo a porta fechada. Lembrei-me da sensação de ter o corpo dele perto do meu. O calor da sua pele. Montgomery não era meu inimigo. Não era culpado.

Meu pai era cruel. Eu não queria ser como ele.

— Desculpe-me. Esses crimes não são seus — disse-lhe. A boca de Montgomery mexeu-se, amarga. Ele começou a empurrar a meia-porta do estábulo, mas eu a forcei para que continuasse fechada. — Não são seus. Você era uma criança.

Ele o manipulou, como fez com todos nós — afirmei, aproximando-me. — Agora nós temos uma escolha. Podemos impedi-lo de prosseguir.

Os músculos do queixo de Montgomery se repuxaram. Sua voz era um sussurro áspero.

— Mesmo se pudéssemos, e daí?

— Iremos embora. Eu, você e Edward. — Minha voz falhou quando pensei na cena da bacia de lavanda. — E Alice — completei.

Mas ele balançou a cabeça. — Não posso abandoná-los. Sem o tratamento, eles vão regredir.

— Talvez isso seja a coisa certa a fazer. Eles são animais. O que meu pai fez não é natural.

— O que eu fiz, você quer dizer. Sou tão culpado quanto ele — declarou Montgomery. Suas palavras ecoaram pelo celeiro e fizeram meu coração bater com força. — Eles não são mais animais. Você não viu o que eles podem se tornar. Você ainda não encontrou Ajax.

— Ajax?

— Era um deles. O doutor fez algo em seu cérebro, algo que ainda não fomos capazes de replicar. Ele ficou inteligente. E cortês. Era como um irmão para mim. Ele é diferente. Ele era diferente.

— O que aconteceu?

— Ajax interrompeu seu tratamento. Os outros desejam a humanidade, mas Ajax sabia o que era. Ele queria regredir.

— E ele regrediu?

— Ainda não. Ele vive sozinho. Recusa-se a ser membro da aldeia. Não quer morar lá. Está esperando até que todos os traços da sua humanidade desapareçam — disse ele, fazendo uma pausa. — O doutor não sabe. Ele mandou que eu matasse Ajax, mas não tive coragem.

Olhei de modo fixo para Montgomery, percebendo que ele provavelmente nunca tivera um amigo de verdade após chegar à ilha. Meu pai não era um companheiro. Quanto a Balthazar e os outros... a companhia deles era comparável à de cães. Foi então que me lembrei da cabana no meio da floresta, dos pelos amarelados no colchão e da flor solitária dentro do vaso, sobre a cornija empoeirada.

— Jaguar — murmurei. — Ele se chama Jaguar agora.

Os ombros de Montgomery se retesaram. — Como você sabe?

— Eu o encontrei na floresta.

— Você o quê? — perguntou ele, com medo nos olhos.

— Ele disse que você o enviou para que me encontrasse. Não foi isso? — indaguei, com uma pontada de preocupação que me fazia doer a cabeça.

— Não falo com ele desde que voltei de Londres.

— Mas ele sabia a respeito de Edward. E sabia sobre mim também.

Montgomery apoiou seu peso contra a porta. Levou a mão à testa, imerso em pensamentos. — Ele deve estar vigiando o complexo. É a única possibilidade — falou, agarrando-me pelos ombros. — Ele não a machucou? Jura que isso não aconteceu? Ele não é um animal domesticado e dócil, Juliet. Ele é perigoso.

Balancei a cabeça, sentindo o coração bater com mais força. Lembrei-me de sentir a língua áspera de Jaguar contra a minha pele. Um suor frio, causado pelo medo, começou a escorrer pelo meu rosto. Será que eu estivera na companhia do assassino? Eu não confiava nele, e foi por essa razão que o despistei. Ao fazer isso, talvez tenha salvado minha própria vida.

— Ele não me machucou — gaguejei. — Mas ele matou um coelho.

A mão de Montgomery envolveu a minha num gesto protetor. Ele a apertou com tanta força que senti a dor se espalhar. — Ele matou um coelho? Você tem certeza?

— Eu o vi discutindo com outro homem sobre isso — relatei, engolindo em seco, desejando encontrar alguma explicação lógica. — Eles não podem ser perfeitos o tempo todo, não é? Eles devem quebrar os mandamentos às vezes.

— Não esse. Não o mandamento sobre não matar. Não pensávamos que eles saberiam matar — disse Montgomery.

Parecia que uma ideia havia se formado em sua mente. Seu rosto empalideceu. Lembrei-me do corpo malcheiroso na carroça, ao meu lado. Todos os outros "acidentes". Ele puxou uma pistola da prateleira de armas no fundo do estábulo. Verificando a câmara de munição, avançou em direção à porta, mas eu a mantive fechada.

— O que está acontecendo?

— Você tinha razão. Aquela mulher na carroça... não foi um acidente. Houve outros corpos. Vários outros. Todos com uma marca de três garras no peito. Pensamos que fosse um animal raivoso. Certa vez, um lince fugiu do complexo... não pensamos que uma das criaturas pudesse ser o responsável — explicou Montgomery. Ele me agarrou pelos ombros. A coronha da pistola estava entre sua mão e as minhas roupas, uma lembrança dura do que havia lá fora. — Aconteça o que acontecer, não volte a andar pela selva.

Capítulo 27

Na manhã seguinte, no salão, eu espiava pela veneziana para observar o pátio do lado de fora. Meu pai e Montgomery discutiam furiosamente, pisando com força no chão de terra, e com o suor molhando suas camisas. Estavam discutindo daquela maneira havia horas. Devia ser algo muito sério para Montgomery agir de maneira tão defensiva. A coronha da pistola brilhava em seu cinturão. Só consegui identificar duas palavras. "Coelho". "Ajax".

Não precisei ouvir mais nada.

Edward estava sentado em uma cadeira, lendo, com a atenção voltada para as páginas emboloradas, sem atentar para a discussão no pátio. Deixei meu corpo cair no sofá verde à sua frente.

— Há um monstro assassino na ilha. Como consegue ficar sentado aí, lendo?

Ele virou uma página. Em seguida, mais outra. — Não consigo. É impossível me concentrar.

— Você podia ter me enganado — disse eu, levantando uma sobrancelha, mas ele não percebeu o meu sarcasmo.

Inclinei-me para identificar o título do livro. *A Tempestade.*[1]

— Já li esse livro. Quer que eu lhe conte o final e lhe poupe o trabalho de lê-lo?

Ele fechou o livro ao redor do dedo para marcar a página onde havia parado. — Não estou lendo o livro por prazer — declarou, inclinando a cabeça na direção do pátio. — Estou tentando encontrar algo que nos ajude a escapar. O livro fala sobre náufragos em uma ilha. Após algum tempo, eles conseguem sair de lá.

Revirei os olhos. — Usando magia.

Ele baixou a cabeça, voltando ao livro. — Teremos que ser um pouco mais criativos.

Uma porta bateu do lado de fora, e eu espiei pela janela. Meu pai e Montgomery haviam desaparecido. No pátio restavam apenas as galinhas, ciscando. A costumeira pontada de preocupação retornou.

— O doutor veio aqui mais cedo, e alguma coisa o deixou enfurecido — disse Edward, com a voz baixa.

— Acho que é por causa daquele coelho morto que eu encontrei. Eles acham que foi um dos ilhéus que o matou. Aquele que se chama Jaguar. Assim, isso faz dele o assassino.

— E você não acha que foi ele quem matou o coelho?

A expressão no meu rosto ficou séria. — Eu tenho certeza de que foi ele. Eu o vi agitando a cabeça ensanguentada nas mãos. É que... ah, deixe para lá — concluí. Uma dor irritante latejava na base da minha cabeça. Esfreguei os músculos tensos daquela região. Minhas mãos ainda sentiam o peso do machado que eu usara para golpear o pescoço do coelho naquela sala de cirurgia. Não podia realmente condenar Jaguar por separar a cabeça de um coelho do restante do corpo depois de fazer o mesmo.

— Descobriu alguma coisa útil, pelo menos? — indaguei, indicando o livro com um movimento de cabeça.

---

[1] Peça teatral de William Shakespeare. (N.T.)

Edward colocou o livro sobre uma pilha de volumes de couro recurvados pela umidade. — Não, a menos que você tenha uma varinha mágica. Precisamos de um barco. Isso nem é tão difícil, há um escaler na doca. Podemos roubar comida em quantidade suficiente na cozinha e no jardim. Há alguns cantis também. Não são ideais, mas são o suficiente para sobreviver, eu acho. O único problema é...

As palavras de Edward morreram quando Alice entrou na sala. Seus olhos se arregalaram. Ela sabia que estava interrompendo alguma coisa e rapidamente se ocupou, retirando uma toalha suja de um gancho atrás da porta, recolhendo os guardanapos que usamos no café da manhã, e o trapo que Puck usara para limpar o chá derramado na noite anterior. Os cabelos longos e alourados de Alice flutuavam atrás de sua cabeça, como se ela fosse um ser etéreo. Ela saiu da sala tão silenciosamente quanto entrou, deixando para trás apenas um leve aroma de alfazema.

— O único problema é a navegação — sussurrou Edward depois que Alice saiu.

— Montgomery conhece o caminho — disse eu. — Ele disse que há uma rota de comércio que não fica muito longe.

Uma sombra cruzou o rosto de Edward, e eu soube, naquele olhar, que ele não tinha a intenção de levar Montgomery conosco. — Você o perdoou rápido demais depois do que viu no laboratório.

— Ele não teve escolha — respondi, defensivamente. — Ele era apenas um menino quando veio para cá. Você teria feito o mesmo se estivesse no lugar dele.

— Não. Não faria. Eu nunca machucaria alguém por vontade própria — disse ele, sem nenhum indício de dúvida na voz. E inclinou a cabeça, com o rosto tomado repentinamente por uma expressão de carinho. Senti meus braços se arrepiarem ao me lembrar da noite atrás da cachoeira. — Nós vamos sair desta ilha. Você e eu. Iremos para onde você quiser. Você vai esquecê-lo... — Edward engoliu em seco, incapaz de prosseguir.

Eu me endireitei no sofá. O corpete, com sua armação feita de barbatanas de baleia, apertava minhas costelas e sufocava a minha respiração. O que eu poderia dizer? A noite atrás da cachoeira com Edward fora incrivelmente intensa, mas, desde que voltamos, havia certo distanciamento entre nós. Não conseguia identificar realmente o que era. Era como se a nossa ligação fosse mais forte quando estávamos fora do forte, no meio da selva. Ela se esmaecia entre os livros, a porcelana chinesa e as cortinas rendadas.

Peguei uma almofada e coloquei-a no colo. Não podia lhe dizer o que ele queria ouvir. Montgomery significava muito para mim, apesar de tudo. — Vamos levar Montgomery e todos aqueles que tiverem um coração humano batendo dentro do peito — disse eu, encerrando a discussão ali.

Ele não levou a discussão adiante. — E o seu pai?

— Ele pode ficar aqui e apodrecer com o resto dos animais.

Edward e eu sussurrávamos sobre a fuga sempre que conseguíamos ficar a sós por alguns minutos. Conforme os dias passavam, esses momentos ficavam cada vez mais raros. Mais nativos iam desaparecendo. A presença de Edward com as equipes de caça era necessária, enquanto eu era deixada sozinha para pensar nos assassinatos.

Para pensar a respeito de Jaguar.

Certa tarde, depois que os homens retornaram e após uma refeição melancólica, eu encontrei o brinco de cristal da minha mãe entre os objetos que estavam guardados no salão e o ergui contra a luz da janela. O brinco lançou uma infinidade de arco-íris pelas paredes. Aquilo era a minha mãe: cores e luzes. Ela era tão delicada quanto aquela pedra. Sentiria repulsa pelas criações do meu pai.

Balthazar passou sob o beiral, do lado de fora do salão, atraindo a minha atenção. Puck o seguia, e, em seguida, o resto dos criados, um por um, com suas camisas e calças de lona azul. Apertei o rosto contra a janela. Eles se reuniam sob uma varanda com teto de palha do lado de fora do alojamento. Guardei o brinco e abri as portas do salão.

Os ilhéus formavam uma fila irregular, conversando e arrastando seus pés retorcidos. Olhavam para mim com curiosidade enquanto eu avançava até a frente da fila, passando por dois homens com cara de javali, cujos pelos duros me levavam a disfarçar um gemido.

Montgomery estava do outro lado de uma bancada que continha sua maleta médica e meia dúzia de garrafas de vidro com um líquido turvo. Ele penteara o cabelo e vestira uma camisa limpa. Podia mesmo passar a imagem de um cavalheiro, não fosse por um botão da sua camisa, na altura do peito, que estava aberto, e pela maneira casual com que se portava, como se houvesse passado a maior parte da sua vida subindo em árvores e correndo com cavalos selvagens e não caminhando.

— Venha aqui — disse ele a um dos homens-javali. A criatura se aproximou da mesa, arrastando os pés, estendendo seu braço gordo como se fosse um pedaço de carne. Montgomery encheu uma seringa com o líquido opaco e apalpou a veia do homem antes de enfiar-lhe a agulha. O homem provavelmente tinha o dobro do meu tamanho, mas gemeu como uma garotinha.

— Está feito — disse Montgomery, retirando a agulha. — Próximo.

Fui até o outro lado da mesa, observando por cima do ombro de Montgomery. Outro dos nativos avançou até o início da fila. A mulher-píton da aldeia. Ela sorriu para mim, mostrando rapidamente as pontas dos seus dentes afiados. Montgomery lhe aplicou a injeção e fez uma marca ao lado do seu nome em uma lista. Ela acenou antes de ir embora. Quatro dedos.

Peguei um dos frascos, estudando o líquido turvo. — O que você está dando a eles? — perguntei.

— Um preparado para restabelecer o equilíbrio dos tecidos.

Ele acenou para que um homem desengonçado avançasse. — Venha — ordenou ele. O homem andou lentamente até a mesa e estendeu o braço, cobrindo os olhos enquanto Montgomery procurava uma veia.

O próximo da fila, um homem cujo nariz se assemelhava ao de um bode, com dobras estranhas, se aproximou com a manga já cuidadosamente levantada.

Observei Montgomery enquanto ele administrava o tratamento. Todos os ilhéus que o recebiam se afastavam com um ar orgulhoso, esfregando seus braços no local da agulhada, como na primeira consulta de uma criança com um médico. Minha mão pousou sobre a pele na parte interna do meu próprio cotovelo. Deslizei meu dedo em um movimento circular ao redor da marca avermelhada, resultado da injeção daquela manhã, estudando o frasco na minha outra mão. A coloração tênue, o aspecto turvo do composto... Havia uma semelhança incrível com o tratamento que meu pai desenvolvera para mim. Dei uma olhada na mulher-carneiro ao meu lado, em seus olhos bastante humanos, e na maneira casual como ela coçava uma picada de inseto no pescoço. Imaginei se a composição química do tratamento que eles recebiam seria igual à do medicamento que eu aplicava em mim mesma.

Montgomery me observava com o canto do olho, enquanto aplicava a próxima injeção.

— O que há nesse preparado? — perguntei.

— De maneira geral, é sangue de coelho com adição de hormônios.

— Com que frequência eles precisam receber as doses?

— Uma vez por semana para as pessoas da vila. Duas

vezes por semana para Balthazar e os mais avançados. Ajax precisava do soro diariamente — disse ele, terminando a aplicação em Cymbeline, que manteve os olhos fechados com força durante toda a aplicação.

— Pronto, acabou. Você é corajoso — afirmou Montgomery.

Cymbeline abriu um sorriso e saiu correndo como um gato selvagem. Montgomery limpou a agulha e guardou os outros suprimentos médicos em sua maleta. Em seguida, aproximou-se para pegar o frasco que eu segurava na mão, mas não o entreguei.

Ele balançou a cabeça negativamente. — Eu sei o que você está pensando. Isso é bobagem.

— No que eu estou pensando? — questionei-o, segurando o frasco com força. A coloração do líquido era de um amarelo-pálido, como o extrato pancreático que eu tomava, embora mais espesso. Ele o arrancou da minha mão.

— Você está imaginando se o seu tratamento é similar.

— E é?

Minha pergunta abrupta o pegou de surpresa. O trinco da maleta se fechou com um estalido. — Não. É completamente diferente.

— Ninguém nunca ouviu falar do meu tratamento. Os farmacêuticos me olham como se eu fosse louca.

— Seu pai o desenvolveu especificamente para você. Ele tentou produzi-lo para o grande público, mas o conselho médico o impediu — disse ele, pegando a maleta e inclinando-se na minha direção. Uma mecha do seu cabelo se soltou do rabo de cavalo e lhe caiu sobre os olhos. Não havia nada em Montgomery que pudesse ser domado por muito tempo. — Você está pensando demais — falou suavemente, com uma voz que acariciava as minhas preocupações. — Está procurando problemas onde não existe nenhum. Eu a conheço desde quando você sequer era capaz de caminhar. Eu saberia se houvesse algo que não fosse... natural — disse ele, desviando o olhar para algo que estava atrás de mim, no pátio do forte. Os músculos do seu queixo se contraíram.

Meu pai saía do prédio principal e vinha em nossa direção. Eu conhecia aquela raiva em seu rosto. Porém, ele estava buscando Montgomery, não a mim. Ainda furioso por Montgomery ter mentido a respeito de Ajax.

Minha mão se fechou com força. Sussurrei algo para Montgomery antes que meu pai pudesse ouvir: — Venha ao meu quarto esta noite. Preciso lhe mostrar uma coisa. — Em seguida, no momento em que meu pai chegou, dei a volta ao redor da mesa pisando forte e com a raiva fria de uma cobra que se prepara para dar o bote.

Já era noite quando Montgomery finalmente veio até o meu quarto. O ar estava denso, com a promessa de uma chuva que ainda não havia caído. Montgomery passara o dia inteiro do lado de fora das muralhas do complexo, cavando sepulturas para os mortos. Seu rosto estava coberto por uma sombra, embora ainda fosse bonito, mesmo depois de todo aquele trabalho sinistro.

Ele parou sob o vão da porta. Seus olhos azuis brilhavam na luz suave, castigando meu coração. Mas havia também um sinal de alerta neles.

— Por que eu estou aqui, Juliet? — perguntou ele. Nós dois sabíamos que haveria problemas se ele fosse encontrado sozinho em meu quarto, especialmente enquanto meu pai estivesse furioso.

— Entre e fique aqui por alguns minutos — disse eu. Minhas mãos nervosas se moveram até o corpete justo do vestido.

Os lábios de Montgomery estavam queimados, castigados pelo sol. Ele olhou ao redor para se certificar de que ninguém no pátio nos observava. Contudo, sempre havia olhos escondidos em algum lugar.

Ele balançou a cabeça, relutante em contrariar o meu pai. Agarrei-o pela camisa, sentindo os botões e o tecido de linho, e o puxei para dentro gentilmente. Seus olhos ainda tinham a expressão de alerta, mas havia algo mais agora. Desejo. Quando percebi aquilo, senti minha respiração parar. Fechei a porta atrás dele.

O lampião a óleo iluminava as paredes caiadas com uma luz aconchegante. Naquela quase escuridão, a presença de Montgomery era ainda mais ardente.

— Você estava cavando sepulturas — disse eu.

Um resto de areia ainda estava preso à sua orelha direita, que ele se esquecera de lavar durante o banho. — Até agora, são oito mortos. Pelo menos, os que já conseguimos identificar.

— Foi Jaguar quem os matou?

— Não sei. Talvez. Há um ano, eu diria que você estaria louca. Mas as coisas são diferentes agora — afirmou, aproximando-se. Seu cabelo ainda estava úmido após o banho. O cheiro do sabão se misturava ao aroma da chuva que estava prestes a cair. — Não se preocupe. Você está segura aqui.

Ele achava que eu queria garantias de que aquilo que estava matando os ilhéus não conseguiria me alcançar. Mas ninguém seria capaz de garantir isso.

— Não foi por isso que pedi que você viesse até aqui. Preciso que você veja uma coisa.

Ele afastou os cabelos para trás de uma das orelhas e por pouco não tocou no torrão de areia. Senti vontade de limpá-lo com meu polegar. Entretanto, sabendo o que eu iria pedir a ele, a minha mão tremeria. Em vez disso, enrosquei as mãos nas dobras da minha saia.

— O que é? — perguntou ele.

Peguei sua mão e o levei para um canto do quarto onde ninguém nos veria se olhasse pela janela. Seus pés cansados se arrastavam no chão, mas ele estava com os olhos bem alertas.

— Quero saber por que a minha medicação é tão similar à deles.

Ele soltou a respiração, que estava presa havia algum tempo. — Foi isso que a deixou tão preocupada? Eu já lhe disse, não é a mesma coisa.

— É parecida o bastante para que eu precise de mais provas.

Ele tocou meu ombro com carinho, como fizera com Alice. — É impossível. Você se parece demais com a sua mãe para ter sido criada em um laboratório.

Tentei entender as entrelinhas do que ele me dizia pela expressão em seu rosto. Sua preocupação era profunda, genuína e honesta. Ele não acreditava que eu fosse como aquelas criaturas. No entanto, ele podia estar errado.

— É mais do que isso — retomei. — Às vezes eu me sinto estranha. Como se alguma coisa dentro de mim não estivesse certa. Como se eu houvesse herdado uma parte da loucura do meu pai. E agora comecei a imaginar se há algo mais...

O polegar dele esfregava meu ombro em movimentos circulares. — Todo mundo se sente assim em um momento ou outro. Um pouco louco. Além disso, sua mãe saberia se você veio do próprio ventre dela ou não. Ela não mentiria para você.

Trovões ecoaram do lado de fora. O céu estava prestes a se abrir. Torci uma mecha do meu cabelo. Ainda não me acostumara a deixá-lo solto. Os dedos de Montgomery aumentaram a pressão, puxando-me de maneira quase imperceptível para mais perto dele. Ele tinha razão a respeito da minha mãe. Ela podia acreditar na negação da realidade, mas sua moral rígida não a deixaria mentir.

— Além disso, você está se esquecendo de que isso aconteceu há dezesseis anos — prosseguiu Montgomery. — Ele só conseguiu construir criaturas próximas da forma humana recentemente. E você os viu. Todos eles parecem um pouco anormais — disse ele, com os olhos brilhando. — Você é... perfeita.

Esforcei-me para não confundir a razão pela qual nós estávamos a sós no meu quarto. — Mas há algumas anomalias — retruquei. Minhas mãos subiram até a fileira de botões na parte de trás do meu vestido, que escondia a cicatriz enrugada. — Assim como Jaguar. Você disse que meu pai fez algo com o cérebro dele que ainda não foi capaz de replicar. Será que a mesma coisa não aconteceu comigo? Um experimento malsucedido?

Montgomery tocou meu rosto com a mão calejada. Do lado de fora, um relâmpago crispou o céu. O cheiro da chuva que se aproximava ficou mais forte. — Isso é bobagem, Juliet. No mínimo, você teria cicatrizes. Mas você é linda.

O polegar de Montgomery roçou na minha pele ardente. Meus seios se moviam com a respiração, subindo e descendo rapidamente por baixo do corpete apertado.

— Mas é exatamente isso. — Engoli em seco, tentando manter a cabeça no lugar. — Eu tenho cicatrizes.

O vento soprou as primeiras gotas de chuva para dentro do quarto, e eu o puxei para mais perto da parede, afastando-nos da janela. — Você conhece o trabalho dele melhor do que ninguém — disse eu, sem fôlego. Meus dedos foram até o tecido que cobria a base da minha coluna. — Eu tenho uma cicatriz nas costas causada por uma cirurgia. Ele disse que eu nasci com uma deformidade na coluna. Não consigo não pensar que...

Ele balançou a cabeça, quase caindo na risada ao perceber o que me preocupava. — Isso é ridículo.

— Bem, apenas olhe! — bradei, alto demais. Nós dois olhamos para a porta. Baixei a voz até que se transformasse em um sussurro. — Por favor. Diga-me se é parecida com o procedimento que meu pai usa nos animais.

Comecei a desatar as fitas na parte de trás do vestido, mas ele agarrou minha mão com uma força incrível.

— Não faça isso — disse ele. — Eu nem mesmo deveria estar aqui.

— Não estamos mais em Londres. Quem vai espalhar as fofocas? — sibilei. — Os pássaros?

— Se o seu pai descobrir...

Eu afastei a mão dele e desfiz o laço da fita. Despi a saia e comecei a desabotoar a blusa. — Vou baixar somente a gola da blusa para você ver as minhas costas.

Ele começou a protestar, mas ouvimos vozes do outro lado da parede e eu o puxei para mais perto, colocando um dedo sobre os lábios. Esperamos até que as vozes se afastassem. Terminei de abrir o último botão e tirei a blusa, colocando-a sobre a cadeira. Meus dedos tremiam. Eu disse a mim mesma que aquilo era um exame médico, não um encontro romântico às escondidas. Mas eu nunca havia me despido na frente de um homem antes. E Montgomery não era um médico qualquer em um consultório frio.

— É um corpete à moda antiga. Você terá que me ajudar com os laços — eu disse, virando-me de costas. Segurei o encosto da cadeira com força para manter o equilíbrio.

— Juliet...

— Por favor. Eu preciso saber.

Ele puxou os cordões com as mãos rudes de um homem. Finalmente, eles se soltaram. Puxei a gola larga da blusa por cima de um ombro. Deixei os braços cruzados, segurando o corpete contra o peito.

— Apenas olhe — sussurrei, sentindo-me exposta. A mão de Montgomery afastou o cabelo que caía nas minhas costas, o que provocou arrepios dos dois lados da cicatriz. Apertei os braços com mais força ao redor do corpete. Mordi o lábio. Várias preocupações me atormentavam, ameaçando me enlouquecer. "Minha mãe mentiu. Eu sou algum tipo de criatura, um gato, um lobo, ou...".

Ele afastou as mãos. Puxei a blusa de volta para cobrir meus ombros, sentindo o calor subir para o meu rosto. Em seguida, ele atou os cordões do meu corpete, embora os deixasse um pouco frouxos. Deslizei a mão pela armação de barbatanas, aguardando.

— E então? — perguntei.

— Você é louca — respondeu ele. Seu rosto se abriu com os indícios de um sorriso. — É exatamente como ele disse. Uma deformidade na coluna, reparada por uma cirurgia.

Minhas pálpebras se fecharam com o alívio. — Tem certeza?

— Sem sombra de dúvida — disse ele, umedecendo os lábios ressecados. — Eu a conheço, Juliet. Você não é um monstro.

Eu o estudei atentamente. A areia ainda estava grudada em sua orelha, e, num impulso, eu estendi a mão para limpá-la. O coração dele se acelerou quando o toquei. Eu queria acreditar nele. Mas, mesmo se Montgomery estivesse certo, eu sabia que não era preciso ser uma criação artificial para ser um monstro. A história da minha própria família provava isso.

Por alguns instantes ele ficou bem próximo. Seus dedos encontraram o meu pulso e deslizaram ao longo do meu braço. Ele limpou a garganta e parecia pronto para dizer alguma coisa, porém apenas balançou a cabeça negativamente.

— Boa noite, Juliet — disse ele. Montgomery saiu do quarto lentamente, como se tivesse que se desvencilhar de alguma coisa para não fazer algo inadequado. Uma parte de mim, que crescia a cada dia, desejou que ele tivesse ficado.

Capítulo 28

Meu pai e Montgomery saíram ao amanhecer do dia seguinte. As nuvens carregadas ameaçavam despejar uma tempestade tropical, mas meu pai estava convencido de que Ajax era o assassino e que devia ser caçado e trazido à justiça, apesar do tempo.

As nuvens se fecharam e uma chuva pesada se estendeu por toda a tarde, levando todos para as áreas cobertas do complexo. Edward ficou em seu quarto reclamando de dor de cabeça, algo que vinha desde o tempo que passara à deriva no bote. Eu passei o dia ajudando Alice a pendurar as roupas para secar sob os beirais do pórtico. Ela não conversava muito, e isso não me incomodava.

Ouvimos os cascos dos cavalos se aproximando no fim da tarde. Alice afastou o cabelo da frente do rosto com uma mão coberta de sabão. — Eles voltaram.

Puck abriu o portão. Os corpos dos cavalos exalavam nuvens de vapor. Os cavaleiros pareciam criaturas estranhas e macabras, cobertos de lama e usando longas casacas escuras. Eles apearam dos cavalos e atravessaram o pátio sob a chuva inclemente, indo até o laboratório. Montgomery me observou por debaixo do seu capuz impermeável, um lampejo de olhos azuis, cabelos molhados e perguntas não respondidas.

Alice e eu voltamos a nos ocupar silenciosamente da lavagem das roupas, embora estivéssemos em estado de alerta. Já havíamos terminado metade do trabalho quando a porta do laboratório se abriu de repente. Deixei o cesto de prendedores de roupa cair. Passos pesados ecoaram nas pedras que calçavam o chão enquanto eu me curvava para pegar os prendedores. Duas botas enlameadas pararam ao lado do último prendedor.

Meu pai.

Eu não tinha nada a lhe dizer. Ele era um homem velho com a pele enrugada, cabelos grisalhos e impulsos malignos que não conseguia controlar. Não era um pai.

— Você devia deixar o trabalho para os criados — disse ele, elevando a voz acima do ruído da chuva. Alice mantinha a cabeça baixa enquanto torcia um lençol. — Vá tocar piano se não tem nada para fazer. Ou algo adequado a uma jovem dama. Onde diabos está aquele maldito Prince? Ele não pode levá-la para passear? Mostrar-lhe a paisagem ou alguma outra tolice?

— Pare de tentar me empurrar para ele — falei entredentes, desejando que Alice não estivesse ali para escutar. — Edward é capaz de tomar suas próprias decisões, assim como eu.

Meu pai ergueu uma sobrancelha. — Você acha? Eu não tenho tanta certeza — disse ele. Um relâmpago iluminou o céu enquanto ele ia até os seus aposentos, no andar superior do salão. Deixei o cesto ao lado do balde de roupas limpas, engolindo as palavras. Ele era um tolo se ainda pensava que podia me dizer o que fazer.

Quando terminamos de lavar as roupas, eu fui até o salão, curiosa para saber se Edward estava se sentindo melhor. Mas o lugar estava vazio, exceto por Puck, ocupado em dispor os pratos e talheres sobre a mesa. O piano havia sido encerado recentemente, mas eu fui até a estante dos livros. Admirei a bela encadernação verde da coleção de Shakespeare. Cada um dos livros tinha emblemas dourados estampados na lombada. Um dos volumes não estava ali, embora eu não conseguisse me recordar qual. Não podia imaginar que alguma das criaturas se interessasse por Shakespeare.

Corri os dedos pela estante irregular e pensei em Montgomery, martelando-a vários anos antes, quando ainda era um garoto. Meu pai exigia perfeição, contudo ele ainda guardava aquela estante, mesmo estando torta. Por mais que ele desse ordens a Montgomery e o tratasse como um criado, eu suspeitava de que ele o amasse à sua própria maneira distorcida. Ele sempre quisera um filho. Deus sabia que ele nunca se importara com sua filha.

Tirei a rolha da garrafa de conhaque e servi-me de uma dose generosa em um dos copos de cristal. Sorvi o líquido doce e ardente em vários goles. Minha garganta queimava. Puck me observava atentamente, esquecido dos pratos e talheres.

— O que foi? Quer experimentar? — perguntei, apontando-lhe a garrafa. Ele fez uma careta, enquanto se apressava para terminar de arrumar a mesa.

Levei a garrafa até a janela, estudando a chuva que caía lá fora. O cheiro quente do jantar começou a encher a sala, atraindo Montgomery e meu pai. Os dois haviam se banhado, mas estavam bastante taciturnos.

Meu pai arrancou a garrafa das minhas mãos. — Isso não é adequado para uma dama — ralhou ele.

— Que bom. Então é perfeito para mim.

Meu pai arrolhou a garrafa e recolocou-a na estante.

— Percebo que você está determinada a se arruinar. Você acha que é adulta e que eu não tenho mais nenhum controle sobre você. E é exatamente nesse ponto que você está errada.

Senti a irritação crescer dentro de mim, com pontadas de raiva que me doíam na barriga. Ele não me visitava desde que eu tinha 10 anos. Não me deixou dinheiro nem uma casa, apenas um escândalo vergonhoso. Não tinha o direito de ditar o que era certo ou errado. Não tinha o direito de me dizer com quem eu devia me casar.

Montgomery viu a expressão em meus olhos e balançou a cabeça lentamente, advertindo-me. Mas eu não conseguia jogar o jogo do meu pai como ele fazia.

— Você acha que eu me importo com o que você pensa — disse eu ao meu pai. — E é exatamente nesse ponto que você está errado!

Dei-lhe as costas antes que ele pudesse responder. Minhas mãos tremiam, e eu não queria que ele percebesse. Montgomery estava ao lado da porta, e repentinamente senti um aperto no coração, precisando de um olhar carinhoso dele, de algum tipo de conforto. Mas Alice tocou seu braço e sussurrou algo em seu ouvido, atraindo toda a sua atenção. Concentrei meus pensamentos nos talheres, endireitando as facas que já estavam alinhadas, tentando não deixar que aquilo me afetasse.

Edward surgiu na porta, esfregando as têmporas. Aproximei-me dele, especialmente para mostrar a Montgomery que eu também tinha alguém a quem podia dedicar minha atenção. E, quando vi a sombra sob os olhos de Edward, Montgomery se afastou da minha lembrança.

— Como está sua cabeça? — perguntei, em voz baixa.

— Pareço tão mal assim? — indagou Edward.

Sorri. A cicatriz em seu rosto agora era apenas um resquício de dor que me lembrava a primeira vez que o vira, com queimaduras de sol, cheio de hematomas e no limite entre a vida e a morte. Não achei que ele fosse bonito naqueles dias, e, mesmo assim, a maneira como suportara a dor das contusões me intrigou. Não reclamava, não se vangloriava, mas comportava-se como se os ferimentos fossem uma parte inescapável do seu ser.

— Como a morte que espera ao lado da porta — disse eu.

— Acho que é assim mesmo — respondeu ele, e cruzou os braços. Um dos punhos da sua camisa tinha uma parte puída, o que avivou em mim uma lembrança. Eram as mesmas roupas que Montgomery estava vestindo quando eu invadi seu quarto na Hospedaria Blue Boar. Montgomery não tinha nenhum motivo para usar um terno digno de um cavalheiro naqueles dias. Ele usava roupas largas na ilha. Roupas com as quais podia caçar e cavalgar.

Toquei no fio puído, e, como se visse a linha que conduzia meus pensamentos, Edward o puxou. Talvez não quisesse que eu voltasse a me concentrar em Montgomery, mas era tarde demais. Montgomery estava se aproximando.

— Tiveram sorte na busca por Ajax? — perguntou Edward.

— Não. Balthazar ainda está na selva, com os cães. Já estou farto dessa chuva horrorosa.

Meu pai olhava pela janela. — A ilha fica sob um dilúvio perpétuo nesta época do ano. São os ventos alísios do Pacífico, como vocês sabem. É fácil para um homem se esconder em meio a um temporal como este se ele conhecer a selva.

"Para um animal, é ainda mais fácil", pensei.

Cymbeline entrou, esforçando-se para manter o equilíbrio enquanto segurava uma bandeja fumegante. Alice correu até ele para mostrar-lhe pacientemente como cortar e servir a comida.

Montgomery afagou os cabelos do garoto. — O cheiro é maravilhoso — disse ele para Alice. — Você é uma ótima professora, assim como é ótima cozinheira.

As bochechas da garota ficaram vermelhas com o elogio. Uma pontada de ciúme ardeu dentro de mim, e eu desabei na minha cadeira. Os outros vieram se juntar a mim à mesa. Será que Montgomery não se lembrava da noite anterior, durante a tempestade, deslizando seus dedos pela pele nua das minhas costas? Eu me lembrava. Mal conseguia pensar em outra coisa.

Edward sentou-se à minha frente, perdido em seus próprios pensamentos. Suas mãos ainda estavam arranhadas após a nossa fuga. Perguntei a mim mesma se suas costelas ainda doíam. Distraidamente, toquei as minhas, lembrando-me da sensação de ter as mãos daquele rapaz me abraçando atrás da cachoeira. Como se soubesse o que eu estava pensando, ele levantou os olhos e me presenteou com um breve sorriso. Seus olhos escuros eram intensos.

Apostei que ele se lembrava.

— Essas roupas lhe caem bem — disse eu.

— Montgomery foi muito gentil em me emprestá-las.

— Eu raramente tenho oportunidade de usá-las — emendou Montgomery, com um leve sorriso. Pelo menos ele e Edward haviam voltado a se comportar de maneira civilizada. — Além disso, Edward é o cavalheiro aqui, não eu.

— Você está se subestimando — disse meu pai. Do lado de fora, o estrondo de um trovão fez as janelas balançarem. Aquele estado de espírito cáustico acabava com qualquer pequena alegria que tínhamos. Recostei-me na cadeira, jogando meu guardanapo sobre a mesa. Desde que meu pai descobrira que Jaguar estava vivo e que Montgomery havia mentido, ele o tratava como um cão. No entanto a única coisa pela qual Montgomery poderia ser culpado era de poupar a vida de uma criatura.

— Quando, exatamente, você iria nos falar sobre os assassinatos? — perguntei ao meu pai, entredentes. — Ou você planejava continuar chamando-os de "acidentes" e mandando que Montgomery enterrasse as evidências?

Meu pai espetou um bolinho assado no vapor e não se fez de rogado com a minha acusação. — Essa é a minha ilha, Juliet. Não a sua. Se você tivesse ficado dentro do forte como eu lhe instruí, não haveria nenhum assassinato.

Eu quase engasguei com a comida. — Como isso pode ser culpa minha?

— Você soltou os coelhos — disse meu pai. Sua voz estava fria. — Os ilhéus nem mesmo sabiam o que era matar antes que Ajax matasse um coelho. Encontramos outros três coelhos com as cabeças arrancadas.

Eu me virei para Montgomery, que confirmou com um aceno de cabeça.

Inclinei-me sobre a mesa. A raiva me deixava tão tensa quanto a tempestade que caía. — Tenha cuidado com suas acusações, pai. Os assassinatos começaram antes que eu chegasse.

Ele repeliu meu comentário com uma careta. — Eu tinha tudo sob controle antes de você chegar. Agora você os exasperou. Tentou fazer com que se levantassem contra mim, mas isso não vai funcionar. Eu sou Deus para eles.

— O Deus de um bando de animais sanguinários.

O rosto de Alice ficou branco. As mãos de Montgomery encontraram as dela, apertando-as para lhe transmitir segurança. Percebi que eu estava falando dos amigos dela. Dos amigos de Montgomery.

— Eles não eram animais — disse meu pai. A irritação contida era um tremor por trás da sua voz calma. — Não até sentirem o gosto do sangue. Eles eram humanos! — protestou ele, batendo o copo de conhaque na mesa, fazendo com que o líquido pegajoso respingasse na toalha. — Mas não ficarão assim por muito tempo.

— O que você quer dizer com isso? — perguntou Edward. Havia um toque de incerteza em sua voz, como uma nota estridente do piano.

Meu pai o encarou, com os olhos faiscando. — Quero dizer que Ajax deveria estar a sete palmos sob a terra neste exato momento. É perigoso deixar que os inteligentes sobrevivam, não acha, Senhor Prince?

As mãos de Edward se fecharam sobre a mesa, franzindo a toalha. A tensão entre eles era palpável. Eu percebi que tinha deixado passar alguma coisa. Havia algo na conversa que tiveram naquela primeira noite. Alguma ameaça que meu pai provavelmente fizera. Qual foi a expressão que Edward usara? "Um acordo". Talvez o acordo não envolvesse a mim, afinal de contas.

— Muito perigoso, creio eu — disse Edward. Sua voz escondia alguma coisa.

— O doutor está dizendo que mandou que eu interrompesse os tratamentos — interveio Montgomery. Virei o rosto em sua direção. — Ele pretende deixar que regridam.

Um impulso profundo de medo correu sob a minha pele ao pensar que criaturas bestiais e irracionais vagariam pela ilha. — Você não pode fazer isso — disse-lhe. — Se você tirar a humanidade deles...

— Eles deixarão de ser perigosos — respondeu meu pai.

— Eles se tornarão selvagens. Não haverá nada para conter a violência.

— Não seja tão dramática — esbravejou ele. — Eu já lhe disse. A maioria deles não passa de porcos. Vacas. Ovelhas.

— Nem todos.

— Não lhe passou pela cabeça que eu já considerei essa possibilidade? Há algumas garantias. Todos eles têm componentes domesticados para mantê-los dóceis. Além disso, a pouca selvageria que eles poderiam ter foi eliminada pelo procedimento. A dor é uma ferramenta incrivelmente útil — disse ele. Seus dedos deslizavam pelo tampo da mesa, e eu imaginei que ele estivesse traçando distraidamente os contornos de um corpo, cortando-o e abrindo-o. — Essa regressão é necessária, Juliet. É um tipo de proteção. Quando regridem, eles perdem a destreza. Tudo que existe aqui: as armas, os armários e até as fechaduras, foi cuidadosamente criado para ser usado apenas por cinco-dedos.

— Cinco-dedos? — perguntou Edward. Ele flexionou a própria mão, observando a teia de cortes e arranhões que lhe cobria os dedos.

Meu pai ergueu a mão espalmada. — Humanos. E algumas das criaturas mais avançadas, como aqueles que trabalham na casa.

— Jaguar também tem cinco dedos — emendei.

— E é exatamente esse o motivo pelo qual nós o estamos caçando — disse ele, concentrando sua atenção em Montgomery. — Porque você deixou que ele continuasse vivo.

— Não sou culpado disso! — respondeu Montgomery. Eu podia ver a fúria tempestuosa que se agigantava dentro dele. — Ele não deveria nem mesmo ter sido criado. Nenhum deles deveria ter sido criado!

Não imaginei que ele seria capaz de contrariar meu pai tão diretamente. A força daquela explosão fez com que eu me sentisse ao mesmo tempo feliz por ele ter tomado uma atitude para se defender e aterrorizada ao pensar no que meu pai poderia fazer.

Meu pai se conteve em um silêncio perigoso. O relógio sobre a cornija, do outro lado da sala, marcava os segundos que passavam em lenta agonia. O rosto de Montgomery empalideceu, mas ele não voltou atrás no que dissera.

— Nunca deveria ter sido criado — repetiu meu pai, com uma tranquilidade assustadora. — E o que me diz da função que você desempenhou no processo? Você se considera inocente?

Montgomery observava a chuva que caía. Seu peito se movimentava rapidamente, subindo e descendo com a respiração acelerada. — Não. Mas ninguém é mais culpado que você.

— Ah! O que é que você sabe? Nem é um cavalheiro. Você mesmo disse isso. Talvez você devesse começar a agir como o criado que é e guardar suas opiniões inúteis para si mesmo. E mantenha suas mãos sujas longe da minha filha!

Eu quase cuspi a água que estava bebendo. Os músculos do queixo de Montgomery se retraíram.

Eu puxei a gola do vestido, buscando ar. Edward me observava do outro lado da mesa, com o rosto tão indolente que eu senti vontade de estapeá-lo. A culpa tomou conta de mim. Eu disse a ele que me importava com Montgomery, então aquilo não deveria lhe causar tanta surpresa. Entretanto, houve aquela noite atrás da cachoeira. Eu não podia fingir que aquela ocasião não significara nada.

— Não sei do que você está falando — disse Montgomery, tentando ignorar o comentário casualmente. Mas sua voz vacilou. Ele não levantou os olhos da mesa.

Meu pai abriu um sorriso torto. — Não demonstre sua falta de inteligência insultando a minha — retrucou ele, servindo-se de outro copo de conhaque. Sua irritação havia se transformado em uma hipocrisia fria. — Juliet, não me diga que não sabia. Montgomery a ama, desde o dia em que você o reencontrou. Pensando bem, há mais tempo. Faz vários anos que ele ama simplesmente a ideia de você existir — disse ele, tomando um gole da bebida. — É patético.

— Pare com isso — falei. Eu podia ouvir minha própria voz em meio à fúria que fervia em minhas veias.

Mas meu pai estava se divertindo enquanto o torturava.

— Todos nós sabemos que é verdade. Eu quero simplesmente informá-lo de que você é boa demais para ele. Prince é um tolo, mas eu prefiro que você fique com ele. Pelo menos ele vem de uma boa família.

Não conseguia olhar para nenhum deles. Queria apenas que aquela tortura chegasse ao fim.

— O que me diz, Prince? — perguntou meu pai, em um tom jovial. — Você não se importaria de se casar com minha filha, não é? Afinal, esta é uma ilha pequena. Não há muitas alternativas. A menos que você prefira parceiras de quatro patas.

Meu queixo quase caiu. Meu rosto ardia, contudo eu estava furiosa demais para qualquer constrangimento.

Edward bateu na mesa com o punho fechado. — Eu lhe digo que você é cruel, e também um louco, doutor — respondeu ele, empurrando a cadeira para trás com tanta força que os pés arranharam o piso de madeira. — Quanto mais cedo este mundo estiver livre de você, melhor será. — Edward jogou seu guardanapo sobre a mesa e saiu do salão.

Eu olhava, atordoada, fixamente para a borda lascada do meu prato. O tique-taque do relógio ecoava na jaula vazia do meu coração.

Finalmente, Montgomery se levantou. — Eu concordo com Edward. E penso que você é um bastardo dos diabos — disse ele, saindo do salão em direção ao pátio, sob a chuva que caía.

Eu me levantei também, mas meu pai me agarrou pelo pulso.

— Ele é um criado, Juliet. É bom que você se lembre disso. Prince é a melhor alternativa.

— O que lhe importa isso? — gritei. — Por que simplesmente não nos deixa em paz?

— Garantir que você se case ainda é o meu dever. E o seu dever é fazer o que eu digo.

— Você nunca gostou de Edward.

— Ele me é útil neste caso.

Meu pai não se importava com as pessoas, apenas com a maneira como podia usá-las. E casar-me com Edward significaria que ele finalmente cumpriria sua única função como pai, de modo que pudesse me enviar de volta a Londres com um marido. E nunca mais precisaria pensar em mim.

Puxei minha mão para me soltar. Não tinha nada a lhe dizer.

Capítulo 29

Mais tarde naquela noite, eu andava de um lado para o outro sob o pórtico do lado de fora do meu quarto. A chuva continuava a cair, escorrendo pelo teto e caindo no pátio. Sob o vão da porta que levava ao quarto de Edward, eu via uma sombra passar de um lado para o outro, de um lado para o outro, fazendo a luz ondular e mudar de direção. Imaginei Edward andando pelo quarto do outro lado da porta, tão preso quanto eu estava. Meu pai não gostava de Edward e não sabia quase nada a seu respeito, mas estava preparado para se livrar de mim me entregando a ele! Doía perceber o quão pouco eu significava em sua vida.

Encostei-me contra um pilar, escutando a tempestade. Uma luz brilhou no estábulo, onde Montgomery provavelmente estava cuidando dos cavalos, desejando que a confusão do jantar pudesse ser esquecida com a mesma facilidade com que ele escovava um cavalo. Apesar de todo o constrangimento e irritação, eu estava orgulhosa dele por ter enfrentado meu pai.

Dei a volta no pátio sob o beiral, olhando várias vezes para a porta entreaberta do estábulo, querendo apenas conseguir vê-lo de relance. Dentro do estábulo os cavalos batiam os cascos e relinchavam. Eu não tinha a intenção de entrar naquele lugar, mas, como se tivessem vontade própria, meus dedos empurraram a porta. Ali dentro, a chuva pingava, formando poças escuras em meio ao feno. As partes brancas dos olhos dos cavalos brilhavam sob a luz do lampião.

Montgomery escovava Duque com movimentos rápidos e tensos.

Deixei que a porta se fechasse atrás de mim, e as dobradiças rangeram. Os olhos de Montgomery buscaram os meus. Estavam obscurecidos. Frios. Avisando-me para ficar longe. Ele escovou o cavalo com mais força, fazendo a poeira levantar e dançar no ar.

— O que meu pai disse não é o que ele realmente pensa — falei. Envolvi meu corpo com os braços. — Ele diria qualquer coisa para ofendê-lo.

A escova levantou mais poeira, quase lhe ocultando o rosto. O som ritmado das cerdas duras contra os músculos do cavalo era hipnotizante. Montgomery apertava os dentes, com os tendões dos músculos do seu queixo aparentes.

— Eu sei — disse ele.

Ele terminou de escovar o traseiro e as patas traseiras do cavalo e usou um pente de aço para desfazer os nós no rabo de Duque. Quando terminou, jogou o pente em um balde de metal. O tinir do metal ecoou por aquele espaço confinado, dando-me arrepios.

Montgomery esfregou as mãos com um pedaço de pano velho e se ergueu na portinhola da baia. Sua presença aquecia aquele lugar mais do que o lampião seria capaz de fazê-lo.

— Mas ele não estava errado — afirmou. O desejo crepitava em seus olhos como a luz do fogo.

Meu coração começou a bater descompassado. "Ele a ama há vários anos", dissera meu pai. Pensei que a afeição de Montgomery estava reservada a Alice, mas... será que eu estava errada? Se fosse o caso, como ele poderia amar alguém cujo pai é tão cruel? E se eu ainda não o compreendesse totalmente? E se...

Ele se aproximou, com a cabeça baixa. Seu rosto estava a poucos centímetros do meu. Em seguida, ele me puxou para si, agarrando meus braços com força. Seus lábios encontraram os meus. Eu recuei, tentando recuperar o fôlego, chocada pela paixão com que ele me tocava. Aquilo era totalmente inadequado. E, quando ele segurou meu queixo e me beijou novamente, com mais força dessa vez, eu esqueci todo o decoro. De repente, eu queria me aproximar cada vez mais dele. Agarrei a gola da sua camisa com tanta força que o tecido se rasgou.

Seus lábios encontraram a veia que pulsava no meu pescoço. Eu mal conseguia pensar. Tudo era familiar e novo ao mesmo tempo. Esse era o garotinho que cuidava de mim quando meu pai estava ocupado com seu trabalho. O garotinho que eu idolatrava desde antes de aprender a andar.

Ele me empurrou contra a porta da baia, beijando-me. Edward havia tentado me beijar, mas eu ficara tão chocada que mal tivera tempo para explorar aquela sensação. Lucy me contava histórias sobre cantos escuros e mãos suarentas. Mas isso era pura paixão. Era selvagem. Algo que nunca senti.

— Já beijou uma garota antes? — perguntei.

Ele acariciou meu rosto com o polegar. Seus olhos estavam fixos nos meus lábios. — Sim — disse ele. Pensei em Alice, com seus belos cabelos loiros, seu lábio deformado, que a tornava tão vulnerável. Mas não foi o nome dela que Montgomery disse. — Uma mulher nas docas de Brisbane. Não teve qualquer significado. Eu estava me sentindo sozinho. Não era amor.

Uma prostituta, pelo que ele dizia. Portanto, ele fez muito mais do que apenas beijá-la. De repente, eu não sabia o que fazer, como se ainda fosse apenas uma criança, e ele fosse um homem adulto. — Apenas uma vez?

— Duas vezes — disse ele. Seus dedos se entrelaçaram nos cabelos que caíam sobre a minha nuca. As pupilas dos seus olhos estavam dilatadas e negras, como as de um animal. — Isso importa?

Mordi meu lábio. Sentia-me tonta, como se estivesse dentro de um pião. Na minha vida antiga eu nunca me arriscaria. Nunca me permitiria cruzar limites.

Mas aquela vida havia ficado para trás.

— Não — disse eu. Fiquei na ponta dos pés e pressionei meus lábios contra os dele.

O som do latido dos cachorros me assustou. Havia perdido a noção do tempo, envolvida pela tempestade da paixão de Montgomery. Ele tinha me puxado para um canto escuro da baia de Duque, murmurando meu nome enquanto seus lábios deslizavam pelo meu pescoço, meu ombro e minhas têmporas.

Lutei para recobrar os sentidos e coloquei uma mão em seu peito. — Está ouvindo os cães? Balthazar voltou.

Ele parou, aguçando os ouvidos, mas seu abraço se apertou ao redor da cintura. Seus cabelos estavam soltos, caindo-lhe sobre o rosto e escondendo todas as suas feições, com exceção dos olhos azuis ferozes e intensos.

Uma voz chamou, vinda do pátio. Era meu pai. Eu gemi.

— Montgomery! Seu tolo inútil, você está aí?

Os dedos de Montgomery agarraram as dobras do meu vestido, de maneira protetora. Minha boca se entreabriu, mas ele colocou um dedo sobre os meus lábios. Apertei meu corpo ainda mais contra a parede do estábulo, desejando poder me mesclar com ela e desaparecer.

Montgomery puxou os cabelos para trás. Ele saiu da baia, posicionando-se de forma que seu corpo impedisse que meu pai me visse. — Duque deu um passo em falso durante a cavalgada de hoje. Imaginei que ele pudesse ter um estiramento — explicou ele. Percebi um toque agressivo em sua voz. Afinal de contas, a discussão que tiveram antes não fora o tipo de coisa que seria facilmente esquecida.

— Sele-o — vociferou meu pai. — E Duquesa também. Ajax matou outra vez. Dessa vez foi o nativo com as listras, Lear. Os ilhéus estão assustados. É hora de darmos um fim nisso, com ou sem tempestade.

Eu continuava com uma mão sobre a boca, temendo fazer qualquer som. Meu pai não podia me encontrar ali. Ele seria capaz de matar Montgomery se descobrisse.

O olhar de Montgomery cruzou com o meu antes de ele fechar o portão da baia atrás de si. Ouvi o som dos seus passos no piso de pedra.

— Balthazar está reunindo os homens — avisou meu pai. — Prince virá conosco. Ele pode ser um idiota, mas pelo menos sabe empunhar uma arma.

— E Juliet?

— Ela ficará com Alice. Este lugar já foi uma fortaleza. Nada pode atravessar estas paredes.

Ouvi o som de arreios sendo movimentados e ajustados na divisão ao lado. Em seguida, a voz do meu pai, mais baixa.

— E não pense que eu me esqueci da sua insolência esta noite. Assim que Ajax estiver morto, você e eu teremos uma conversa séria.

Ouvi o ranger das dobradiças da porta quando meu pai saiu do estábulo. Um momento depois, Montgomery abriu a tranca da baia onde eu estava.

— Ele foi para o salão. Rápido, vá para o seu quarto.

— Tenha cuidado — pedi.

Ele pressionou os lábios contra a minha testa com carinho, enchendo-me com um calor reconfortante.

— Fique segura, Juliet.

Esgueirei-me para fora do estábulo, esquivando-me de todas as sombras por medo do escuro, e voltei correndo para os meus aposentos. Tirei a saia e a blusa e vesti minha camisola. A última luz desaparecia sobre o mar, enquanto uma sensação esmagadora se formava em meu coração: trevas. Fosse lá o que estivesse escondido na selva, Montgomery e Edward iriam enfrentá-lo.

Alice bateu na minha porta. Parecia estar aterrorizada.

— Senhorita? Você ouviu o que eles disseram?

— Sim. — Eu sentia vontade de desabar no canto do quarto com as mãos sobre o rosto. Seria muito fácil ceder ao medo. E o medo estava escrito no rosto de Alice também. Eu peguei suas mãos, forçando-me a domar o terror que sentia.
— Não se preocupe, Alice. Nós ficaremos bem.

— Todos eles se foram. Estamos sozinhas.

— Eu sei — disse eu, apertando sua mão, tentando não deixar que o meu receio transparecesse. — Eu sei.

Capítulo 30

As formalidades desapareceram em face do medo. Não importava que Alice fosse uma criada, e eu, a filha do mestre da ilha. Sentamos na cama, abraçadas como irmãs, assustadas pela tempestade horrível que caía lá fora. Os olhos de Alice estavam arregalados. Talvez estivesse preocupada com a segurança de Montgomery. Ou com os ilhéus. Ou consigo mesma. De qualquer maneira, não conseguiríamos dormir naquela noite.

Lembrei-me de que Montgomery havia mencionado um conjunto para bordar no baú da minha mãe. Levantei-me, peguei o conjunto e desembaracei as linhas coloridas. Precisávamos de alguma coisa para manter as mãos ocupadas.

— O que é isso, senhorita?

Encontrei algumas agulhas oxidadas.

— Nunca viu um bordado?

Ela negou com um movimento de cabeça.

— Você não sabe a inveja que eu sinto de você — disse eu. Abri o desenho envelhecido de um coelho azul. Como ela conhecia os princípios básicos de costura, aprendeu a bordar rapidamente, embora suas mãos tremessem a cada relâmpago que rebrilhava no céu. Eu me ocupava do meu próprio desenho, uma cabra leiteira, ainda que meus pensamentos se agitassem com o vento, tal como as folhas do lado de fora do quarto. Meus lábios ainda sentiam o gosto dos beijos salgados de Montgomery. Eu mal conseguia pensar nos assassinatos, na nossa fuga, ou mesmo sentir uma pontada de culpa ao pensar que tinha rejeitado os carinhos de Edward, mas beijara Montgomery com um desejo muito ardente.

Espetei meu dedo com a agulha. Os pontos distraídos que eu aplicava no tecido fizeram com que a cabra se parecesse com um demônio chifrudo. O bordado de Alice também não mostrava muito esmero, pois seus olhos estavam fixos na janela escura.

— Preste atenção — disse-lhe, escondendo meu próprio bordado malfeito debaixo da saia. — Você tem que se concentrar. Alice olhava para o seu trabalho sem qualquer expressão. Seus olhos grandes estavam tomados pela preocupação. — Não está ruim para uma primeira tentativa.

— Tenho certeza de que não está tão bonito quanto o seu, senhorita.

Empurrei o meu bordado ainda mais para debaixo da saia. — Por que nunca lhe ensinaram a bordar? Toda garota que eu conheço tem calos enormes nos dedos.

— Não tenho nenhum uso para coisas tão bonitas. Sei somente um pouco de costura. Apenas fazer remendos e barras.

— Sua mãe lhe ensinou a costurar?

Seu rosto se entristeceu. Ela virou o rosto, escondendo o lábio leporino. — Não, senhorita. Não cheguei a conhecer minha mãe.

Eu quase não conseguia ouvir sua voz. Ela rapidamente voltou a se concentrar na linha e na agulha. Aquilo não era normal. Uma garota jovem sozinha em uma ilha amaldiçoada, sob os cuidados de um louco.

— Então quem a trouxe para esta ilha?

— Ninguém. Eu me lembro de sempre ter vivido aqui.

— Mas você deve ter pais. Como eles vieram até aqui?

— Eles vieram com o doutor — disse ela, com a voz se dissolvendo em um sussurro. Os relâmpagos explodiam no céu. A agulha tremia enquanto ela perfurava o tecido. Eu estava começando a entender. Os pais de Alice eram os missionários anglicanos que vieram no mesmo navio que meu pai. Ela era a única sobrevivente de alguma tragédia que os matara.

Era compreensível que Alice não quisesse falar a respeito.

— Então, quem a ensinou a costurar? — perguntei, tentando manter um tom casual na minha voz. Não tive sucesso. O vento soprava com tanta força que chegava a assobiar. Alguma coisa atingiu o telhado do quarto — um galho, talvez. Nós duas pulamos de susto.

— Foi Montgomery, senhorita.

Senti o sangue subir às minhas faces quando Alice mencionou o nome dele. Inclinei a cabeça.

— Eu não esperava que ele soubesse usar uma linha e uma agulha.

— Ah, ele sabe muitas coisas — comentou ela. Seu rosto se iluminou, esquecendo-se do perigo que havia lá fora. Pelo menos eu conseguira encontrar um assunto que faria Alice se concentrar em algo que não envolvesse os assassinatos. Eu só desejava, entretanto, que não fosse algo tão próximo do meu coração, que batia com força. — Ele faz todo o trabalho de carpintaria e metalurgia e cuida de nós quando estamos doentes. Ele é um médico extraordinário. Foi ele também que me ensinou a cozinhar. Cozinhar e costurar são trabalhos para uma mulher, mas Montgomery não é do tipo orgulhoso. Não quando há trabalho a fazer.

O tom ardente de vermelho que tingia o rosto de Alice me deixou apreensiva. Ela tinha 13 anos, talvez 14. A idade em que a maioria das garotas não consegue pensar em nada além dos primeiros beijos e do verdadeiro amor. Sentia-se encantada por Montgomery, e eu não podia culpá-la. Mas parecia errado ficar ali, sentada, escutando-a tagarelar sobre ele, sabendo que seus lábios tinham corrido pelo meu corpo havia poucas horas.

— Sim, ele tem muitos talentos — falei.

— E ele nunca reclama de nada. Até mesmo os aldeões — disse ela, baixando a voz. — Até mesmo eles fazem o que Montgomery lhes diz. Eles obedecem ao doutor porque o temem, se me permite a ousadia. Mas eles escutam Montgomery porque ele é gentil.

— É verdade — concordei. Puxei uma linha cor-de-rosa com muita força, e ela se arrebentou. Um impropério escapou dos meus lábios enquanto eu buscava outro novelo.

— Na verdade, Montgomery disse a Balthazar que gostaria de ensiná-lo a ler. Consegue imaginar, senhorita? Balthazar com um livro nas mãos? E Montgomery vai conseguir. Ele sempre cumpre o que promete.

— É mesmo? — perguntei, concentrada em enfiar a linha no buraco da minha agulha. As árvores tremiam e se agitavam. Alguma coisa arranhou a parede do quarto, pelo lado de fora. Olhei rapidamente para a janela, mas só vi a escuridão e folhas que brilhavam sob o luar. Desejei que ela falasse sobre alguma outra coisa. Qualquer coisa. Ainda conseguia sentir o toque das mãos de Montgomery ao redor da minha cintura, algo tão poderoso que eu imaginei que aquilo ficaria óbvio para qualquer um que olhasse para o meu rosto. E, mesmo assim, ela parecia não suspeitar de nada.

— Ah, sim. Ele prometeu me levar a Londres algum dia. Eu sei que ele me levará. Ele falou muito a respeito... os prédios altos, as pessoas e os mercados de flores — disse ela, com seus olhos grandes e sonhadores.

A agulha escorregou dos meus dedos. Tateei o cobertor até sentir o metal rígido contra o meu dedo. Por que ele faria aquela promessa? Um homem e uma garota solteira não podiam viajar sozinhos sem que houvesse rumores. Eu sabia disso, com toda a certeza. Se fosse eu a viajar com ele, não haveria problema. Eu não tinha nada a perder, nem mesmo a reputação. Mas Alice tinha.

Quer dizer que ele sentia algum tipo de afeição por ela? Teria mesmo considerado a possibilidade de se casar com ela? Pensar naquilo fez com que eu empalidecesse. Mas era lógico. Antes de eu chegar ali, ela era a única garota na ilha. Montgomery certamente não era o tipo de homem que se importaria com o lábio leporino de Alice. E ela era uma garota doce. O tipo de garota com a qual um homem se casaria. Não uma garota como eu, que podia tanto arranhar um homem como cozinhar para ele.

Será que eu não era mais do que uma aventura passageira, então? Algo novo, como a prostituta em Brisbane?

Uma pancada ruidosa contra a janela fez com que eu gemesse. Estava imersa em meus pensamentos. Alice tremia de medo, esquecendo-se completamente do seu bordado. Até mesmo Montgomery fora esquecido.

— Um coco caiu — falei rapidamente. — O vento os arranca das árvores. Eu os ouço às vezes — continuei, esperando que ela estivesse distraída demais para se lembrar de que não havia nenhum coqueiro nas proximidades do complexo.

Ela tirou os olhos da janela para ver se eu estava falando sério. Engoli o medo que subia pela garganta. Não haveria como saber o que estava do outro lado daquelas barras de ferro. Jaguar, talvez. Um bando de nativos que começava a regredir. Se ao menos a minha janela tivesse uma cortina ou venezianas para afastar aquela escuridão horrível...

Outro impacto soou. Nós duas pulamos. Em seguida, um som longo de raspagem, como se alguém estivesse deslizando a lâmina de uma faca contra a parede do quarto. A mão pequena de Alice encontrou a minha e a apertou. Minha cabeça estava agitada. Eu precisava encontrar uma explicação para impedir que o medo brotasse em nossos corações.

— É o vento — sussurrei. Era uma resposta ruim, e não serviu para nos acalmar. A respiração de Alice saía em resfolegadas rápidas e curtas. Algo batia contra as barras de ferro. "Tap, tap, tap". Como se a escuridão estivesse batendo à nossa porta.

A boca de Alice se abriu. Eu a cobri com a minha mão para impedir que ela gritasse. Ela tentou se desvencilhar, mas eu a envolvi com um braço, abraçando-a com força, como Montgomery fazia para acalmar os coelhos.

— Rápido, deite-se no chão — sussurrei.

Rolamos para fora da cama, escondendo-nos debaixo do colchão, de forma que o que estivesse lá fora não pudesse nos ver.

— O que está lá fora? — perguntou ela, apertando meu braço como se temesse ser abandonada. Não consegui formular nenhuma explicação. Não era o vento, eu tinha certeza.

— Fique abaixada. Você vai ficar bem — disse-lhe. Rastejei pelo piso até chegar à penteadeira. Tirei a tesoura enferrujada de uma gaveta e a escondi entre as dobras do meu vestido. Alice ficaria ainda mais assustada se a visse.

Meu coração batia dolorosamente. Levantei-me devagar e me aproximei da janela com passos cuidadosos. O vento assobiava lá fora, multiplicando-se em milhares de sussurros malignos.

A tesoura em minhas mãos era um objeto pequeno, contudo poderoso. Nuvens pesadas bloqueavam todos os raios do luar. O que quer que estivesse lá fora, podia estar a menos de um metro de distância, com o rosto a poucos centímetros das grades, e eu não perceberia.

Um relâmpago brilhou no céu. O medo voltou a subir pela minha garganta, arrancando-me um gemido. Consegui ver o vale rapidamente com o clarão. Folhas que se agitavam.

O oceano coberto pela tempestade. Nenhum rosto, a menos que eu não o tivesse enxergado. A ilha brincava com meus olhos.

Dei um passo em direção à janela. Meu rosto quase se encostou às barras. Segurei a tesoura contra o peito, pronta para atacar.

Outro relâmpago brilhou. Não havia nada lá além da ilha, errática e tumultuosa. Mesmo assim, eu sentia que estava sendo observada.

— Olá? — chamei. Minha voz estava rouca. — Tem alguém aí?

— Senhorita, não!

Virei-me para a cama. A parte de cima da cabeça de Alice surgiu por cima da beirada do colchão, com os olhos arregalados e petrificados.

— Abaixe-se! — sussurrei. Sua cabeça desapareceu mais rápido que um piscar de olhos. Segurei a tesoura com mais força. Talvez os resquícios da loucura do meu pai que estavam em mim tivessem algum uso. Se aquilo foi capaz de fazer com que eu decepasse a cabeça de um coelho e cortasse a mão do Dr. Hastings, eu seria capaz de lutar contra qualquer coisa que estivesse à espreita.

Voltei a encarar a janela e forcei-me a fazer aquilo que eu mais temia. Agarrei as barras de ferro.

— Olá? — disse outra vez.

O vento uivante foi a única resposta. O que estaria ali fora, observando?

Ouvi o som de raspagem outra vez, do lado de fora da janela. A poucos centímetros de onde eu estava. Meu corpo se enrijeceu. Algo dentro de mim gritava, dizendo que eu deveria correr, mas eu apertei os dentes, pronta para enfiar a tesoura naqueles olhos que me observavam. Ansiosa para fazê-lo.

Alice estava esquecida. Havia somente eu, o monstro e o barulho dos trovões. "Tap, tap, tap". O som vinha de um lugar muito próximo. A emoção fazia meu sangue gelar nas veias. Eu estava pronta. Segurei a tesoura com força, com as juntas dos dedos brancas por causa do esforço. No fundo do coração, eu sabia que nem mesmo aquelas barras de ferro nos manteriam a salvo da coisa que estava lá fora.

O vento uivou, criando buracos e dobras por entre as nuvens escuras. Um luar fraco passou por ela e refletiu em três garras longas e negras do outro lado das barras de ferro.

Estendendo-se para perto de mim, quase a ponto de raspar nas pontas dos meus dedos.

Capítulo 31

Uma onda de pavor fez com que meus pés ficassem grudados no chão. As garras encontraram o beiral da janela, arranhando lentamente, raspando as barras enferrujadas. Em seguida, três toques lentos e sinistros. "Tap, tap, tap". Pedindo para entrar.

Meu coração batia loucamente, tentando sair do meu peito, atraído na direção daquele monstro na escuridão da noite como os rios são atraídos pelo mar. Eu estava irremediavelmente presa à coisa que estava lá fora.

Aproximei-me ainda mais, com os dedos trêmulos a poucos milímetros das garras que rebrilhavam. Eu sentia uma necessidade profunda e pulsante de conhecer a natureza da besta que ainda estava escondida nas sombras.

Alice gritou. O encanto se desfez. Eu pisquei, olhando para as garras que agora se aproximavam de mim. Golpeei a mais longa com a tesoura. Ela rasgou a articulação, quebrando a ponta. Enfiei a tesoura com mais força, até conseguir arrancá-la fora. O animal uivou. As garras se retraíram de volta para a escuridão, com exceção daquela que caíra ao chão.

— Senhorita, saia de perto da janela!

Arrastei-me para a cama o mais rápido que pude e desabei ao lado de Alice. O vento assobiava, chamando-me de volta. Lutei contra aquele instinto e puxei Alice para os meus braços.

— Ele se foi — falei.

— Mas vai voltar!

— Seja lá o que for, não vai conseguir passar pelas barras da janela — respondi. Meu peito arfava. Queria dizer a ela que estávamos seguras, mas não conseguia verbalizar a mentira. — Volte para a cama, Alice. Termine o seu bordado.

— Não vou conseguir! Não com o monstro lá fora!

Inclinei a cabeça para um dos lados. Havia algo intrigante no termo que ela tinha usado: o monstro. Não um monstro. Como se ela tivesse um monstro específico em mente. Jaguar disse o mesmo. Eu a olhei, desconfiada, imaginando se ela sabia mais do que deixava transparecer. — Tente.

Ela percebeu que eu estava falando sério. Voltamos a nos sentar sobre a cama. Peguei minha cabra leiteira e espetei-a com a agulha. Os homens não tardariam a voltar. Eles tinham rifles. Cavalos. Tudo o que tínhamos a fazer era esperar.

Continuei a bordar, forçando-me a completar o trabalho, até que ela pegou a agulha também.

— Você o chamou de "o monstro" — disse eu, lentamente.

As mãos de Alice tremiam. Ela não levantou os olhos.

— Estava falando de Jaguar? Aquele que eles chamam de Ajax?

Ela mordeu o lábio inferior. Seu bordado, ao que parecia, havia se tornado incrivelmente fascinante.

— O que é que você não está me contando, Alice? — perguntei. A agressividade na minha voz a estapeava. A rispidez chegou até mesmo a me assustar: parecia muito com a maneira de falar do meu pai.

— Não é Ajax, senhorita — disse ela, em voz baixa. — Ajax era amigo de Montgomery. Poderiam até mesmo ser irmãos, de tão próximos que eram. Ele costumava me contar histórias. Nunca senti medo de Ajax.

Meu bordado caiu sobre o colo, esquecido. Se ela não tinha medo de Ajax, por que sua voz tremia?

— Não é Jaguar que está matando os ilhéus?

Ela apertou os lábios, pressionando-os um contra o outro. Era suficiente para eu entender a resposta.

Agarrei seu pulso. — Então o que é?

Ela recuou. Não tive a intenção de assustá-la. Queria protegê-la, mas não poderia fazer isso sem a verdade.

— Não posso dizer, senhorita!

— Por que não?

— Ele está escutando. Está sempre escutando. Vai me matar se eu lhe disser — disse ela, com os olhos se enchendo de lágrimas. Era tão jovem, uma criança na verdade. Uma pessoa gentil poderia acariciar sua mão e dizer que tudo ficaria bem. Eu enfiei minhas unhas em sua palma.

— O que você quer dizer com isso? Quem está escutando?

— O monstro!

Alguma coisa andou pelo telhado. Algo grande. Rápido. Algumas das telhas caíram no chão do lado de fora.

Prendi a respiração. Alice gritou. Eu a puxei para perto de mim, pressionando um dedo contra os seus lábios. Nós duas olhamos para cima. Ele estava logo acima das nossas cabeças. As muralhas do forte tinham quase sete metros de altura. Que tipo de criatura seria capaz de escalar uma parede íngreme? Outra telha caiu. Depois, ouvimos um baque no pátio. Minha cabeça se virou rapidamente na direção do som.

Ele estava dentro do complexo.

Fechei os olhos. Meu coração martelava o peito alucinadamente. Os homens não estavam por perto. As armas estavam no estábulo. Não tínhamos nem mesmo trancas adequadas nas portas. Tudo que tínhamos era a minha capacidade de raciocinar.

— Alice, eu quero que você se esconda embaixo da cama — disse-lhe. De algum modo, eu sabia que esconder-se daquela criatura era inútil. Mas, pelo menos, ela se sentiria mais segura.

Seus olhos estavam fixos na porta. — Ele não pode abrir as portas, a menos que tenha cinco dedos — disse ela. — Foi o que o doutor falou.

Havia convicção em sua voz. Ela acreditava cegamente no meu pai, assim como as outras criaturas.

Fiz uma careta.

— Ele disse também que nada conseguiria atravessar as muralhas. E isso era mentira — respondi. Mordi a língua para não continuar. Aquilo só iria assustá-la. Meu pai vivia em meio à ilusão de que era um deus, tão adorado por suas criações que elas nunca se levantariam contra ele. Mas animais são animais. E só há uma maneira de lidar com um animal selvagem e sanguinário: matá-lo antes que ele o mate.

Segurei a tesoura em uma mão e o lampião na outra.

— Fique aqui — falei.

— Senhorita, não vá lá fora!

Mas eu já havia aberto a porta.

— Montgomery guarda a munição e os rifles no estábulo. Vou tentar chegar até lá.

Do lado de fora, a chuva escorria pelo telhado, formando poças. Um lampião estava pendurado ao lado da porta do salão, iluminando o pátio. Os pés de tomate pareciam esqueletos nas sombras. Um conjunto de pegadas era visível sobre a lama, mas estavam confusas demais para que eu pudesse contar o número de dedos. E não sabia para onde elas levavam.

— Mantenha a porta fechada — ordenei. — E fique debaixo da cama.

— Espere pelo doutor e por Montgomery, senhorita, por favor!

Contudo, eu não confiava nas promessas do meu pai como ela insistia em confiar. O monstro não obedecia às regras do meu pai. Ele estava dentro do forte. Havia matado intencionalmente. Ele nos encontraria.

— Voltarei logo. Prometo — disse eu, antes de sair.

O complexo estava silencioso, exceto pela chuva e pelo

vento. Eu me movia em silêncio, como vira Jaguar fazer. "Dedos-calcanhar, dedos-calcanhar". Imaginando que cada sombra poderia ganhar vida e saltar sobre mim. Sentia que havia olhos me observando em algum lugar. Tentei dizer a mim mesma que poderia estar enganada. Em meio ao medo, cada ruído soava muito mais alto do que era. Talvez o que estivesse sobre o telhado fosse apenas um pássaro ou um esquilo.

Mas aquelas pegadas não pertenciam a um pássaro ou a um esquilo, e nenhum pássaro poderia arrancar telhas do telhado. Ergui o lampião, sentindo a garganta exposta e vulnerável sob a luz. Se a criatura estivesse por perto, observando, eu seria um alvo fácil.

Fiquei sob o beiral do pórtico e estudei as pegadas. Pareciam ir para todos os lugares, e, ao mesmo tempo, para nenhum lugar em particular. Era impossível identificar uma pegada clara no meio de todas as outras. A única coisa que eu podia perceber era o seu tamanho: elas eram grandes.

Muito grandes.

Um grito agudo veio de algum lugar da selva e o susto me fez pular. Uma coruja. Era suficientemente enervante para me fazer correr até o estábulo, em pânico, com a luz do lampião se movendo incontrolavelmente, até abrir a porta e fechá-la atrás de mim, trancando-me ali dentro.

Escuridão total. O vento havia apagado a chama do lampião.

Eu só conseguia ouvir o som da minha respiração e o gotejar constante da água que pingava pelo teto do estábulo. Sentia somente o cheiro terroso do feno úmido. Meus olhos procuravam uma fonte de luz para se fixar. Não havia nada além do negrume.

Tateei pelo estábulo até chegar a uma parede, pressionando minhas costas contra a madeira. Segurando a tesoura com força. Disse a mim mesma para não entrar em pânico. Não havia motivo para que o monstro entrasse no estábulo. Era mais provável que fosse até o laboratório, onde ele poderia sentir o cheiro dos animais enjaulados, ou à cozinha, com sua mistura de cheiros exóticos.

"Pegue os rifles", disse a mim mesma. Estive naquele estábulo o bastante para saber onde ficava a divisão em que os cavalos eram selados e o armário onde os rifles eram guardados mesmo naquela escuridão. Nunca disparara um rifle antes, mas compreendia como suas partes funcionavam e se encaixavam, assim como a explosão da pólvora. Havia uma boa chance de que Montgomery os mantivesse carregados. Eu iria mirar e puxar o gatilho. Mesmo que errasse, poderia ao menos espantar o monstro.

Porém, meus pés não se moviam. Não estavam me levando até a selaria. A parede contra as minhas costas era segura. Ficar imóvel era seguro. Senti uma premonição esmagadora de que, se eu me movesse, eu estaria morta.

Contaria até cinco. Respiraria cinco vezes para conseguir recobrar a razão.

"Um."

Apertei os dentes. Ouvi o som da minha própria respiração.

"Dois."

Percebi um odor pungente por baixo do cheiro do feno. E, mesmo assim, aquele cheiro parecia familiar. Já havia sentido aquele odor acre antes, mas não conseguia me lembrar da ocasião.

"Três."

Um farfalhar na escuridão. Minha respiração se acelerou. Disse a mim mesma que o estábulo deveria estar cheio de ratos. Mas eu sabia a verdade. Minha mão apertou a tesoura com força. Eu tinha certeza de que as pegadas não vinham até o estábulo. Será que estava tão certa assim? Eu estava tão assustada que mal conseguia compreender o que vira. Mas ali estava o cheiro, mais forte agora, como se a sua origem estivesse mais próxima. Com um gemido, eu o reconheci.

Pelos molhados.

"Quatro."

Fechei os olhos com força. Algo se aproximou devagar. Eu ouvia no ranger das tábuas. Pisando na palha que cobria o chão. Era tarde demais para pegar as armas. Havia algo no celeiro comigo. Algo grande. Sua presença se mesclava na escuridão, como se pertencesse àquele lugar. O medo pressionou minha garganta. Disse a mim mesma que havia uma maneira lógica de enfrentar aquela situação. O peito seria o maior alvo na escuridão. Deveria golpear um pouco mais para baixo, abaixo das costelas, onde o estrago seria maior, e agachar-me perto do chão para evitar as garras e os dentes.

Alguma coisa tocou a minha mão. Algo rígido, mas gentil. A sensação foi tão chocante que eu deixei a tesoura cair, e ela bateu contra o piso em meio à escuridão.

"Cinco."

Saltei em busca da selaria. Não tinha escolha. Agora eram só os instintos, e nada de lógica. Senti uma lufada de vento atrás de mim, como se algo estivesse correndo. Os pelos da minha nuca estavam eriçados. Não conseguia ouvir nada além das batidas fortes do meu próprio coração. Encontrei a porta e tropecei para dentro, tateando nas paredes, às cegas, em busca do metal liso dos canos das armas. Minha mão encontrava somente madeira. Prateleiras vazias.

Eles haviam levado todas as armas.

Meu quadril bateu contra o canto de uma mesa, e eu gemi. Senti o medo em algum lugar profundo da minha garganta, um ganido cheio de pânico, como o de um cachorro. Deslizei minha mão por cima da mesa, buscando uma faca, alguma ferramenta para colocar as ferraduras nos cavalos, qualquer coisa. Senti um estojo para fósforos. Abri-o desajeitadamente, tentando acender um deles contra a superfície áspera, e, com uma faísca, ele ganhou vida.

Eu o ergui, com os dedos trêmulos, os olhos buscando freneticamente meu perseguidor em meio àquela luz fugidia.

Nada.

Eu estava sozinha, e, comigo, havia apenas o cheiro de enxofre do palito de fósforo e o odor persistente de pelos molhados.

Capítulo 32

Quando voltei ao quarto, disse a Alice que havia encontrado o monstro e que ele não era nada além de um esquilo estranhamente grande. Após algum tempo ela conseguiu adormecer, no entanto meus olhos não se fecharam nem por um minuto. Estávamos deitadas na minha cama, e a garra quebrada do monstro estava escondida na minha mão. Coloquei meu braço ao redor de Alice, acariciando seu cabelo gentilmente, como minha mãe fazia comigo quando eu estava assustada.

Os cães latiam ao longe. Os homens estavam voltando.

Afastei a cabeça de Alice do meu colo, e fui até a porta na ponta dos pés. Eu havia acendido todos os lampiões que conseguira encontrar para afastar a escuridão. Apertei com força a garra quebrada na minha mão para ter certeza de que o terror da noite não fora apenas produto da minha imaginação.

Do lado de fora, o portão principal rangeu enquanto se abria. Espiei o pátio. Os homens entraram, enlameados e exaustos, sem nem mesmo perceber os lampiões acesos. Por um momento eu me senti exposta, vestindo apenas a minha camisola, com a tempestade incessante e os homens que retornavam, mas eu tinha coisas mais importantes com que me preocupar. Voltei a olhar para o quarto para ter certeza de que Alice continuava dormindo e depois saí pela porta.

Balthazar trouxe Duque puxando a carroça, com a portinhola de trás aberta. Havia um cadáver envolto em panos brancos, mas todo enlameado. O que significava que eles não haviam encontrado Jaguar, apenas outra vítima. Montgomery e meu pai se esforçavam para descarregar o corpo, e Edward me viu. Seu olhar era tão enigmático quanto as estrelas da noite.

Ele atravessou o pátio, protegendo os olhos da luz forte que vinha da minha porta. Uma mancha de lama lhe marcava o rosto, paralela à sua cicatriz.

— Por que está acordada? — perguntou ele. — Por que os lampiões estão acesos?

Segurei a garra com força para criar coragem. — Algo aconteceu aqui enquanto vocês estavam fora.

Pela hesitação na voz, ele percebeu que eu estava falando sério e me puxou para o quarto, onde poderíamos ter um pouco de privacidade. Ele olhou de relance para Alice, adormecida na cama.

— Seu rosto está pálido.

Eu deslizei os dedos pela borda da garra, o lugar onde ela tinha se quebrado. Lembrando-me da mão na janela, das telhas que haviam caído do telhado. A certeza de que não estava sozinha no estábulo. — Alguma coisa tentou nos atacar. Na janela... — Senti que algo se quebrava dentro de mim, e as palavras não saíam. Apenas o medo, em uma torrente. Apertei a garra.

— Psiu, você está segura agora — disse Edward, puxando-me para junto de si, sem dar muita atenção à garra. Imaginei que ele já havia visto muito da carnificina que aquela garra havia produzido. Ele passou a mão pelos meus cabelos, do mesmo jeito que fizera atrás da cachoeira quando eu fingi estar dormindo. Era um gesto tranquilizador, mas tinha o efeito oposto. Estar tão perto dele me deixou agitada, como se o sonho pudesse se tornar realidade e, então, eu visse que estava com ele, e não com Montgomery. Não que aquele pensamento nunca tivesse passado pela minha cabeça. Meu pai queria que nos casássemos. Edward certamente sentia afeição por mim. Mesmo assim, eu não podia ficar com Edward. Ele estava fugindo de alguma coisa. Tinha segredos tão bem escondidos que às vezes eu esquecia que eles estavam lá. Não tinha certeza de que ele me deixaria desvendar o que havia por baixo de todas aquelas camadas, mesmo se eu quisesse.

— Eu não deveria tê-la deixado sozinha. Eu sabia que era perigoso. Pensei que seria mais seguro se eu estivesse lá fora — disse, enroscando os dedos nas pontas dos meus cabelos. — Caçando os demônios que seu pai criou.

Aqueles lábios sussurrantes roçaram minha orelha. Foi como uma descarga inesperada de eletricidade. Tentei me afastar, mas ele não me deixou, com os lábios entreabertos para me dizer alguma coisa. Os braços que estavam ao meu redor não pareciam mais tão seguros. Eu sentia que eram perigosos, como se ele pudesse tentar me beijar a qualquer momento. Pressionei o polegar contra a ponta da garra, sentindo a dor mordaz que mantinha a minha lucidez. Eu sabia que ele gostava de mim. Montgomery também gostava. Ah, Montgomery... estar perto de Edward apenas me confundia.

— Nós vamos sair desta ilha antes que ele volte — falou Edward, em voz baixa para não acordar Alice.

— O monstro, você quer dizer.

As mãos de Edward deslizaram até a minha cintura. A tentação sussurrava no meu ouvido, agitando a renda da minha gola, puxando-me para mais perto.

— Chame-o do que você quiser.

A porta rangeu. Montgomery estava sob o batente, paralisado por um momento. Eu me afastei de Edward, com o rosto ardendo. Edward dedilhava um botão da sua camisa como se nada houvesse acontecido.

Mas alguma coisa realmente havia acontecido, e eu não sabia como devia interpretar aquilo.

— Eu estava procurando por Alice — disse Montgomery, fixando os olhos em Edward e depois em mim, indo e voltando de um ponto ao outro, de maneira quase imperceptível.

Afastei uma mecha de cabelo para trás da minha orelha e indiquei a cama com um movimento de cabeça. — Ela está aqui.

Ele entrou, aliviado. — Ela não estava em seu quarto. Fiquei preocupado...

"Ele procurou por ela antes", pensei. "Não por mim". Afastei os pensamentos ciumentos da minha cabeça. Eu estava tirando conclusões precipitadas. Quando ele entrou e me viu com Edward, poderia muito bem ter chegado à mesma conclusão. Mas ele estaria errado. Totalmente.

— Alguma coisa conseguiu entrar no complexo. Uma das bestas, ou então...

— Ou então o quê? — perguntou Montgomery.

— Não sei. O que mais pode haver nesta ilha? — perguntei, com os olhos faiscando, e coloquei a garra sobre a penteadeira.

Alice murmurou alguma coisa em meio ao sono e se virou. A mão de Montgomery hesitou a poucos centímetros de tocar a garra.

— Não podemos ficar aqui — disse Edward, levantando a voz. Ele pegou a garra e a enfiou no bolso. — Precisamos sair desta ilha.

— Psiu! — sibilei. Alice acordou de sobressalto, desorientada, gritando.

A primeira coisa que pensei foi em dizer a ela que tudo não passara de um sonho ruim. Mas Montgomery já estava ao seu lado, acariciando suavemente os seus belos cabelos loiros. — Estamos de volta — disse ele. — Você está a salvo.

Porque eu a mantive a salvo, pensei. Meu pai, obviamente, não estava cuidando dos residentes da ilha. Assim, alguém tinha que fazer isso.

Mas ela continuou a gritar, respirando tão rápido que achei que poderia hiperventilar. Enfim, Montgomery tomou-a nos braços e levou-a para fora. Ele passou por alguém, no pátio, que vinha rapidamente em direção ao meu quarto, carregando um lampião.

Meu pai irrompeu no quarto. — O que aconteceu? A porta do estábulo foi arrancada das suas dobradiças e há uma dúzia de telhas quebradas.

Eu levantei. — Um dos seus monstros estava andando pelo telhado — respondi, com as palavras cheias de veneno.

— Isso é ridículo — disse ele. — Eles não podem escalar a muralha. Você está errada.

— O erro foi criá-los!

Ele me deu um tapa. Senti arder o meu rosto. Cambaleei para trás, atordoada. Talvez eu não devesse estar tão surpresa. Entretanto, em algum lugar no fundo de mim, eu ainda achava que haveria alguma esperança para a nossa reconciliação.

Agora compreendia que isso nunca seria possível.

Edward interveio rapidamente e torceu a lapela rígida da jaqueta do meu pai. — Nunca mais bata nela.

Meu pai se desvencilhou, furioso. — Encoste em mim outra vez, Prince, e você vai desejar nunca ter colocado os pés nesta ilha.

— Parem. Parem com isso — pedi, mexendo no meu queixo, testando-o. Não havia nada quebrado, apenas um machucado. Agora eu entendia. Ele não se importava com o que pudesse acontecer conosco. Tinha enlouquecido com suas ilusões. Mas, por menos que se importasse conosco, ele ainda podia dar ouvidos à razão. — Seja lá o que você fez para torná-los dóceis... fracassou. Eles não vão obedecê-lo para sempre. Só existe uma escolha: abandonar o seu trabalho. Sair deste lugar.

Meu pai alisou o lenço que usava como gravata, amarrotado após sua altercação com Edward. Seus olhos estavam tão negros quanto o mar revolto. — Assim que a tempestade terminar, nós iremos à aldeia. Vocês verão com seus próprios olhos que eu tenho tudo sob controle.

Toquei a pele machucada do meu queixo, sabendo que continuar com aquela discussão era inútil.

Ele estava além da razão.

Capítulo 33

A TEMPESTADE CASTIGOU a ilha durante vários dias. Quando conseguimos nos pôr a caminho da aldeia, a selva estava tão úmida que a carroça parecia navegar. Tínhamos que parar a cada centena de metros para desobstruir a trilha, afastando as árvores caídas.

Eu consegui sentir o cheiro da aldeia muito antes de chegarmos. O fedor emanava daquele lugar como se fosse uma pestilência. Não somente o cheiro dos animais, mas um miasma apodrecido que me fez cobrir a boca e o nariz. Fazia tempo que as criaturas não recebiam seu tratamento, e Montgomery dissera que a mudança aconteceria rapidamente. Meu pai continuava a insistir que os animais seriam pacíficos e domesticados agora que o soro estava se dissipando dos seus organismos.

"Como se fossem vacas", dissera ele.

A trilha simulava um lago conforme nos aproximávamos da aldeia. Duque parou, negando-se a prosseguir. Montgomery teve que descer da carroça e arrastá-lo pelo cabresto.

A aldeia estava imunda. Algumas cabanas haviam desabado ou foram destroçadas por garras. A fumaça emanava das pilhas de lixo em chamas. Eu e Edward nos entreolhamos, perplexos. Não parecia que vacas leiteiras fossem capazes de fazer aquilo.

Passamos por uma criatura que chafurdava na lama, com a barriga estufada, como se estivesse bêbada. Suas pernas estavam tão encurvadas que eu duvidava que ela fosse capaz de andar. Ela observou a carroça passar com um olhar vazio. Meu pai apontou para ela quando passamos.

— Foi esta a criatura que escalou uma muralha de sete metros de altura, Juliet?

Cruzei os braços. Ele estava delirando. Nada que eu dissesse poderia mudar aquilo.

A carroça parou com um solavanco. Estávamos no centro da aldeia, embora eu mal conseguisse reconhecê-la. A multidão que rezava desaparecera, assim como o homem com o manto vermelho e as criaturas que clamavam por uma oportunidade de observar seu venerável criador.

— Não há ninguém para nos receber — observou Montgomery.

Meu pai reagiu ao comentário com um gesto de desprezo.

— Isso já era de esperar. Eles regrediram ao estado animal, como eu lhes disse. Estão chafurdando como porcos ou pastando em algum lugar.

Percebi que alguns olhos nos observavam dos vãos de algumas portas. Coloquei meus braços em volta de mim, sentindo um calafrio apesar do calor.

Edward apontou para uma das poucas cabanas que ainda permaneciam em pé. Cymbeline nos observava, ali dentro, sem qualquer mudança aparente, apesar de uma expressão endurecida e desconfiada em seus lábios. Eu acenei. Ele chiou, mostrando presas longas, com mais de dois centímetros, algo que nunca tivera antes. Apertei-me ainda mais.

Meu pai desceu da carroça e bateu a poeira das mãos. Ele estendeu os braços, sorrindo, como um salvador que retornava às massas que o idolatravam.

— Saiam! — chamou ele. — Deixem-me ver seus belos rostos.

Ninguém saiu. Percebi uma centelha de incerteza em seu rosto, mas ela desapareceu tão rápido quanto as moscas que infestavam o lugar. — Você aí! — disse ele, apontando um longo dedo para uma figura que observava por trás de uma das portas. — Deixe de timidez. Venha até aqui.

A figura avançou devagar, apoiando-se sobre as mãos e os joelhos, movendo-se de modo rítmico. Seus braços e pernas estalavam nas articulações conforme ela se movia. Ela deu a volta ao nosso redor lentamente e, em seguida, levantou-se sobre as pernas e se aproximou.

Era a mulher-píton. Seu rosto estava horrivelmente distendido, e ela não usava nenhuma roupa. Ela se aproximou do meu pai com a graça de uma cobra.

Ele sorriu, ignorando aquela aparência horrível.

— Onde está César, minha querida?

— César — repetiu ela. Ela se moveu até a lateral da carroça. Meu estômago revirou. Montgomery jurava que eu não era como aquelas criaturas, mas não conseguia não pensar que, se eu parasse de tomar meu medicamento, me tornaria como aquela mulher.

Ela riu, por entre chiados sibilantes. — César não fala mais.

Outras criaturas surgiram, vindo lentamente em nossa direção. Seus corpos se estendiam de maneira estranha, movendo-se sobre quatro patas. Montgomery levou a mão ao seu rifle.

— Onde ele está? — perguntou meu pai. O sorriso desapareceu. — Tragam-no a mim!

A mulher-píton riu outra vez. Sua língua bifurcada se movia em meio a uma boca sem lábios.

— Tragam-no a mim, tragam-no a mim, ele disse!

As criaturas começaram a se aglomerar como moscas, bloqueando a estrada que havia atrás de nós. Finalmente, ouvimos um resfolegar fraco. As criaturas moviam a cabeça para cima e para baixo como um rebanho inquieto. Uma figura gigantesca passou pela multidão, sendo provocada pelos outros conforme avançava. Eu cobri a boca. Era César. Seus chifres haviam se quebrado, e os únicos resquícios eram dois tocos estilhaçados em sua cabeça. Um dos ombros estava retorcido em um ângulo estranho. Manchas negras cobriam-lhe a pele ao redor dos olhos e da boca.

— É melhor irmos embora — falei. Mas ninguém respondeu.

Meu pai olhou para César e levou a mão à sua pistola.

— Você não devia ter interrompido o tratamento dele — comentou, por entre os dentes, dirigindo-se a Montgomery.

— Não interrompi — respondeu Montgomery, calmamente. — Isso não é a regressão. Foram os outros que fizeram isso com ele.

Meu pai apoiou um pé no palanque de pedra desgastado.

— Recite os mandamentos, César — ordenou ele. — Parece-me que eles foram esquecidos!

César apenas meneou a cabeça, como se estivesse esfregando seus chifres em uma árvore invisível.

— Fale! — ordenou meu pai outra vez, e a mulher-píton sibilou.

— César não fala mais — repetiu ela.

Meu pai agarrou o queixo de César e forçou-o a abrir a boca. Houve um gorgolejo de saliva e dentes que batiam uns contra os outros e os resmungos por parte do meu pai para si mesmo. Suas costas se enrijeceram e, em seguida, suas mãos se afastaram, soltando César. O homem-alce baixou a cabeça, até o queixo lhe tocar o peito.

Meu pai voltou para perto de nós com passos longos e relutantes, passando uma mão trêmula pelo bigode.

— Eles lhe cortaram a língua — disse ele.

Eu recuei, com repugnância. — Meu Deus!

Meu pai me encarou com um olhar severo. — Podemos muito bem ficar sem ele — comentou. Eu não sabia se ele estava se referindo a César ou ao próprio Deus.

Meu pai voltou a encarar a multidão. — Escutem! Eu mesmo vou pronunciar os mandamentos, suas criaturas perversas! Vocês chamam a si mesmos de humanos, e, mesmo assim, vivem em meio à sujeira. Vocês andam pelo chão como animais de quatro patas. Precisaram de pouco tempo para esquecer os mandamentos! — esbravejou ele. Os murmúrios e a agitação da multidão diminuíram. Eles inclinavam a cabeça, como se estivessem se lembrando de uma canção havia muito esquecida.

— Não beberás álcool! Não comerás da carne de criaturas vivas! Não vagarás pela noite! — disse ele, antes de fazer uma pausa. Eu sabia o que viria a seguir, mas aguardei, prendendo a respiração, assim como as outras criaturas. — Não matarás outros homens! — disse ele, batendo o pé contra a plataforma de pedra. — Esta é a palavra do seu deus!

O silêncio tomava conta de tudo. As criaturas observavam com olhos embotados, lacrimejantes. "Não", eu queria gritar. "Não são as palavras de nenhum deus". São as palavras de um louco.

— Sim! — uma voz rouca quebrou o silêncio. — Sim, a palavra do nosso deus!

Murmúrios baixos percorriam a multidão. Todos nós tentávamos identificar a origem da voz. Uma criatura muito grande abria caminho entre os outros, vindo em nossa direção. Ele andava com um passo cadenciado. Era a criatura com características de urso que eu vira ao lado de Jaguar, na selva. Suas mãos estavam deformadas em garras retorcidas que ele mantinha junto ao peito.

Ele parou na frente do meu pai. Os ilhéus se aglomeraram, como se fossem um rebanho.

— A palavra do nosso deus! — gritou o homem-urso.

Olhei para Edward. Seus braços estavam cruzados, com os músculos retesados.

— Não beberemos álcool! — gritou o homem-urso outra

vez, dançando com suas pernas monstruosas. — Não comeremos carne! As palavras do nosso deus!

Aquelas pessoas animalescas começaram a se mover outra vez, tão incertas sobre o que acontecia quanto eu. A mulher-píton se aproximou de mim discretamente, com os olhos oblíquos piscando. Ela lambeu a boca com uma língua incrivelmente grande. Eu respirei fundo.

— Muito bem, Antígonus — disse meu pai ao homem-urso. Seus lábios se entortaram em um sorriso egoísta. — Agora, meu caro, diga-me quem fez essa coisa horrível a César.

Antígonus aproximou-se de meu pai com alguns passos ritmados, acenando com a mão e mostrando as garras enormes. Sua outra mão ainda estava em contato com o próprio corpo, na altura da cintura. Quando ele inclinou o focinho de urso para a frente e ficou perto o bastante para poder sussurrar, a lâmina de uma faca brilhou em sua mão. Ela se moveu na direção da garganta do meu pai.

Um tiro soou pela aldeia.

Montgomery apressou-se para levantar seu rifle, mas Edward atirou primeiro. O corpo de Antígonus caiu aos pés do meu pai, derramando sangue em seus sapatos de couro. Os olhos do meu pai estavam arregalados. Uma das suas preciosas criaturas havia se levantado contra ele.

Montgomery correu até onde o corpo estava. A poeira se levantou ao redor deles. Eu não conseguia tirar os olhos de Edward. Ele matara. Defendendo meu pai, nada mais e nada menos. A pistola caiu da sua mão. Parecia estar tão atordoado quanto eu.

— Edward — comecei, e não consegui terminar. Agora ele também era um assassino.

Seu rosto estava lívido, com os olhos arregalados. Ele deslizou uma das mãos pela cabeça, abalado, olhando para o corpo caído como se ele pudesse se levantar e assombrá-lo.

Seus olhos tinham a mesma expressão do dia em que o encontramos no barco à deriva, dividido entre a vida, a morte e a loucura dos mares.

Ele se virou e desapareceu na selva, como se pudesse fugir do que havia feito.

Tomamos o caminho de volta em um silêncio terrível. Não havia sinal de Edward, não importava o quanto eu gritasse seu nome. Montgomery me garantiu que um homem capaz de sobreviver por 20 dias no mar, em um bote, em condições precárias, conseguiria voltar ao forte. Entretanto, no mar, as únicas coisas que agrediam Edward eram o sol insuportável e a memória que o atormentava. Naquela ilha havia um monstro à solta.

Alguém gritou mais adiante. Atrás das folhas, as paredes do complexo apareceram. Balthazar veio correndo em nossa direção, com o peito enorme arfando e os olhos injetados de sangue. Lembrei-me da primeira vez que o vira, quando o achei hediondo. Agora, depois de olhar para os rostos horríveis da mulher-píton e de Antígonus, ele parecia tão humano quanto qualquer um de nós. Eu esperava que Montgomery nunca parasse de lhe aplicar o tratamento. Não suportaria ver Balthazar regredir.

— O que foi? — perguntou Montgomery. Sua mão apertou a coronha do rifle com mais força.

— Venha rápido — disse Balthazar, sem fôlego. Seu lábio inferior tremia. — Depressa!

Montgomery entregou as rédeas ao meu pai e saltou da carroça. Ele seguiu Balthazar a passos rápidos. Mais à frente, eu vi que o portão de madeira estava quebrado. As tábuas foram destroçadas por uma força incrível.

Meu pai conduziu a carroça para dentro rapidamente. Ninguém esperava para segurar as rédeas. Puck, Alice, os outros criados — não havia ninguém ali. Alguma coisa estava me deixando enjoada. Uma necessidade primitiva de entrar naquele lugar. Descobrir o que acontecera.

Meu pai me forçou a segurar as rédeas.

— Fique aqui. Mantenha Duque sob controle.

— Mas o que aconteceu? — perguntei. Ele me ignorou. Eu retorci os dedos na crina de Duque, observando os homens desaparecerem pelo portão quebrado. Por que ninguém dizia nada? Por que ninguém vinha buscar o cavalo?

Havia pegadas na lama, do lado de fora do portão. Pegadas escorregadias, como o monstro havia deixado antes. Mas o portão era reforçado com barras de ferro. O monstro não seria capaz de torcer ferro, seria?

Um homem gritou. Reconheci a voz de Montgomery.

— Fique aqui e morra... — resmunguei e levei Duque e a carroça até uma árvore. Amarrei as rédeas ao redor de um galho, esperando que ele não tentasse sair em disparada.

Segurei a saia com uma das mãos enquanto passava pelo portão quebrado. Prendi a respiração. O pátio estava um desastre. Os pés de tomate haviam sido pisoteados, os lampiões, quebrados, e o galinheiro, estraçalhado.

Ouvi vozes vindo da cozinha. Aproximei-me lentamente delas.

— Que o diabo os carregue! — gritou Montgomery, ao redor do canto da estrutura. — Que o diabo os carregue, todos vocês!

A agonia em sua voz me paralisou. Ele sempre conseguia se controlar, mesmo quando estava espumando de raiva.

Pressionei o rosto contra a parede de pedra. Eles estavam logo adiante. Tudo o que eu precisava fazer era olhar além do canto da parede. Mas, de algum modo, eu tinha medo de que, ao olhar para aquilo, tudo mudasse.

— Que o diabo os carregue! — gritou Montgomery outra vez.

A curiosidade tomou conta de mim, forçando-me a olhar para aquilo que deixara Montgomery tão furioso.

Montgomery e meu pai estavam do lado de fora da cozinha, com Balthazar e Puck. Montgomery andava de um lado para outro, desconsolado, com os ombros largos se movendo como os de um animal. Uma mão trêmula lhe cobria a boca.

— Acalme-se — disse meu pai. Sua mão estava tremendo também. — Você vai acabar enlouquecendo.

Um vislumbre de branco no piso da cozinha atraiu minha atenção. Pisquei, sem saber se o que eu via era a realidade. A saia branca de Alice aparecia por baixo da porta, e ela estava estatelada no chão, com dois pés descalços sujos de lama. Uma linha de sangue escuro escorria de um dos seus dedos, formando uma poça. Os pés não se moviam. Tive certeza absoluta de que aqueles pés nunca mais se moveriam.

Alice estava morta.

Capítulo 34

MONTGOMERY BATEU O PUNHO fechado contra a porta da cozinha. A madeira se estilhaçou facilmente, e ele grunhiu, insatisfeito. Em seguida, golpeou a parede de pedra com o outro punho.

Eu corri até onde ele estava. — Pare com isso!

Mas o soco atingiu a parede com um estalido nauseante. O sangue fluiu através da pele rasgada dos dedos. Fechei minhas mãos ao redor do braço dele.

— Pare com isso! — pedi. — Não vai mudar nada!

— Solte-me! — disse ele. Seu cabelo longo estava emplastado de suor e sujeira. Os músculos em seu braço se flexionavam por debaixo da sua pele como as engrenagens de aço de um relógio. Precisei usar toda a minha força para impedir que ele voltasse a esmurrar a parede.

— Ele vai se machucar — disse meu pai. — Vou preparar uma dose de morfina.

Montgomery o encarou, irritado. — Não quero as suas drogas. Não quero nada que venha de você!

Meu pai esfregou os pelos finos e brancos que lhe cobriam o queixo. Por um momento, pensei que ele fosse se desculpar ou, pelo menos, oferecer suas condolências. Entretanto, seus olhos negros logo voltaram a se transformar em duas pedras de gelo. — Por mim, sem problemas. Você é um inútil mesmo.

Montgomery puxou o braço para se desvencilhar. Mais um segundo, e seu punho teria atingido o rosto do meu pai com toda a força, mas eu coloquei meus braços ao seu redor.

— Vamos — sussurrei. Toquei o seu rosto quente, seus ombros tensos, tentando acalmá-lo. O corpo frio de Alice jazia aos nossos pés no chão da cozinha. A alvenaria do piso absorvia o sangue. Poderia ter sido eu. Poderia ter sido qualquer um de nós. Pensar naquilo me causava náuseas. — Você precisa de ar fresco. Precisa clarear a mente.

Ele se esforçava para livrar-se dos meus braços, irrequieto como um animal. Mesmo assim, consegui gradualmente arrastá-lo para longe do corpo de Alice, passando pelo portão quebrado e afastando-nos do forte.

Encontrei uma clareira perto da parede externa, de onde podíamos ver o oceano reluzente. Sentei-me sobre a grama, mas Montgomery levou algum tempo até conseguir se acalmar. Rasguei uma tira de tecido da barra da minha saia.

— Deixe-me enfaixar sua mão. Você está espalhando sangue por toda parte.

Seus olhos azuis encontraram os meus. O animal selvagem ainda estava lá, ainda agitado. E havia dor também. Ele se sentou ao meu lado e amarrou os cabelos em um rabo de cavalo. Eu limpei gentilmente o sangue que lhe cobria os dedos quebrados. Seu queixo estava retesado. Ele era tão bonito que fazia a minha pulsação acelerar.

— Eu lamento — falei em voz baixa, enrolando-lhe a mão com a tira de linho.

Ele não respondeu.

Imaginei os pés brancos de Alice na lama, feliz por não ter visto seu rosto morto e gélido. — Sei que ela o amava —

disse eu antes que pudesse me conter. — E sei que eu estava atrapalhando a relação de vocês. Se eu não tivesse vindo até aqui, talvez ela ainda estivesse viva.

Os olhos profundos de Montgomery pareciam carregar todo o peso do mundo. Amarrei o curativo, enfiando a beirada desfiada para dentro da bandagem. Ela já estava úmida de suor e sangue. — Não é sua culpa — disse ele.

— Você a amava? — perguntei. Ela estava morta. Ainda nem fora enterrada, mas eu não conseguia impedir que meus pensamentos desordenados saíssem pela minha boca. Minha voz subiu até assumir um tom estridente, quase histérico. — Se eu não viesse até a ilha, você teria se casado com ela?

As sobrancelhas de Montgomery estavam alinhadas em uma expressão de preocupação. — Do que você está falando?

— Você sempre quis salvar as pessoas. Ela era uma órfã. A única missionária que restava. Como você poderia não se apaixonar por ela?

— Maldição! — bradou ele, com a cabeça batendo contra a muralha. — Eu não estava apaixonado por Alice. Meu Deus, Juliet, achei que você soubesse. Ela não veio com os missionários — disse, fazendo uma pausa, sem me olhar nos olhos. — Ela era uma criação.

Minha respiração parou. Afastei o cabelo que me cobria o rosto com as mãos trêmulas. Alice? A garota meiga que ficou com o pente que eu trouxera junto com a escova de prata era um deles? Senti minha cabeça balançando incontrolavelmente.

— É impossível. Ela era humana.

— Ela parecia humana — disse Montgomery. O suor se formava em sua testa. Sua mão ferida se tensionou. — Mas foi criada há dois anos, a partir de uma ovelha e três coelhos.

— Coelhos? — perguntei, levando uma mão aos meus lábios, como se pudesse sentir a palavra. Como se o gesto tornasse aquilo mais fácil de acreditar.

O lábio leporino. "Todos têm deformações", dissera meu pai. Tentei juntar as peças, compreender o quebra-cabeça. Alice evitava minhas perguntas sobre seu passado. Meu Deus, eu fui uma idiota. Quando chamei Balthazar e os outros de animais, eu também a incluíra no insulto.

— Pensei que você tivesse dito que isso era impossível — disse eu, engolindo o medo que me subia pela garganta. — Você disse que ele não era capaz de fazer com que eles tivessem uma aparência completamente humana.

O sangue fugiu do rosto de Montgomery. Ele respirou fundo. — Ele não é capaz disso.

Eu senti que estava descobrindo alguma coisa. Um indício de ideia.

— Foi você quem a criou — eu disse. Não era uma pergunta. Era uma acusação.

Ele esfregou os olhos cansados com uma das mãos. O ferimento voltara a se abrir, e o sangue escorria pelo tecido da atadura.

— Como você foi capaz? — sussurrei, com os lábios trêmulos. — Igual ao meu pai...

Senti que o sangue corria pelas minhas orelhas. Tentei me levantar, mas ele me agarrou pelos quadris e me puxou de volta para a grama.

— O que está feito está feito! Se eu tiver que ir para o inferno, então que seja. Mas não sou como ele — disse Montgomery. A força da sua fúria era como uma bofetada. Ele não estava furioso comigo, mas consigo mesmo. Montgomery me soltou e se levantou, agarrando as barras de ferro que protegiam a minha janela. Como se merecesse estar em uma prisão.

— Foi um erro — disse ele. — Eu sabia desde o começo. Eu e seu pai tivemos uma discussão. Uma das criaturas dele morreu na mesa de cirurgia. Tentei avisá-lo. Percebi os erros que havia em seu trabalho. Mas ele nunca admite seus erros. Dizia que ele era o médico e eu era um criado, e que as coisas sempre seriam assim — continuou Montgomery, apertando os dedos ao redor das barras. — Eu queria provar que ele estava errado.

A brisa do oceano fez com que uma mecha do cabelo de Montgomery lhe caísse sobre o rosto. Ele não usou muitas palavras, porém eu entendi. Ao criar Alice, ele superara meu pai em seu próprio trabalho. Sem nenhum treinamento formal. Apenas um adolescente.

E ainda chamavam meu pai de gênio.

Observei Montgomery, intrigada. Eu o havia subestimado. Todos nós havíamos. Por mais que eu gostasse dele, sempre o vira como o assistente belo e contemplativo. Edward era o rapaz inteligente e culto. Montgomery era um trator, forte e fiel.

Mas, se conseguiu criar Alice, o que mais ele fora capaz de fazer?

— Foi errado — disse ele, virando o rosto. — E agora ela está morta. Assim como todos nós estaremos se não encontrarmos Ajax.

— Ajax? — perguntei. — Você não acha que ela foi morta pelo monstro?

Ele franziu o cenho. — Que monstro?

Não respondi de imediato. Será que ele não sabia? Alice estava aterrorizada devido a algo muito real, e não se tratava de Ajax. Montgomery ficara fora da ilha durante vários meses. Tempo suficiente, eu imaginava, para que meu pai conseguisse criar uma criatura nova e terrível sem que Montgomery soubesse.

As árvores se agitaram à nossa frente. Ouvimos o som de pegadas vindo da selva.

Levantei-me lentamente. Montgomery entrou na minha frente, protegendo-me.

O som das pegadas ficou mais alto.

Alguma coisa estava se aproximando.

Capítulo 35

MONTGOMERY PUXOU UMA faca que estava enfiada em sua bota. Os passos estavam correndo agora. Fosse lá o que fosse, corria pela selva a toda a velocidade. Agarrei-me ao seu braço, cravando-lhe as unhas. Tínhamos que voltar para dentro do complexo.

Mas Montgomery não se movia. Seus olhos tinham a cor cortante do gelo. Ele queria estar lá quando o monstro voltasse. Queria enfiar sua faca na carne do assassino.

As folhas tremeram na borda da clareira. Os músculos em seu braço se firmaram, prontos para atacar.

Uma figura saiu da floresta, arrancando as folhas. Agarrei a faca, tirando-a de Montgomery. Eu reconheci Edward um segundo antes que Montgomery o fizesse, e isso, provavelmente, lhe salvou a vida.

— Diabos! — esbravejou Montgomery. — Você nos assustou, Prince.

Manchas de sangue encharcavam a camisa de Edward. Arranhões formavam linhas em seu rosto. Ele se apoiou nos joelhos para recuperar o fôlego.

— Você está bem? — perguntei, também sem conseguir respirar. — Há alguma coisa o perseguindo? — emendei. A selva estava em silêncio, mas o silêncio poderia esconder o perigo.

— Não sei — respondeu ele, enxugando o rosto com o dorso da mão. — Ouvi alguns ruídos. Corri. Pode ter sido somente a minha imaginação.

A manga da sua camisa fora rasgada. Um corte descia-lhe em um dos braços. O sangue manchava sua camisa na altura da clavícula. Ele tocou o sangue, gemendo. — Malditos espinhos, são tão grandes quanto meus dedos — resmungou ele, olhando para mim e para Montgomery. — O que vocês estão fazendo fora das muralhas?

Ele não estava no forte. Não sabia sobre Alice.

Montgomery voltou a guardar a faca no cano da sua bota.

— Tenho trabalho a fazer — disse ele, com a voz morta outra vez. Percebi que ele queria que fosse o monstro, para poder se vingar. — Tenho um caixão para construir — murmurou Montgomery, virando-se sobre o ombro.

O rosto de Edward ficou lívido. Uma pergunta se formou em seus lábios.

— Para Alice — falei, hesitando.

Edward desabou contra a parede, esfregando o rosto pálido com uma mão. — Mas como? Quando?

— Enquanto estávamos na aldeia. Alguma coisa invadiu o forte. Destruiu o portão.

— Mas o portão é reforçado com barras de ferro.

— Mesmo assim — disse eu, respirando fundo. — Venha, vamos entrar. Vou cuidar desses cortes — comentei. Cuidar de Edward e Montgomery estava servindo para que eu utilizasse um pouco dos meus conhecimentos médicos.

Atravessamos o portão despedaçado e passamos pela área em frente à cozinha. Haviam removido o corpo de Alice, mas os azulejos ainda estavam manchados de vermelho. Edward estava em silêncio.

A maioria dos medicamentos e curativos estava no laboratório, contudo eu sabia que havia um pequeno conjunto no alojamento dos criados. Aqueles aposentos eram espartanos, simples, do jeito que eu imaginara. Duas camas para Balthazar e Puck e um colchonete no chão para Cymbeline, embora ele tivesse voltado para a aldeia assim que os tratamentos foram suspensos. Os lençóis eram brancos e limpos. Um aro trançado estava pendurado sobre uma das camas, enfeitado com cordões vermelhos e dourados, como se fosse capaz de capturar os pesadelos antes que eles pudessem invadir a mente das pessoas que estavam dormindo ali.

Abri as gavetas da cômoda até encontrar um pedaço de tecido e uma tesoura.

— Sente-se — disse eu. — E tire a camisa.

Ele puxou um banquinho e fez o que lhe pedi. Sua pele estava pálida, com exceção dos braços bronzeados e um anel avermelhado de queimadura de sol ao redor do pescoço. Além dos cortes em seu braço e no pescoço, havia um hematoma com tons de preto e azulado que lhe cobria as costelas.

— Conseguiu isso correndo por entre os espinhos?

— Tudo neste lugar é perigoso. Até as malditas plantas.

Despejei iodo em um pedaço de pano limpo. "Seria bom desinfetar os dedos de Montgomery também", pensei por um instante. Mas ele não conseguiria ficar sentado e imóvel por muito tempo. Apliquei o iodo nos cortes de Edward. O ardor não pareceu afetá-lo, mas, quando as pontas dos meus dedos tocaram sua pele, os músculos do seu abdômen se contraíram com força.

— Você é boa demais para ele — declarou Edward.

Usei o pedaço de pano para desinfetar ao redor dos seus cortes com cuidado. Não precisava perguntar a quem ele se referia. — Ele é um homem bom — respondi. — Mais inteligente do que parece.

Tentei fazer com que meus dedos não tremessem. "Tão

inteligente que criou Alice", pensei, mas guardei aquele comentário para mim.

— Um homem bom não a traria até aqui.

Fiquei de costas para medir pedaços de tecido. Não era uma discussão em que eu estava disposta a me envolver. Para ser honesta, não tinha certeza se poderia vencê-la.

— Seu pai quer que nos casemos — afirmou ele. Como se eu precisasse ser lembrada daquilo.

— Não — disse eu. — Não fale sobre isso.

— Nós temos que falar sobre isso! Estamos todos dando voltas e voltas ao redor do assunto...

— Está bem — retruquei, apertando um punhado do tecido entre os dedos. — Por que não falamos sobre por que você matou Antígonus, então? Acho que deixei passar o momento em que você e meu pai ficaram tão íntimos que você decidiu que não haveria problema em matar alguém para defendê-lo.

O tique nervoso em seu queixo pulsava discretamente. Por um momento, ele pareceu indeciso e voltou o rosto levemente em direção à porta. Ele esfregou o queixo como se aquilo pudesse remover o tique. — Eu agi sem pensar. Vi a lâmina na mão de Antígonus, e o instinto tomou conta de mim. Não era seu pai que eu estava defendendo, Juliet. Eu jurei que a protegeria. Para ser honesto, seu pai poderia ser cortado ao meio amanhã que eu não me incomodaria — disse ele, fazendo uma pausa. — Ah, eu lamento. Foi um comentário insensível.

Balancei a cabeça negativamente. Não gostava do que a ilha estava fazendo conosco, transformando Edward em assassino e a mim em uma pessoa tão transtornada. Tentei dizer a mim mesma que não importava o fato de Edward ter matado um deles tão facilmente. Não fora a sangue frio. Fora legítima defesa.

— Não importa — respondi. — Precisamos nos concentrar em sair daqui.

Atei o pano ao redor do corte em seu ombro, feliz por poder consertar ao menos uma coisa. Mas o que uma atadura poderia fazer contra a loucura que havia lá fora? Eu tinha a forte sensação de que a ilha queria nos cravar seus espinhos, nos prender àquele lugar.

— Mesmo se conseguirmos sair — prossegui, lutando para manter um tom de voz tranquilo. — Mesmo se tivermos água e comida, como será possível fazer com que um navio nos encontre? Um escaler pequeno não será mais do que um pedaço de madeira à deriva!

Virei o rosto na direção do mar, furiosa comigo mesma por demonstrar fraqueza. Eu devia ser mais forte. Edward enlaçou um braço ao meu redor, e eu enterrei meu rosto na atadura macia que envolvia o seu ombro.

— Nós vamos morrer, não é? — perguntei, amargurada.

Ele me abraçou com tanta força que mal consegui respirar. Mas eu queria que o abraço ficasse ainda mais forte.

— Não aqui. Eu juro.

Naquela noite, o toque dos sinos se misturou ao canto dos pássaros da selva. Encontrei a carroça no pátio com todos os homens reunidos. O portão fora reparado às pressas com restos de madeira do estábulo. Tábuas vindas do mesmo lugar formavam uma caixa de madeira simples, do tamanho de uma pessoa pequena.

— Vamos acabar logo com isso — disse meu pai. Ele pegou um lampião. Balthazar e Puck levantaram o caixão e o colocaram na carroça.

Coloquei um xale sobre a blusa.

— Para onde vocês vão levá-la? — perguntei.

Montgomery hesitou, com as mãos no cabresto de Duque. A correia do rifle estava pendurada em seu ombro, e a arma estava em frente ao seu peito. Uma pistola brilhou em seu cinturão. — Temos que queimar o corpo — disse ele. Ele subiu na carroça e tomou o assento do cocheiro.

Sentia-me mal.

— Mas você cavou sepulturas para os outros.

— Isso foi antes. Eles vão abrir a cova dela agora. A regressão lhes dá um faro mais apurado.

Balthazar estendeu a mão para me ajudar a subir na carroça. Balancei a cabeça negativamente, lembrando-me das moscas e dos panos ensanguentados. Preferi acompanhar a carroça a pé a fazer o percurso ao lado de outro cadáver.

Montgomery fez um sinal, e Duque puxou a carroça. Eu e os outros seguimos as marcas profundas que nos levavam para dentro da selva. O pequeno lampião do meu pai era a nossa única luz naquela escuridão. Meus passos acompanhavam o caminhar de Edward no mesmo ritmo. Ele também levava um rifle ao ombro. Um dos novos que foram trazidos de Londres. Ergui uma sobrancelha.

Ele indicou meu pai com um movimento de cabeça.

— Aparentemente, matar um homem me torna confiável o bastante para usar um dos rifles bons.

Caminhamos por algum tempo. Os únicos sons vinham da selva e dos arreios de Duque, que rangiam. Ouvi o mar antes de vê-lo. O caminho de terra se transformou em areia sob os nossos pés e, de repente, estávamos lá, sob a luz do luar, ao lado da maré espumante. Montgomery parou a carroça. Balthazar e Puck descarregaram feixes de lenha e os levaram para o ancoradouro.

Meu pai indicou o horizonte escuro com a cabeça.

— Vamos queimá-la no mar.

A brisa trazia o som distante da madeira batendo contra as tábuas da doca. Engoli em seco. Ele iria queimá-la no escaler. Olhei para Edward — o escaler era a única chance de sair da ilha.

— Montgomery, pegue o caixão — ordenou meu pai.

Montgomery puxou o caixão para fora até a metade, e Edward segurou a extremidade. Meu pai e eu seguimos a caixa de madeira até a praia. A areia tornou-se o ancoradouro de tábuas que faziam nossos passos ecoarem. Montgomery subiu no escaler e colocou a caixa sobre a madeira que estava empilhada dentro da embarcação. Sua palma repousou por um momento na superfície plana do caixão antes de voltar ao ancoradouro.

A um sinal do meu pai, Puck jogou palha sobre o escaler. Meu pai pegou uma lata de óleo, mas Balthazar se aproximou com seu andar característico, arrastando os pés, segurando algo quadrado e negro nas mãos. Um ganido nervoso vinha de algum lugar dentro da sua garganta.

— O que você quer? — ralhou meu pai.

Balthazar estendeu um livro fino e desgastado. Uma cruz dourada estampada na capa refletiu o luar. Meu pai não fez menção de pegar a Bíblia.

— Onde você encontrou essa coisa vil? — perguntou meu pai.

— Foi deixada pelos missionários — disse Montgomery, suavemente. — Ele desenvolveu um gosto pelas orações.

Meu pai balançou a cabeça. — Lamento, meu amigo. Eu não faria uma prece nem mesmo sobre o corpo da minha própria mãe pecadora.

Balthazar ganiu outra vez, agora mais baixo. Meu pai desarrolhou a lata de óleo, mas Montgomery agarrou-lhe o pulso.

— Pare — disse ele, indicando Balthazar com o queixo. — Deixe-os recitarem uma maldita prece por ela.

— Prece. Cristianismo — meu pai bufou. — Contos de fada — zombou ele, despejando o líquido grosso e pungente sobre o caixão.

Os músculos na garganta de Montgomery se contraíram. Ele dera vida a Alice. Ensinara-lhe a falar, a ler e a costurar. Ele se importava com ela, a via como uma menina, não como um experimento científico.

"Montgomery gosta de todos eles."

Era estranho perceber aquilo. Era ilógico apegar-se tanto a experimentos ambulantes, e, mesmo assim, eu estava começando a compreender. Antes de Crusoé morrer, Montgomery tratava o cachorro mais como um amigo do que como um caçador de ratos. Os outros criados zombavam dele por se importar tanto com um animal. No entanto, para Montgomery, eles não eram apenas animais. Tinham coração e cérebro. Talvez até mesmo alma.

— "Há um tempo para tudo no mundo" — recitou Edward, quebrando o silêncio. Meu pai se irritou com o versículo, mas deixou que ele prosseguisse. — "E um tempo e um propósito para tudo o que existe sob o céu: um tempo para nascer e um tempo para morrer."

Montgomery assentiu, agradecendo em silêncio.

Meu pai acendeu um pedaço de palha e jogou-o no barco. Ele se incendiou imediatamente. As chamas amarelas e alaranjadas começaram a consumir o caixão de Alice. As tábuas se racharam e depois se estilhaçaram. Observei por tanto tempo quanto pude suportar. O cheiro era inconfundível. Cobri a minha boca com o xale.

Montgomery desamarrou o escaler do atracadouro, jogou a corda sobre a pira e empurrou o barco com a bota para mandá-lo ao mar. As ondas refletiam as chamas, fazendo com que todo o oceano queimasse.

— E esse é o fim que vem para todos nós — refletiu meu pai. Em seguida, enfiou as mãos nos bolsos e começou a fazer o caminho de volta até a praia.

— Não deveríamos ficar aqui fora mais do que o necessário — disse Edward, mas eu balancei a cabeça.

— Dê-nos um momento.

Edward olhou para Montgomery, que estava na ponta do ancoradouro, observando a pira ardente. Ele nos deixou a sós, e eu podia sentir que a relutância o atraía como a maré.

Montgomery chutou a lata de óleo vazia para a água, onde ela flutuou por um momento antes de afundar. As chamas iluminavam os ângulos do seu rosto.

— Se você vai me julgar por criá-la, não se incomode — disse ele. — Eu já sei que vou para o inferno por causa disso.

Observei o fogo, que já começava a se apagar. Respirei fundo. — Ela não morreu por sua culpa.

Com um estalo, o barco que carregava o corpo de Alice se quebrou ao meio. O mar borbulhou ao seu redor, engolindo as chamas e levando os restos do seu corpo para as profundezas.

Montgomery se virou e voltou rapidamente à carroça, distanciando-se do corpo de Alice. Corri atrás dele, mas ele já havia se juntado aos outros. Meus passos ecoavam no espaço que havia entre as tábuas do atracadouro e a água. Parei. Se ele quisesse que eu o alcançasse, teria diminuído o passo.

Nossos nervos estavam tão castigados quanto as escoras e o eixo da carroça no caminho de volta. Ninguém disse nada. Não sei o que nos aterrorizava mais — andar pela selva à noite, ou o que poderia estar à nossa espera em casa.

Capítulo 36

Nos vários dias que seguiram, meu pai não falou sobre o ocorrido — nada a respeito da traição de Antígonus ou dos assassinatos terríveis dos quais Alice fora a vítima mais recente. Ele se afundou no trabalho, passando as noites e os dias no laboratório e saindo apenas para fazer as refeições ou embrenhar-se na selva para alguma tarefa secreta, acompanhado de Puck. O restante de nós vivia cada momento em estado de alerta.

Certa noite, Montgomery, Edward e eu fomos ao salão, após uma refeição incômoda durante a qual meu pai se recusara a admitir até mesmo a menor possibilidade de perigo; Montgomery andava de um lado para outro em frente às janelas como um animal enjaulado, com os olhos fixos na escuridão lá fora. Eu me sentei na banqueta do piano, tocando as longas teclas pretas, uma de cada vez, lentamente, ouvindo a ressonância aguda ecoar pela sala.

— Teremos que construir uma jangada — disse Edward. — Entre o monstro e as criaturas, teremos sorte se durarmos mais uma semana.

Toquei um dó sustenido. — Isso vai levar muito tempo. Meu pai vai acabar descobrindo o que estamos fazendo.

Montgomery hesitou, cruzando os braços. Seu olhar ainda estava fixo na janela. — Há outro escaler — disse ele, lacônico.

Meu dedo escorregou da tecla preta, batendo entre as teclas dó e ré com um eco dissonante.

Edward se levantou de um salto. — Onde? Por que não nos disse antes? — perguntou ele.

— Não está exatamente preso ao ancoradouro, esperando que o usemos para escapar — disse Montgomery, esfregando a testa. — Está na aldeia.

Tirei meu pé do pedal que sustenta as notas do piano, cortando o som abruptamente. — Não podemos voltar lá. Você os viu. E eles estão piorando a cada dia.

Montgomery passou a mão pelos cabelos. — Eu não falei que seria simples. O barco pertence a César. Ele o usara para os batismos.

— Daqui a pouco você estará dizendo que aqueles animais tomam a comunhão — disse Edward.

Montgomery estreitou os olhos. "Ele crescera com os ilhéus", tive vontade de lembrar a Edward. "Não com as governantas, os irmãos e os criados que o filho de um general teria".

— Você acha que eles não são bons o bastante para a religião, Prince?

Pressionei o pedal outra vez, sentindo o conjunto de martelos se tensionar e relaxar com os meus movimentos, desejando que tudo pudesse ser tão simples quanto o mecanismo de um piano.

Edward estalou as articulações dos dedos, uma de cada vez. — Não me lembro de ter lido, na Bíblia, qualquer menção a arrancar o coração das pessoas com garras.

As mãos de Montgomery se fecharam. — Você não pode culpá-los por desejarem vingança. Faz alguma ideia do quanto eles sofreram nas mãos de humanos?

— Eu não — retrucou Edward. — Mas tenho certeza de que você sabe.

Bati nas teclas à esquerda com o punho fechado. A sala tremeu com a combinação feroz de notas graves.

— Parem! Vocês dois podem se esmurrar quando voltarem a Londres, se quiserem. Mas, antes disso, vamos pegar o escaler e sair desta ilha — disse eu, fechando com um estrondo a tampa que protegia as teclas com força. — Todos de acordo?

Eles se encararam, tão tensos quanto as cordas do piano. Finalmente, Edward deu as costas a Montgomery, e seu olhar cruzou com o meu. Senti um calafrio ao pensar em nós três de volta a Londres. Sair da ilha não era garantia de que todos os problemas estariam resolvidos.

— Onde está o barco, então? — perguntou Edward.

— Há uma igreja — disse Montgomery. — É uma estrutura de pedra na praça principal com uma cruz de madeira sobre a porta. O bote está em uma pequena cabana logo atrás dela. Mesmo assim, pode ser que eles o tenham desmantelado e usado a madeira como lenha. Não há como saber.

— Não temos outra opção — disse eu.

— É melhor esperarmos até que o doutor saia do forte — advertiu Montgomery. — Talvez da próxima vez que ele levar Puck consigo em seus afazeres.

— Como saberemos que as criaturas não vão tentar nos matar? — perguntei.

Montgomery cruzou os braços outra vez, observando a selva pela janela. — Vamos esperar que eles sejam mais leais a mim do que ao doutor.

Não consegui dormir naquela noite. Meus sonhos insistiam em reproduzir a sensação do beijo com Montgomery. Seus braços ao meu redor no estábulo, puxando-me para ele, suas mãos deslizando entre os meus cabelos. O sonho se transformava e eu me via com Edward, sentindo seu abraço atrás da cachoeira, e, por fim, acordei, agitada. Ainda era muito cedo, mas a ilha já estava bem quente. Sentei-me, e meu pé esbarrou na caixa de madeira onde eu guardava minha medicação. Havia tomado a última dose que restava no dia anterior, e não dissera nada a ninguém. Se eu não tomasse a dose daquele dia, começaria a apresentar os sintomas.

Empurrei a caixa, que ainda estava trancada, para debaixo da cama. Não importava o quanto Montgomery tentasse me convencer de que o tratamento que eu recebia era diferente do que ele aplicava nos ilhéus. Eu precisava colocar minha teoria à prova.

Fui até o salão assim que o dia amanheceu. O tique-taque do relógio na cornija contava os segundos em meio àquele silêncio opressivo do início da manhã. Sonhos preocupantes. Pai louco. Assassino à solta. Alice morta.

Montgomery entrou, e ficou tão surpreso ao me ver quanto eu ao vê-lo.

— Não consegui dormir — disse-lhe. — O calor está insuportável — completei, sem mencionar os sonhos.

Se ele percebeu que eu estava nervosa, não disse nada.

— Não posso dizer que me incomoda passar algum tempo a sós com você antes que o mundo acorde.

Senti um frio na espinha, e percebi que, de repente, o ar me faltava. Ele tomou meu pulso delicadamente. Beijou a pele suave e sensível, e deslizou o dedo pelo meu braço. "É disso que as pessoas tanto falam", pensei, "quando dizem que podem morrer de tanto prazer". Eu me entregaria à morte sem nenhuma reserva se, em troca, pudesse sentir os lábios de Montgomery tocando a minha pele outra vez. Mas ele afastou a mão e não voltou a me tocar.

Meus olhos se abriram.

— Você não tomou seu tratamento hoje — murmurou ele.

Engoli em seco, surpresa, desejando sentir seu toque outra vez. — Como você sabe?

— Porque o seu medicamento acabou. Estou controlando o seu estoque — disse ele, tocando a minha testa com a palma da mão. — E você está ardendo em febre.

Talvez o calor que eu estivesse sentindo não fosse causado por pensar em Montgomery e Edward, afinal de contas. Virei a cabeça e me afastei do toque dele. — Não tem importância. Eu vou me afogar no mar, ou meu coração será arrancado do meu peito antes que eu fique doente.

Mas ele balançou a cabeça negativamente, com os olhos fixos nos meus. — Você está fazendo isso de propósito. Você quer ver o que acontecerá se não tomar o medicamento. Você acha que vai se transformar em algo parecido com eles.

Uma gota de suor escorreu pela minha têmpora.

— É um experimento — respondi. — Você, como homem da ciência, deveria saber disso.

— Eu já lhe disse. Você não é como eles.

— É isso que o meu experimento irá provar, então.

O corpo de Montgomery se enrijeceu, e os músculos dos seus bíceps se retesaram. Ele estava tão perto de mim que tudo o que tinha que fazer era abaixar a cabeça para me beijar.

— Você vai entrar em coma e acabará morrendo se deixar de tomar as injeções por muito tempo.

— Quando isso acontecer, nós saberemos com certeza — retruquei.

Ele suspirou. Aqueles olhos azuis inescrutáveis me engoliam, devassando todas as minhas defesas.

— Juliet...

Meu rosto ardia. Tudo em que eu conseguia pensar era em seus lábios sobre meu corpo pulsante. Pisquei, tentando recuperar a razão. Seria mais fácil discutir com Montgomery se ele não fosse tão atraente.

— Se você me beijar agora, eu lhe darei um tapa — disse-lhe. Mas minha ameaça não era mais do que um murmúrio. O calor que emanava do seu corpo fazia minha pele ferver.

Ele sorriu. — Vou propor um acordo. Você disse a Edward e a mim que esperássemos até alcançar Londres antes de acertarmos nossas diferenças. Bem, você fará o mesmo. Quando estivermos em Londres, com assistência médica adequada, você pode brincar de fazer experimentos em si mesma, se quiser.

O relógio na cornija marcava cada um dos longos segundos. Ele estava certo, é claro. Qualquer coisa que o experimento provasse, não me traria nenhum benefício se ainda estivéssemos presos na ilha.

Cruzei os braços. — Sabe, eu suspeito que você e Edward poderiam ser amigos, se não fosse por este lugar.

Os olhos de Montgomery faiscavam. — Não é a ilha que impede que sejamos amigos.

Meu coração roubou as palavras que eu usaria para responder.

Ele tomou a minha mão, beijando a parte posterior dos dedos gentilmente, enviando labaredas por todo o meu braço. — Produzi um novo estoque do seu tratamento. Está no laboratório.

— Mas o meu pai...

— Ele saiu antes do amanhecer. Vai ficar fora por várias horas.

Mesmo sem a presença constante do meu pai, o laboratório ainda me causava arrepios. Eu ouvia os animais enjaulados ao fundo andando de um lado para o outro, com a respiração pesada e os olhos que observavam tudo entre as sombras. Era a primeira vez que eu entrava ali e ainda conseguia sentir as lembranças daquela cirurgia profana. Lá estava a mesa de madeira onde a criatura se debatia; agora, a superfície estava fria e os vestígios dos pecados tinham sido apagados. Havia também a cera endurecida no chão que pingava das velas que agora estavam apagadas.

Montgomery acendeu um lampião naquele laboratório sem janelas. Dezenas de potes de vidro contendo vários tipos de amostras refletiam a chama. Eu as olhei enquanto passávamos. Corações de animais. Fetos. Um órgão que não consegui identificar. Cheguei mais perto. Aquela massa de tecido dentro da água se moveu repentinamente. Chegou a nadar pelo vidro, agitando-se com violência.

— Em nome de Deus, o que é isso? — perguntei. A boca sem dentes daquela coisa se abriu como a de um peixe à beira da morte.

Montgomery me levou para trás da escrivaninha do meu pai, com suas pilhas metodicamente organizadas de documentos cheirando a nanquim e alguns odores sutis de produtos químicos. As paredes de metal transformavam o laboratório em um forno, mas o lugar era tão escuro e silencioso que deveria ter sido construído sob a terra, em algum lugar frio, algum lugar esquecido.

Montgomery destrancou um dos armários que cobriam a parede dos fundos. — Você não vai querer saber.

Ele pegou sua maleta de médico e uma caixa de madeira entalhada. Em seguida, colocou-as sobre a mesa e indicou a mesa de operação com um movimento de cabeça. — Sente-se. Só vai levar um minuto.

Ele tirou uma seringa reluzente de vidro e um frasco grande de dentro da maleta. Fui até a mesa com passos hesitantes. Uma bandeja cheia de instrumentos cirúrgicos imaculados de aço estava sobre ela. As algemas de couro estavam presas à mesa por correntes tão grossas quanto o meu punho.

Montgomery ergueu o frasco e observou-o contra a luz. Turvo. Uma coloração amarelada.

— É um composto levemente diferente — disse ele. — Não temos vacas inalteradas das quais possamos tirar o extrato pancreático. Tive que fazer algumas adaptações, mas acho que irá funcionar. Se você sentir algo estranho, diga-me.

— Sim, doutor — falei, tentando brincar com a situação. Mas as paredes angulosas do laboratório engoliam o som. Coloquei os braços em volta de mim mesma. Fazia frio na sala, ou aquilo era um sintoma da minha febre. De qualquer maneira, minha pele estava arrepiada.

Montgomery preparou a seringa e veio até a mesa.

— Quer aplicar ou prefere que eu o faça?

Meu corpo estremecia por inteiro. A chance de não conseguir atingir uma veia e perfurar o braço eram grandes. Imaginei por alguns momentos o que ele havia usado para substituir o pâncreas de vaca.

"Você não vai querer saber", disse a mim mesma.

— Aplique você — pedi.

— Mostre o braço.

Eu o estendi. Meus dedos tremiam tanto quanto a chama do lampião. Montgomery colocou a agulha sobre a mesa e tomou minha mão nas suas. Ele as esfregou, deixando que a fricção me aquecesse. O calor se espalhou pelo meu corpo, chegando até o meu coração, braços e pernas, a cada veia que pulsava no meu corpo.

— Você vai se sentir melhor logo — disse ele. Sua voz era suave como uma carícia. Alice tinha razão. Ele era um médico excepcional, mesmo que seu maior talento fosse a maneira como acalmava seus pacientes. Os vidros com espécimes, as algemas, o som dos animais enjaulados que andavam de um lado para o outro, tudo aquilo parecia ficar em segundo plano.

Ele pegou a seringa. Fiquei enjoada.

— Está pronta?

Assenti. A ponta fria de metal pressionou a pele fina na parte interna do meu cotovelo. Prendi a respiração. Ele deslizou a agulha para debaixo da pele, e eu inspirei com força. Meus olhos se fecharam. Apesar da pouca luz, ele encontrou uma veia imediatamente. E, em seguida, uma pressão dolorida encheu o meu braço conforme ele injetava o líquido. Era algo que eu fazia todos os dias. A rotina me era familiar. Mas aquilo não era — aquela dor lenta e latejante, mesclada com o prazer eletrizante da proximidade...

Meus lábios se entreabriram. O novo preparado correu pelas minhas veias, deixando-me um pouco tonta. Agarrei a beira da mesa com tanta força que os instrumentos cirúrgicos se agitaram dentro da bandeja. Meus olhos se fixaram em uma mecha de cabelo que pendia sobre o rosto dele, perto da linha do queixo.

— Está sentindo alguma coisa estranha?

Senti que a minha garganta se fechava. Eu estava sentindo alguma coisa, mas não era devido ao novo medicamento. Tinha a ver com a maneira como a luz se refletia em seu rosto. Com a mão de Montgomery segurando meu antebraço, verificando a minha pulsação.

— Seu colarinho está sujo de terra — afirmei. Minha voz estava rouca.

Um dos cantos da sua boca se repuxou em um sorriso atraente. — Isso é normal.

Tirei a sujeira, esfregando-a com meu polegar e o indicador. Sua cabeça se virou instintivamente na direção da minha mão, os lábios roçando a parte interna do meu braço. Gemi com a sensação. Como era possível que um simples toque eletrizasse cada centímetro do meu corpo?

Ele pressionou os lábios contra a minha mão, meus dedos, em cada uma das pontas, afogando-me com milhares de ondas de prazer. Murmurou o meu nome. Aquele som em seus lábios, tão desejoso, me estrangulava com toda a paixão.

Agarrei sua gola, trazendo seus lábios ao encontro dos meus. Sem saber se era certo ou errado, hoje ou amanhã. Ele não precisava de nenhum estímulo. Correspondeu ao meu beijo com tanta força que a mesa de cirurgia tremeu. A bandeja de instrumentos cirúrgicos caiu no chão. Mal percebi. Ele me abraçou pela cintura e me acomodou sobre a mesa, inclinando-se contra mim, o peito arfando rapidamente como uma maré tempestuosa. Meus dedos trêmulos esbarraram em uma das algemas, acidentalmente, empurrando-a para fora da mesa. Ela bateu no chão com um chacoalhar de correntes.

— Juliet — sussurrou ele. Sua mão agarrava meus cabelos e seus lábios estavam a poucos centímetros do meu rosto, mas ele não me beijou; torturava-me com o espaço que havia entre nós. — Você não deveria se envolver comigo. Sou culpado por muitos crimes.

Minhas unhas se cravaram em seus ombros. Encostei minha testa na curva do seu pescoço. Inspirei seu aroma. Havia muito que eu queria dizer. Ele pensava que era culpado, quando nem mesmo sabia o que era a culpa. Ele havia cometido erros, mas nunca conseguiria ser cruel. Não como o meu pai.

Não como eu.

— Eu não a mereço — sussurrou.

— Deixe essa decisão para mim — disse eu. Meus lábios roçaram contra o contorno do seu queixo, sentindo o seu sabor, afogando-me nele.

A porta do laboratório se abriu com um ruído forte. O som inesperado fez com que eu me esquivasse, quase por instinto. As dobradiças rangeram e a luz do sol, brilhando entre as copas das árvores, preencheu o lugar quando a porta se abriu totalmente.

Montgomery me apertou a cintura com mais força. Eu poderia ter descido da mesa, poderia agir como se estivesse lá para tomar a injeção, mas isso não faria diferença. Meu pai já tinha visto tudo que precisava ver.

Ele entrou e fechou a porta atrás de si.

Capítulo 37

Meu pai se aproximou lentamente, e o som dos seus passos ecoava no laboratório silencioso. De repente, aquele lugar voltou a parecer ameaçador. Tudo ali era metal afiado, vidro, diagramas mostrando coisas horríveis. Os dedos de Montgomery se enroscavam nas dobras da minha saia.

— Não posso dizer que esteja surpreso — declarou meu pai. Seus olhos negros brilhavam como os frascos com espécimes. — Igual a um cão. Você diz ao cão para não fazer alguma coisa, e ele faz exatamente o contrário.

Agarrei a borda da mesa, tão furiosa que poderia parti-la em duas.

— Eu o avisei, Montgomery — disse meu pai, friamente.

Montgomery não respondeu. Sua mão torceu a minha saia com mais força.

— Ele não lhe pertence para ter que seguir cegamente as suas ordens — esbravejei. Montgomery me olhou, advertindo-me silenciosamente, mas eu o ignorei. — Você o tratou como a um escravo.

— Eu o tratei como a um filho.

— Você o usou. Ele era somente um menino quando o forçou a vir para cá.

Os olhos do meu pai queimavam como carvão em brasa. Ele andou até a parede com os armários, observando-me como se eu fosse um dos espécimes guardados nos frascos.

— Fique fora disso, Juliet. Não tem nada a ver com você.

— Fui eu quem tomou a iniciativa do beijo.

— Você é mulher. Não consegue se controlar.

— Vou lhe mostrar o que eu consigo fazer!

Saltei da mesa, tentando acertá-lo com o punho. Ele se esquivou facilmente e golpeou a lateral da minha cabeça com o cotovelo, na altura da minha orelha. Montgomery se moveu como um relâmpago, empurrando meu pai contra os armários. Uma das prateleiras se partiu, e os cacos de vidro choveram sobre o chão. Gritei e cobri a cabeça. Em meio àquele caos, meu pai tirou uma pistola de dentro do casaco. Ele apontou a arma para o peito de Montgomery, mas este continuou avançando.

Ele ia levar um tiro por minha causa.

— Pare! — gritei.

Ele ficou imóvel. Sua respiração estava tão acelerada quanto a minha. Meu pai enxugava a boca no punho da camisa. O tecido ficou manchado de sangue. Ele brandiu a pistola para Montgomery.

— Vá para aquele lado — disse ele, com a voz assustadoramente calma. — Contra a parede.

Devagar, Montgomery se afastou. Quando ele estava longe o bastante, impossibilitado de atacar, meu pai agarrou meu pulso e me arrastou para a mesa de cirurgia. — Você provou a minha teoria — disse ele. — Sabe como controlam uma mulher histérica nos hospícios?

— Solte-me! — gritei. Joguei meu ombro contra ele, mas meu pai, apesar de magro, era muito firme, e eu ainda estava enfraquecida pela febre.

Ele forçou a boca do cano da pistola contra a minha nuca. — Eles a prendem em algum lugar antes que ela possa se machucar — explicou ele. Com a outra mão, manipulou a fivela da algema mais próxima, prendendo o meu pulso e apertando a fivela com tanta força que o metal quase me cortava a pele. Ouvi um estalido, indicando que alguma coisa metálica havia se encaixado em seu lugar. Uma tranca.

— Voltarei mais tarde para lidar com você — disse ele. Tentei avançar sobre meu pai, mas a algema me mantinha presa à mesa.

— Não a deixe aqui sozinha — pediu Montgomery. — As bestas conseguiram entrar aqui uma vez. Se voltarem, ela não conseguirá escapar.

Meu pai agarrou a gola da camisa de Montgomery e pressionou a pistola contra sua têmpora.

— Eu já lhe disse — explicou meu pai, com um leve tremor de fúria na voz, conforme arrastava Montgomery pelo piso frio. — Eles são inofensivos.

Louco. Ele estava louco.

— Solte-o! — berrei. Puxei a algema com força, contudo não consegui me libertar.

Eles desapareceram pelo retângulo que deixava entrar a luz do sol da manhã.

Se estava louco o bastante para achar que as criaturas eram inofensivas, ele estaria louco o bastante para levar Montgomery para fora do laboratório e matá-lo ali mesmo. Torci meu pulso. Arranhei a algema. Ela resistiu. Estudei o mecanismo e encontrei uma pequena abertura negra do lado, onde uma chave poderia ser inserida.

Talvez eu pudesse abrir aquela tranca. Se eu tivesse... sim, os instrumentos cirúrgicos. Ajoelhei-me no chão e estendi o braço até onde a corrente me permitia ir. Bisturis, fórceps, agulhas... tudo estava espalhado pelo chão, fora do meu alcance. Tentei alcançá-los com os dedos dos pés, mas ainda faltavam alguns centímetros para alcançá-los.

— Diabos! — gritei. Puxei a algema com violência. A corrente retiniu; era o som do meu aprisionamento.

Arrastei-me até a escrivaninha. As pontas dos meus dedos conseguiram tocar no puxador de latão da gaveta. Praguejei e puxei a corrente. Estava retorcida. Pus-me em pé e girei o braço, virando a corrente na outra direção. Uma corrente reta não me daria mais do que alguns centímetros, mas era tudo de que eu precisava.

Voltei a estender a mão para alcançar a gaveta, e consegui colocar o dedo médio atrás do puxador. Eu a abri, esperando encontrar um abridor de cartas ou uma caneta. Senti um peso no estômago. Pastas, dezenas de pastas, etiquetadas e empilhadas de forma meticulosa, até praticamente não sobrar mais espaço na gaveta. O laboratório tinha inúmeros objetos afiados, e tudo o que consegui alcançar foi um armário cheio de papéis inúteis.

Bati nas pastas com o punho. Àquela altura, Montgomery já poderia estar com uma bala metida na cabeça. Talvez meu pai voltasse para me matar também. Por outro lado, havia coisas na ilha piores que a morte.

O suor na minha mão fez com que a tinta em uma das pastas borrasse. Esfreguei a mão na minha saia e olhei para a palavra.

"Balthazar."

Puxei a pasta. Dentro dela havia páginas cheias de anotações, feitas com uma caligrafia metódica e controlada. Desenhos. Diagramas médicos. Notas sobre o comportamento, a origem do urso e do cachorro usados em sua criação. Registros meticulosos sobre o procedimento exato que meu pai executara havia cinco anos.

Li tudo aquilo rapidamente. "Cinco dedos nas mãos", dizia o documento. "Aparência aceitável. Ainda não consegui reproduzir o procedimento de Ajax. Apto para serviços de casa".

Joguei a pasta no chão e comecei a examinar as outras.

"Cymbeline."

"Othello."

"Iago."

"Ophelia."

Percebi que todos os nomes foram tirados de peças de Shakespeare. Era assim que ele batizava suas criações. Devia haver cerca de cem pastas, cada uma delas com anotações cuidadosas e medidas, como se os ilhéus fossem somente experimentos documentados em vez de criaturas capazes de respirar, pensar e matar.

Meu dedo tocou um nome familiar.

"Juliet."

Por um momento, o tempo se desfez em uma espécie de vácuo escuro. Meus lábios formaram aquela palavra, o meu nome — "Juliet, Juliet, Juliet" —, várias e várias vezes, repetindo-o até começar a fazer sentido. Mas o sentido nunca se formou. Como seria possível? Minha mão retirou a pasta do meio das outras, no entanto era como se a mão de outra pessoa colocasse a pasta no chão frio, abrindo-a, folheando as poucas páginas marcadas com a caligrafia inconfundível do meu pai.

E então o tempo pareceu se fragmentar outra vez, e eu estava de volta ao meu próprio corpo, totalmente ciente dos meus dedos suados tocando o papel, a aspereza do chão agredindo minhas pernas; tudo enquanto meus olhos liam e reliam aquelas palavras.

As páginas tinham uma data — julho de 1879, um mês após o meu nascimento. As anotações eram mais breves e desarticuladas do que aquelas sobre Balthazar e os outros. Até o papel era diferente; aquelas páginas pareciam ter sido arrancadas de um velho diário de pesquisa. Provavelmente, eram de um tempo mais remoto, antes que meu pai desenvolvesse um sistema para catalogar suas criações. Havia apenas algumas notas rabiscadas descrevendo a cirurgia que ele executara quando eu era bebê. A pasta não dizia muita coisa, infelizmente, e não provava nada — até que cheguei a um punhado de palavras em latim que não reconhecia. Com exceção de uma.

Cervidae.

Cervo.

Era tudo o que eu precisava ver. O tato parecia ter se esvaído dos meus dedos, e eu larguei as páginas e as vi flutuarem em direção ao chão. Toquei meu rosto e meu cabelo, mas toda a sensibilidade havia desaparecido — era como tocar uma pele que não era a minha. E talvez não fosse. Talvez pertencesse a um animal, um cervo. Aquele corpo — minhas pálpebras, os dedos dos pés, a curvatura da minha cintura — era uma mentira. Uma mentira tão convincente que eu mesma me deixara enganar por ela.

Recostei-me contra a mesa de cirurgia, com os olhos fechados, os braços apertados ao redor do corpo. Tentando enxergar dentro de mim mesma, tentando sentir se aquilo era verdade. O lampião se apagou em algum momento, porque quando abri os olhos eu estava sozinha na escuridão. Horas ou minutos poderiam ter se passado. Não importava.

A porta de metal do laboratório se abriu lentamente, e protegi os olhos da luz brilhante do sol. As páginas do meu arquivo estavam espalhadas aos meus pés. Meus olhos se ajustaram aos poucos. Meu pai entrou com as mãos às costas, como um verdadeiro cavalheiro. Seu rosto estava tão calmo quanto o mar em uma tarde ensolarada. As sensações voltaram ao meu corpo entorpecido. Meus punhos se fecharam devagar. A fúria borbulhava em meu sangue, me dando força quase suficiente para arrancar a algema da mesa.

— Onde ele está? — perguntei.

— Montgomery nunca poderia ser uma das suas preocupações. Pessoas como ele são inferiores a você. A mãe dele era uma prostituta, e Evelyn permitia que ela lavasse nossa louça apenas para satisfazer sua caridade cristã.

— Ele é mais inteligente do que você — retruquei, espumando de raiva. — Ele o superou em seu próprio trabalho.

Ele levantou uma mão para me bater, mas seus olhos perceberam os papéis que cobriam o chão. Meu pai trouxe a pasta para mais perto de si com a sola da bota. — E o que é isso?

— Eu encontrei seus arquivos — falei. Minhas palavras pareciam estar muito distantes. — Eu sei.

— E o que você sabe exatamente?

Indiquei a gaveta aberta com o queixo.

— Sei que sou um deles. Um animal que você torturou e ensinou a falar, como uma atração em um circo de horrores.

A corrente retiniu conforme eu me aproximava dele, o mais perto possível, desejando poder avançar sobre ele. — E agradeço a Deus por isso. Eu prefiro ser um animal a ter o seu sangue maldito correndo nas minhas veias.

Ele ergueu as sobrancelhas. Em seguida, pegou a pasta e organizou os papéis cuidadosamente sobre a escrivaninha.

— Você tem uma imaginação muito poderosa.

— Não minta para mim — esbravejei, agitando a corrente. — Vi uma pasta com o meu nome, assim como os outros.

Ele virava as páginas, distraído. — E o que você encontrou aqui precisamente? Diagramas de coelhos? Anotações sobre como transformei uma ovelha em uma garota e lhe dei o nome de Juliet? Engraçado, não estou vendo nada disso.

Meus dedos coçavam, desejosos de poder arrancar aquele sorriso torto do rosto dele com as próprias unhas. — Você me deu o nome de uma personagem de um de seus livros, assim como fez com os outros. Você enfia uma agulha na minha veia, como faz com eles. Está escrito bem aqui — apontei um dedo tenso para a primeira página.

Ele seguiu o meu dedo e tocou a palavra. *Cervidae.*

— Você está enganada — disse ele. — Eu não lhe dou o mesmo tratamento que dou a eles. Dou a eles o mesmo tratamento que dou a você — explicou meu pai, fechando a pasta. — Você foi a primeira.

Capítulo 38

Uma chuva negra encheu o meu campo de visão, causando-me tontura.

Meu pai prosseguiu. — Não é precisamente o mesmo tratamento que o deles, mas o composto básico é o mesmo.

Seus dedos se estenderam, agitando-se, como se ele sentisse falta do toque familiar do bisturi.

— Veja bem, quando você nasceu, sim, nasceu, a sua coluna vertebral era deformada. Os médicos disseram que você morreria dentro de alguns dias, mas sua mãe se recusava a acreditar naquele prognóstico. Ela implorou para que eu consertasse você. Qualquer que fosse o preço.

Ele se apoiou na escrivaninha, com os olhos se abrindo cada vez mais conforme revivia lembranças antigas. — E eu a consertei. Está tudo aqui, registrado na sua pasta. Mas a cirurgia não foi convencional. Quando terminei, você já não tinha vários órgãos essenciais — disse ele, tocando o queixo com a mão. — O departamento médico sempre manteve alguns espécimes vivos à mão, para as aulas de zoologia. Havia um cervo, e... bem, ele serviu ao seu propósito.

Meus dedos examinaram a minha caixa torácica, a linha tensa do meu diafragma, tentando sentir alguma coisa anormal que pudesse confirmar aquelas alegações loucas. Mas, mesmo que fosse verdade, como eu poderia ter certeza? Meu corpo não era diferente do que sempre fora.

— Eles disseram que você morreria, então eu não tinha nada a perder. Fiz o que qualquer pai teria feito. Por sorte, eu também era o melhor cirurgião da Inglaterra.

Levei os dedos até a área macia nas minhas costas, logo acima dos rins, sentindo a parte inferior das minhas costelas. — Você não pode substituir os órgãos de uma pessoa pelos de um cervo. Isso é impossível.

— Tão impossível quanto executar uma vivisseção em um cachorro e um urso para criar um homem. Pelo menos é isso que me dizem. Talvez devessem perguntar a Balthazar — concluiu ele. Seus olhos brilhavam como se eu fosse um animal recém-colocado em sua mesa de cirurgia. — O objetivo das injeções que você recebe é impedir que seu corpo rejeite os tecidos implantados. Se você parar de tomar o soro, seus órgãos vão parar de funcionar. Você não vai regredir como eles. Você morrerá.

— Você é louco — eu disse. Meus olhos se fixaram nas prateleiras, onde uma sombra se esgueirava entre as fileiras de frascos.

— Não percebe? — continuou ele. — É por sua causa que eles existem. Se você não estivesse às portas da morte, se eu não assumisse o risco de utilizar tecido animal para salvar a sua vida, nunca saberia que tudo isto era possível. Eu ainda estaria em Londres ensinando estudantes de medicina ignorantes a dissecar vira-latas.

Fechei os olhos com força. Ainda assim, conseguia sentir a sombra se aproximando.

— Nunca teria cortado aquele primeiro cão se não fosse por você. Nunca teria vindo para esta ilha. Nunca desafiaria

Deus para conquistar o mesmo poder de criação que Ele tem. Você fez com que tudo isto fosse possível, Juliet. Você é responsável por tudo isto.

Umedeci os lábios trêmulos com a língua, sentindo-me zonza. Todos aqueles anos cheios de preocupação, todas aquelas noites insones, imaginando se meu pai havia descoberto algum conhecimento sombrio que o transformara em um monstro. E tudo estava relacionado a mim. A culpa pelos boatos, o escândalo, até mesmo os anos de escravidão que Montgomery passara na ilha de um louco recaíam sobre mim.

A culpa era minha.

O vento empurrou a porta, quase a ponto de fechá-la, diminuindo a iluminação.

— Perceba, então, que você realmente compartilha do meu sangue. Somos mais parecidos do que você imagina.

Cerrei os punhos, praticamente sentindo o sangue peçonhento do meu pai correndo nas minhas veias como uma doença. Aquela era a fonte das minhas inclinações mais sombrias. Ele. Nunca conseguiria escapar daquilo que fluía pelo meu corpo, mesmo que ele estivesse morto.

O som de uma bota esmagando cacos de vidro surgiu do lado dos armários, onde a prateleira havia se quebrado anteriormente. A sombra se aproximou. Meu pai se virou, mas não foi rápido o bastante.

Edward enfiou-lhe uma agulha no pescoço.

Meu pai tentou arranhar-lhe os braços, porém Edward o segurou com uma força surpreendente para um homem do seu tamanho, até que meu pai caiu no chão, inconsciente.

Apoiei-me contra a mesa. Minha respiração, que estava presa, soltou-se lentamente por entre os lábios. Edward procurou pela chave nos bolsos do meu pai.

— Pensei que ele fosse matá-lo — falei, sem fôlego.

Edward encontrou a chave das algemas e as abriu.

— Eu também.

Ele pegou a minha mão, e nós dois corremos para a porta. Passei ao largo do corpo prostrado do meu pai. Talvez eu fosse sua carne e o seu sangue. Talvez eu fosse tão fria quanto ele. Mas não era totalmente insensível.

Eu o odiava.

Saímos correndo do laboratório. Minha cabeça girava com tudo o que eu descobrira, e tudo que consegui fazer foi andar atrás de Edward a passos trôpegos em direção ao portão de madeira.

— Espere. Ele pegou Montgomery — disse eu, ofegante. — Ele tinha uma pistola. Receio que ele possa ter...

— Montgomery está vivo. O doutor o trancou em uma jaula do lado de fora das muralhas.

O alívio se espalhou pelo meu corpo. Ele estava vivo. Ainda podíamos escapar. Edward examinou o chaveiro que retirara do meu pai e balançou a cabeça, frustrado.

— Provavelmente ele guarda a chave do portão em outro lugar. Não podemos sair pelo telhado do estábulo. Eles reforçaram a estrutura.

— Não precisamos de uma chave.

Corri para o estábulo e revirei a caixa de ferramentas na selaria. Minha mão achou um pé de cabra liso e pesado. Edward e eu tivemos que fazer força para conseguir abrir espaços entre as ripas do portão. Finalmente, uma tábua grossa se soltou, e nós passamos por ela, saindo sobre a grama alta abaixo do Cordeiro de Deus e do Leão de Judá.

— Por aqui — indicou Edward. Contornamos o lado norte da muralha, onde a selva era mais densa. O sol da manhã castigou nossos pescoços antes de entrarmos em um túnel de árvores escuras que parecia se fechar à nossa volta enquanto avançávamos, até que começamos a ter que subir em trepadeiras e galhos, abrindo caminho para continuar em frente. A vegetação que nos cercava começou a me causar pânico. Imaginei que as trepadeiras me prendiam, imobilizando-me, esperando que meu pai despertasse e nos encontrasse com os cães. Meu pai ou o monstro.

Afastei uma folha grande e lisa, e meus dedos tocaram algo metálico. Uma barra.

— Aqui! — chamei.

Chegamos a uma clareira abarrotada de trepadeiras que cresciam em todas as direções. Um círculo de jaulas enferrujadas, grandes o bastante para conter um urso ou um tigre, se erguia no chão da selva como uma espécie nova e terrível de arbusto.

Vislumbrei algo se movendo na jaula mais distante. Alguém estava em pé.

Montgomery.

Corri até ele, enfiando os dedos entre as barras enferrujadas. Um hematoma enorme lhe cobria o queixo.

— Você está vivo — disse eu.

Ele envolveu as barras com aquelas mãos poderosas.

— Ele queria me castigar. Ele coloca os nativos aqui quando desobedecem. Prende-os por vários dias, sem comida, água ou sombra. Ele me disse que... diabos, não tem importância.

Ele não precisou terminar a frase. Eu entendia a dor em seus olhos. Montgomery acreditava que ele era como um filho para o meu pai, mas, na verdade, todos eram simples animais para ele.

Edward revistou a jaula enferrujada até encontrar a fechadura, e tentou cada uma das chaves. Meu coração pesava a cada tentativa fracassada. Comecei a andar em volta da jaula, roendo uma unha.

— Como você sabia que essas jaulas estavam aqui? — perguntei.

Edward tentou usar outra chave, inutilmente. — Descobri este lugar quando estava tentando encontrar o caminho de volta para o forte, depois que atirei naquele... — a voz pareceu sumir dos seus lábios ao lembrar-se de ter matado a criatura. A chave seguinte girou com um rangido, afastando aquelas memórias terríveis. A porta da jaula balançou, abrindo suas dobradiças.

Montgomery saiu da jaula, agradecendo Edward com um tapinha no ombro, e me encarou como se quisesse fazer todo tipo de coisa escandalosa comigo. Meu corpo desejava poder tocá-lo, mas eu disse a mim mesma que não havia tempo para aquilo.

— Venham por aqui — disse ele.

Começamos a atravessar a selva, diminuindo a marcha conforme o sol subia. O calor do meio dia era úmido, e o suor não tardou a escorrer por nossas costas. Montgomery nos levou para longe da trilha da carroça, para o caso de alguém estar procurando por nós. Não hesitou um único momento. A selva era tão familiar para ele quanto a casa onde tínhamos passado a infância era para mim.

Ele parou nos limites de um bambuzal, olhando fixamente para a frente. Apertei os olhos, mas tudo o que via eram folhas.

— Que lugar é esse? — perguntei.

— A aldeia. Só mais vinte metros.

— Não ouço nada.

— Eu também não. É por isso que estou preocupado — falou Montgomery, indicando o pé de cabra nas mãos de Edward com um movimento de cabeça. — Se tiver que usar isso, não hesite. Eles não hesitarão.

O rosto de Edward era um mistério. O náufrago enlouquecido pelo tempo que passara nos mares, que não conseguia se lembrar da maneira certa de preparar um tabuleiro de gamão, havia desaparecido lentamente com o passar dos dias, conforme sua parte mais forte e resistente assumia o controle. A parte que sobreviveria a qualquer custo. A ilha o transformara em um assassino. Mas, se fosse forçado a matar outra vez, eu temia que sua alma pudesse se estilhaçar.

— É melhor você ficar aqui, Juliet — disse Montgomery.

— Vá para o inferno.

Montgomery suspirou. — Então, fique por perto. Não faça movimentos bruscos.

Atravessamos o bambuzal a passos lentos em direção à vila. Os telhados das cabanas apareceram lentamente entre as árvores, afundados e quebrados. Não havia nenhum som de marteladas, nenhum cântico ou oração, nenhum sinal de pessoas. O vento soprava o cheiro de madeira queimada direto em nossos rostos.

Montgomery foi o primeiro a entrar no lugar. Ele se esgueirou junto a uma cerca de madeira, com o corpo em estado de alerta. Observei cuidadosamente as ruas empoeiradas. Vazias.

— Onde estão todos? — perguntei.

Montgomery não respondeu, mas, observando a tensão nos seus ombros, eu percebi que ele também não sabia.

Quanto mais nós avançávamos, mais audaciosos ficávamos. As poucas pegadas visíveis nos passadiços enlameados tinham sido feitas havia algum tempo e estavam ressecadas. Montgomery enfiou a cabeça em uma das cabanas. Estava vazia.

— Todos foram embora — concluiu ele.

— E foram para onde? — indagou Edward.

Montgomery deu de ombros. — Esta ilha é grande.

Mas seus olhos não demonstravam a mesma segurança. Os ilhéus haviam perdido sua humanidade agora. Poderiam estar em qualquer lugar: nas árvores, em meio aos capinzais, observando-nos como animais. Ele apontou para uma estrutura de pedras atrás da praça principal.

— Lá está a igreja. Vamos pegar o barco.

Atravessamos a praça correndo. A aldeia se transformara em uma cidade-fantasma, embora poucos dias antes estivesse cheia de criaturas semienlouquecidas que cheiravam mal, rosnavam e andavam sobre as mãos e os joelhos. Onde estava a mulher-píton? Cymbeline? César?

Montgomery enfiou a cabeça em cada uma das cabanas. Depois de cada uma, sua expressão ficava mais grave. Mas ele não disse nada.

A cruz de madeira fora arrancada da frente da igreja. Montgomery tocou o lugar vazio onde a cruz se erguia, e depois nos levou ao redor da estrutura até um terraço de pedra nos fundos da construção. Ele ficou paralisado. Quando Edward e eu o alcançamos, entendi o motivo.

A cabana onde o escaler ficava guardado tinha desaparecido. Fora incendiada. Se houvera um barco ali, agora não restava nada além de cinzas.

— Ah, não — exclamei. — Não pode ser. Não agora.

Meus pés afundaram na terra macia em frente à porta aberta da igreja. Sem um barco, teríamos que esperar pelo próximo navio de carga, que poderia levar um ano ou mais para chegar. Nunca conseguiríamos sobreviver por tanto tempo. Quando dei um passo à frente, com a cabeça girando, uma mão com dedos esguios surgiu de dentro da igreja e se fechou em volta do meu braço.

Gritei. Com uma força incrível, a mão me puxou para dentro da igreja, onde os raios coloridos do sol iluminavam as paredes através dos poucos vitrais que permaneciam intactos. A profusão repentina de azul, vermelho e amarelo fez com que eu me esquecesse de onde estava, até que Edward entrou rapidamente atrás de mim, brandindo o pé de cabra como se fosse um porrete. Montgomery estava logo atrás dele.

— Não faça isso! — gritou ele. — É César!

Os batimentos acelerados do meu coração se acalmaram. Aquela criatura enorme e bestial, que agora estava atarracada, com os ombros encurvados e o resto dos chifres quebrados na cabeça, era algo muito distante do sacerdote de ar majestoso e chifres altivos que víramos outrora. Eu mal o reconheci. Os lábios de cavalo estavam abertos na parte inferior de um rosto alongado. Mesmo que ainda tivesse sua língua, duvido que conseguisse falar. Já havia regredido demais.

Ele me soltou e atravessou a nave da igreja, movendo-se sobre quatro patas trêmulas, com seus pés curvados e endurecidos como cascos. O som dos seus pés deslizando pelo chão ecoava na igreja. Montgomery se agachou ao seu lado, sem nenhum receio.

— Para onde foram todos? — perguntou ele, gentilmente.

César movia a cabeça para cima e para baixo mecanicamente, com o resto dos chifres raspando a parede de pedra. Seus olhos tinham uma expressão perdida.

— Precisamos do barco — disse Montgomery. — Eles o queimaram?

A cabeça de César virou com um movimento rápido, os olhos fixos na cabana queimada atrás da igreja. Em seguida, ele começou a mover a cabeça para cima e para baixo cada vez mais rápido, agitando-se. Ele saltou, balançando as patas dianteiras pelo interior da igreja. Seus dedos endurecidos e retorcidos pousaram na borda de uma vasilha, que ele jogou no chão. Ela se estilhaçou, espalhando água suja e fragmentos de cerâmica por todo o piso.

Com o casco, César empurrou um pedaço arredondado de cerâmica pelo chão úmido, depois arrastou um pedaço de madeira chamuscada. Ele moveu o pedaço de madeira para mais perto e, em seguida, olhou para Montgomery.

— O que ele está fazendo? — perguntei.

Montgomery se levantou com um salto. — Ele está nos dizendo onde o barco está.

Quando chegamos ao litoral, o sol do meio-dia já havia nos coberto com uma grossa camada de suor. Montgomery nos conduziu até os limites escuros de um manguezal. Árvores finas e retorcidas cresciam em meio à água das marés, erguendo-se como enormes esqueletos. O chão sob meus pés era esponjoso. Ouvi um estalo. Parei de andar. Outro estalo.

— São as árvores — disse Montgomery. — Elas filtram o sal da água, e isso faz com que as raízes se contraiam e se expandam.

Apertei os braços em volta do corpo. O som dos estalos ecoava entre árvores fantasmagóricas, como se estivessem contando uma história.

— Ele costumava deixar o barco a remo amarrado aqui às vezes. O manguezal o protege das tempestades. Acho que ele o levou para outro lugar quando as regressões começaram — disse Montgomery, andando pela água, avançando entre as árvores. A lama puxava seus pés para baixo. Não demorou muito para que a água o cobrisse até a cintura, e ele desapareceu no emaranhado de árvores.

Edward e eu ficamos sozinhos na orla do manguezal, com um silêncio desconfortável entre nós. Desde que matara Antígonus, uma sombra parecia cercar Edward. Ele drogou meu pai sem nenhum pudor. A ilha estava corrompendo seu coração lentamente, assim como a tudo. Tínhamos que ir embora antes que ela nos transformasse em coisas que não éramos.

"Vamos sair desta ilha", disse a mim mesma. "Depois, consertaremos o estrago em nossas vidas."

A água ondulava em arcos graciosos que se espalhavam por aquele pequeno braço de mar, tocando os nossos pés. Montgomery retornou após alguns minutos, puxando um barco pintado de azul e branco. As cores alegres contrastavam com o ar sombrio e selvagem da ilha. Ele o arrastou até a areia encharcada da margem.

— Subam. Vamos remá-lo até o atracadouro e amarrá-lo ali. É pesado demais para levarmos por terra.

Edward ajudou a segurar o barco. Levantei a barra da saia e embarquei, tentando manter o equilíbrio. Meu pé escorregou, e a água morna do mar encharcou minha bota. Edward subiu com movimentos consideravelmente mais jeitosos. Montgomery nos arrastou de volta para a água e puxou o barco pelo túnel de árvores até que a água batesse em sua cintura e, por fim, em seus ombros. Até que conseguimos nos afastar das árvores.

Ah, o mar aberto. A liberdade parecia estar muito próxima. Eu queria dizer a Montgomery para continuar em frente, em direção ao mar, e nunca voltar para perto daquela ilha.

Edward me observava atentamente. — Não vamos durar um dia se não conseguirmos nos proteger do sol. E precisamos de água também — disse ele, acabando com as minhas esperanças.

Montgomery se ergueu para entrar no barco, com a água escorrendo pelos seus ombros enormes. Ele esfregou o rosto, pegou um remo e jogou o outro para Edward.

— Vamos navegar perto do litoral — disse ele, apontando para a frente. — A praia fica do outro lado do manguezal.

A maré arrastava o bote para longe da ilha, mas Edward e Montgomery o mantiveram no rumo certo. Visto daquela distância, o manguezal parecia denso e impenetrável. Em todos os poucos instantes eu ouvia as raízes estalando, lembrando-nos de que eram parte viva da ilha.

— É melhor partirmos hoje à noite — disse Montgomery. Seu rosto estava petrificado, o que tornava impossível perceber o que ele sentia. — Edward, guarde o máximo de comida que conseguir nos sacos de lona e encha os cantis. Juliet, procure entre as coisas da sua mãe. Precisaremos de guarda-sóis. Xales. Qualquer coisa que possamos usar para nos proteger do sol. E pegue tudo o que você achar que seja valioso. Talvez tenhamos que pagar pela nossa passagem de volta a Londres.

— Presumindo que encontremos um navio — emendou Edward.

Montgomery estudou o céu. — Ontem foi noite de lua cheia. Talvez os mercadores polinésios ainda estejam no mar. Eles costumam passar a cerca de oito quilômetros da ilha. A maré vai nos levar até uma área logo ao sul da rota de comércio. Teremos que remar alguns graus para o norte para cruzar a rota.

Eu estava começando a me sentir zonza. Minha barriga enjoava como se fosse vomitar bile, já que eu estava com o estômago vazio.

Montgomery colocou uma mão sobre a minha.

— Não se preocupe, eu conheço o caminho. Nós vamos encontrar um navio.

As árvores do manguezal estalaram com mais intensidade. Uma sombra passou acima de nós, causando-me um calafrio repentino. O vento fez a água brilhar, como se algo estivesse nadando logo abaixo da superfície.

Passamos ao largo de uma formação litorânea e vimos o longo atracadouro que se estendia adiante. Voltei a respirar com calma. Logo, toda a praia estava à vista.

"Esta noite", prometi a mim mesma. A sensação era tão irreal quanto um sonho. Eu não me permitia acreditar naquilo, mas meu coração batia aceleradamente.

O remo de Edward bateu contra alguma coisa dura na água. Ele o puxou, mas estava preso. Estávamos longe demais da praia para termos tocado em algo no fundo do oceano.

— O remo ficou preso em alguma coisa.

— Talvez seja um recife de coral — falei. — Ou os restos de um naufrágio.

Olhei para Montgomery, e sua atenção não estava concentrada no remo. Ele estava observando a praia, com o corpo tenso e os olhos estreitados como os de um caçador.

— O que está vendo? — perguntei, sentindo as garras do medo roçarem minhas costas.

Ele balançou a cabeça com um movimento curto.

— Não é nada.

Mas não tirou os olhos da praia. Endireitei-me no bote, agarrando as laterais com força. De repente, sentíamo-nos como um brinquedo que boiava ao sabor das ondas, em meio ao oceano sem fim.

Edward se inclinou sobre a borda, mergulhando os dedos na água para tatear o que quer que estivesse prendendo o remo. O barco se moveu com um solavanco, repentinamente desequilibrado pelos seus movimentos. Agarrei as laterais com mais força, e o pânico fez os dedos do meu pé se encurvarem.

Montgomery inclinou a cabeça, com os olhos ainda fixos na orla da praia.

— Pare com isso, Edward. Tire a mão da água. Agora.

Edward começou a puxar, mas alguma coisa rápida e dura se chocou contra o fundo do barco.

Gritei. O baque súbito me jogou contra o fundo do barco, arranhando meus pulsos nas tábuas ásperas. Montgomery estava se segurando para não cair.

— Edward, tire o seu maldito braço da água! — rosnou ele.

— Não consigo! — disse Edward, com o braço imerso até o ombro na água, fazendo com que o barco se inclinasse em um ângulo perigoso. Seus olhos, com as manchas douradas, estavam focados em mim, indecifráveis.

— Alguma coisa me pegou.

— O que foi? — indaguei, sem ousar me aproximar, com medo de inclinar o barco ainda mais.

Edward apertou os dentes para tentar afastar o pânico.

— Uma mão.

Capítulo 39

Eu estava caindo. Aconteceu em um instante. Vi Edward caindo pela borda do barco, arrastado para as profundezas pela mão malevolente que o segurava. O movimento brusco fez o barco balançar com violência. A água ardia nos meus olhos, orelhas e enchia a minha boca. Tentei gritar, mas não havia ar.

O barco tinha virado. Eu estava debaixo d'água.

Não conseguia nadar. A sensação era muito estranha, como um pânico lento. Esperneei e agitei as mãos, entretanto a água era simplesmente aquilo: água. Não havia nada em que eu pudesse me agarrar. Meus braços e pernas esbarravam em objetos escorregadios, que se moviam. Não sabia se estava tocando Edward, Montgomery ou outra coisa. Alguma coisa passou por mim, uma pessoa ou um animal, com uma ondulação suave, como uma água-viva, mas do tamanho de um homem. Tentáculos escamosos — quase como dedos — se emaranhavam nas minhas pernas, que chutavam. Meu grito era silenciado pela água, resultando apenas em uma erupção de bolhas nas profundezas.

Finalmente, meus dedos agarraram algo sólido. Feito de

madeira. Fui para cima, cuspindo água quando cheguei à tona.

O mundo havia ficado escuro e úmido. Demorei o tempo de algumas golfadas histéricas de ar para perceber que estava sob o bote, que virara de cabeça para baixo. Havia apenas espaço para a minha cabeça.

Agarrei um dos assentos que estavam acima, enchendo os pulmões com ar. Parei de espernear, mas a água continuava agitada. Formas escuras se moviam sob a água, violentamente, maliciosamente.

De repente, uma das formas emergiu até a cabeça surgir na superfície.

Edward.

Resfoleguei, trêmula.

— Aqui — disse eu. — Segure-se no banco. — Ele respirava com força, o peito se movendo para cima e para baixo rapidamente. O sangue de um corte em sua testa, misturado com a água do mar, escorria pelo seu rosto.

— O que aconteceu? — perguntei, sem fôlego. — Onde está Montgomery?

— Não sei — respondeu, esforçando-se para conseguir respirar.

— O que foi que virou o barco?

— Criaturas — tossiu ele. — Criaturas na água. Um tipo diferente de besta.

— Bestas aquáticas. Ah, meu Deus... Montgomery... — minha voz ecoou sombria, com um pânico crescente. — Você o viu? O que aconteceu com ele? Ele deve estar aqui na água.

Edward esfregou os olhos para livrá-los do sal.

— Ele sabe nadar. Tenho certeza de que está a salvo.

Outro tentáculo tentou se enrolar em meu tornozelo, prendendo-se como uma cobra. Esperneei furiosamente, lutando contra o desejo de gritar.

— Você não sabe se isso é verdade! Ele pode estar ferido. Pode estar morto!

A escuridão sob o barco era terrível. Uma quantidade muito pequena de luz solar atravessava as rachaduras do bote, lançando linhas dançantes de luz na água, suficiente apenas para ver o sangue que escorria pelo rosto de Edward.

— Não fique parado aí, Edward! Faça alguma coisa!

— O que você quer que eu faça? — retrucou ele, levantando a voz para alcançar o tom que eu usava. — Não sei nadar. Não sei onde ele está.

— Ele pode ter se afogado!

— Se eu me soltar, vou me afogar também. É isso que você quer? Que eu me afogue tentando encontrá-lo? — vociferou ele. A água salgada e o sangue se misturavam enquanto ele cuspia as palavras contra mim.

— Ele salvou a sua vida, Edward. Não se atreva a insinuar...

— Não finja que isso tem algo a ver comigo! Isso nunca se referiu a mim. Se fosse eu que estivesse perdido na água, você nunca pediria a Montgomery que arriscasse a vida para me encontrar.

Entretanto, antes que eu conseguisse formular uma resposta, ele mergulhou por debaixo da beirada do bote e saiu para o mundo iluminado, além daquele ambiente cavernoso e escuro formado pelo barco virado.

Eu estava sozinha. A água se agitava nas dobras do meu vestido. Minhas pernas pendiam indefesas, como iscas projetando-se para as partes mais frias e profundas do oceano. Montgomery poderia estar lá embaixo, um cadáver afogado, logo abaixo dos meus pés. Edward tinha todo o direito de se sentir magoado, mas será que eu também não tinha o direito de me preocupar com Montgomery? Ele sempre estivera comigo, no fundo do meu coração, guardado como um segredo precioso que teriam que cortar para poder arrancar. E agora podia estar morto.

A preocupação me agitava, tentando tomar forma, tentando encontrar uma voz. Apertei os olhos, querendo gritar.

Soltar aquele terrível nó de emoções que atormentava a minha alma.

Eu o amava.

As palavras vieram a mim como uma onda na rebentação, e eu quase me soltei. A dor feroz na lateral do meu corpo ficou mais suave, transformando-se em um latejar fraco e constante. Eu estava apaixonada por Montgomery. Edward percebera na preocupação que meu rosto demonstrava, e aquilo adicionou mais uma cicatriz à sua coleção.

A água ao redor dos meus pés ficou mais fria. Fechei os olhos e passei por debaixo da borda do barco. Fiquei sob a água apenas por alguns segundos, mas foi o bastante para sentir meus pulmões queimarem. Em seguida, minha cabeça surgiu na superfície, sob a forte luz do sol. Respirei fundo. Edward levou minhas mãos até a beirada de madeira do bote. O mundo estava incrivelmente claro e brilhante. A água do mar castigava os meus olhos. Olhei para todos os lados, tentando enxergar tudo ao mesmo tempo. O manguezal, a praia, o mar.

— Ele é um bom nadador — disse Edward, com uma suavidade relutante na voz. — Deve ter chegado à praia. Desculpe-me por ter gritado.

Tive que piscar os olhos para ter certeza de que ouvira corretamente. O sangue ainda escorria do corte em sua testa, fluindo dali para o mar. Percebi que aquilo atrairia tubarões, junto a qualquer coisa que fosse atraída pelo cheiro do sangue.

— Está tudo bem — resmunguei.

— Vou tentar virar o barco — falou Edward. Ele empurrou uma das beiradas para baixo, e o outro lado surgiu com uma onda que me fez recobrar os sentidos. Eu o ajudei na tentativa de virar o barco, até que este bateu contra as ondas, endireitando-se.

Edward se ergueu e entrou no bote, equilibrando-se cuidadosamente, e me ajudou a subir. O toque das suas mãos frias fez com que minhas entranhas se retorcessem com a sensação de culpa. Tudo em que eu conseguia pensar era em outro homem, e, mesmo assim, Edward ainda estava me ajudando. A água escorria pelo meu rosto e pelas minhas roupas, mas era impossível drenar a sensação de culpa.

Remamos até o ancoradouro com as mãos. O trajeto foi incrivelmente demorado, lento e cheio de preocupações de que, a qualquer momento, alguma coisa pudesse agarrar nossos dedos expostos. A cada segundo que passava Montgomery poderia estar sendo arranhado, cortado, esfaqueado, presumindo que ele não tivesse se afogado. Eu golpeei a água até que a proa do bote colidiu contra a doca. Edward amarrou a corda do barco em um dos pilares e nós desembarcamos. Virei-me no atracadouro, examinando a água, a praia e o emaranhado de árvores.

— Ali — disse eu. Alguma coisa escura na areia atraiu meus olhos. Eu corri pelo ancoradouro, ignorando o ardor nos meus pulmões e a dor nos meus músculos. Meu vestido se agarrava às minhas pernas, diminuindo minha velocidade. Os passos de Edward ecoavam atrás de mim. Meus pés afundaram na areia, e congelei ao perceber que estava seguindo uma trilha de pegadas frescas.

Edward enxugou a água e o sangue do rosto, respirando com força. — O que foi?

A areia à nossa frente era grossa e estava remexida. Uma trilha de pegadas ia desde a orla até a selva. A cada metro e meio havia uma mancha escura. Sangue.

Pressionei a mão contra uma das pegadas.

Ainda estava úmida.

Aquilo fazia com que fosse ainda mais fácil contar o número anormal de dedos. Aquela pegada anormalmente grande só poderia pertencer a um monstro. O sol castigava, queimando nossa pele ressecada pelo sal.

— Veja, há um conjunto de pegadas menores — disse Edward.

Encontrei as pegadas que ele estava examinando, feitas por botas menores, do tamanho do pé de um homem. Percebi que os respingos de sangue eram mais grossos ao redor dessas pegadas.

O pânico voltou a tomar conta de mim.

— Ele está sangrando.

— Isso quer dizer que ele está vivo. E está andando. Pelo menos não estava sendo arrastado.

Um grito estranho surgiu do oceano, atrás de nós: o rosnado gutural de uma foca, contudo mais estridente. O mar, no entanto, parecia estar bastante calmo. Estremeci.

— As pegadas terminam na selva — disse Edward. — Acho que não poderemos seguir seus rastros para além das árvores.

— Nós, não — retruquei. — Mas meu pai pode.

Corremos a toda a velocidade pela trilha esburacada da carroça, com os pés doendo, vendo a selva passar pelos nossos olhos como um borrão.

O portão da muralha estava aberto. Estavam esperando por nós.

Diminuímos o ritmo para um passo de caminhada. Meu corpo estava exausto. Meu vestido se prendia à pele — quente, manchado pelo sal do mar e úmido de suor. O rosto de Edward queimava com o sol e a exaustão. A estrada que levava da praia até o complexo era dolorosamente longa. Com cada passo ficando mais difícil, meu pânico se transformava em fúria.

Os animais levaram Montgomery. Meu pai tinha que nos ajudar a recuperá-lo. Ele nos devia isso.

No jardim, encontramos Balthazar ajoelhado, tentando replantar as poucas e delicadas mudas de tomate que conseguira salvar. Meu coração se apertou duramente ao ver aquilo. A vida não podia simplesmente continuar. As cinzas de Alice ainda flutuavam ao sabor do vento. Montgomery estava em algum lugar da ilha que apenas Deus conhecia, e talvez estivesse morto. O monstro estava à espreita, vigiando, esperando.

— Não se incomode com isso, Balthazar — falei em voz baixa. — Não haverá ninguém aqui para comê-los depois que o monstro acabar com todos nós.

— Isso não é verdade — disse Edward.

— É verdade, sim!

As galinhas se afastaram com o meu grito, correndo em todas as direções. — Você sabe que é. E a culpa é do meu pai.

Agarrei a camisa de Balthazar. Meus dedos deixaram manchas de sujeira em seu colarinho. — Onde está ele?

— No laboratório, senhorita.

Senti a mão de Edward sobre o meu ombro. Soltei Balthazar, e ele se afastou como um cão ferido. Ótimo. Ele tinha razão em temer alguém que tinha o sangue dos Moreau. Todos éramos um pouco loucos mesmo.

Esforcei-me para ficar em pé, esfregando a sujeira das minhas palmas. Pensei que a ilha estivesse enlouquecendo Edward, mas talvez não fosse a mente dele que ela tivesse poluído. Em vez disso, imaginei que fosse a minha.

A mão de Edward se retesou.

— Juliet, pense com cuidado. Ele prendeu Montgomery em uma jaula. Por que nos ajudaria a procurar por alguém que ele odeia?

— Meu pai não odeia Montgomery — respondi, afastando-me. — Ele o ama como a um filho.

A tranca do laboratório era igual às outras — enganadoramente simples, um símbolo da arrogância do meu pai. Enfiei os dedos nos orifícios especiais e apertei, enfurecida com toda aquela vaidade. Não havia nenhuma fechadura. Ele se achava indestrutível.

Era um tolo.

Abri a porta com força e o encontrei sentado em sua escrivaninha, observando a jaula do macaco e rabiscando anotações em uma prancheta. Um conjunto de blocos de construção infantis, de acabamento tosco — obra de Montgomery, sem dúvida —, estava empilhado sobre a mesa. Meu pai não levantou os olhos quando me aproximei.

Meus passos ecoaram na parede dos armários. O vidro quebrado fora varrido para fora. A nova dose do meu soro estava guardada ordenadamente em sua caixa, sobre uma mesa encerada ao lado. Não havia nenhum resquício da nossa briga anterior, exceto pela prateleira que fora quebrada. Ele continuava escrevendo, fazendo pausas para observar o macaco brincar com um dos blocos de madeira, e depois fez mais algumas anotações com a caligrafia precisa e meticulosa. Eu esperava que houvesse uma discussão. Esperava até mesmo que ele me estapeasse outra vez. Mas não esperava ser ignorada silenciosamente.

— Pai.

— Estou tentando algo novo — disse ele, sem olhar para mim. — Uma nova técnica. Não envolve cirurgia, mas é um tipo diferente de alteração. Ela muda a constituição em nível celular, sem que seja necessário usar um bisturi. Se funcionar, os desdobramentos podem ser gigantescos.

Continuei avançando pelo laboratório, deixando que minha sombra cobrisse a prancheta.

— Depois de tudo o que aconteceu, você ainda está concentrado no seu trabalho. Não vai me dizer que sou uma filha horrível e desobediente? — disse-lhe, pegando um dos blocos, inspecionando as letras entalhadas cuidadosamente em todos os lados. — Ou vou ter que brincar com os blocos como um macaco para que você preste atenção em mim?

Ele fez outra anotação em sua prancheta.

— Diferente do macaco, você não tem mais nenhum potencial. Portanto, eu me contento em relegar você aos meus outros fracassos.

Bati na mesa com o bloco, derrubando a pilha. O impacto fez a minha pulsação acelerar, deixando-me louca para destruir cada vez mais. Inclinei-me sobre a mesa, e meu cabelo caiu sobre os olhos como o véu de uma cartomante.

— Os seus fracassos vão encontrá-lo e matá-lo. Isso é o que você receberá por tê-los rejeitado.

Ele voltou a colocar os blocos em uma pilha organizada. Sua recusa em se irritar só servia para atiçar a minha fúria.

— Eu lhes dei uma dádiva preciosa. Você realmente acha que eles se levantariam contra seu criador?

— Você lhes deu dor. Eles são animais, e isso é o que sempre foram, não importa quanto você tenha torcido suas patas e suas mentes. Eles vão se vingar.

O macaco bateu com o bloco contra as grades da jaula. Meu pai voltou a se concentrar em suas anotações.

— Mesmo assim, você insiste em se iludir — prossegui. — Você acha que está a salvo porque... por quê? Só por que tem algumas maçanetas especiais nas portas?

Ele bateu a prancheta contra a mesa. O macaco berrou e recuou para o canto da jaula. Mas eu não me fiz de rogada. Sorri. Era isso o que eu queria.

Uma briga.

Mais rápido do que eu seria capaz de reagir, meu pai agarrou meu pulso e segurou minha mão contra a mesa. Meu primeiro instinto foi tentar me desvencilhar, no entanto percebi que ele não estava querendo me bater.

— A nossa mão — disse ele, com o tom de voz constante que usava em suas aulas — é o que mais nos diferencia dos animais, você sabia?

Sua voz era calma, mas percebi uma ondulação, como aquela produzida pelas criaturas bestiais que nadavam sob a superfície do oceano. Senti um arrepio percorrer-me a espinha, uma vértebra de cada vez. Ele contornou cada um dos meus dedos com sua caneta-tinteiro, lentamente, deixando linhas grossas e negras. — Os quatro dedos principais são extensões das falanges primárias de um animal. Nós não precisamos sequer que o Senhor Darwin nos diga isso: é evidente quando comparamos a musculatura de qualquer mamífero, humano ou não.

Ele tamborilou a ponta afiada da caneta contra o meu polegar.

— Mas o polegar opositor... ah, este é o segredo. A falange distal está presa ao pulso por um metacarpo móvel, dando uma propriedade única ao polegar. A habilidade de segurar objetos, sejam eles armas ou ferramentas. Escalar. Construir. Ora, até segurar uma caneta-tinteiro.

As linhas precisas que ele desenhara na minha pele irradiavam desde o pulso até cada um dos ossos no dorso da mão, na base dos dedos. Um diagrama anatômico representado diretamente na minha mão. Dedos eram muito importantes para um cirurgião. Não era de admirar que meu pai fosse obcecado por mão e dedos, chegando mesmo a confiar sua própria segurança a maçanetas especialmente projetadas em vez de trancas.

— Sem o polegar, animais são simplesmente bestas irracionais, incapazes de progredir mentalmente devido à fisiologia limitada. É por essa razão que eles nunca conseguirão entrar no complexo. Estaremos totalmente seguros enquanto eles não tiverem um polegar opositor. E o próximo estágio da evolução não acontecerá nos próximos, digamos, cem mil anos.

Aquelas palavras pareciam muito lógicas. Talvez fosse fácil acreditar no meu pai se eu não soubesse que ele era completamente louco. Ele presumia que as bestas não poderiam entrar pelo telhado ou arrombar o portão, e, mesmo assim, elas haviam conseguido aquelas duas façanhas. Ele simplesmente não queria ouvir a verdade. Montgomery me advertiu: meu pai nunca admitiria seus erros.

Ele continuava a segurar minha mão contra a mesa, e ela começou a tremer. Dobrei os dedos, sem vontade de me envolver naquele monólogo. Sua arrogância o mataria. Talvez matasse a todos nós.

— Eles levaram Montgomery — disse-lhe, tentando fazer soar como um tapa, querendo que ele sentisse tanta dor quanto o resto de nós.

Seus olhos escuros cruzaram com os meus. Ele soltou o meu antebraço. — O quê?

— Eles o arrastaram para a selva. Ele estava sangrando.

Meu pai colocou a caneta sobre a mesa, com os dedos tremendo ligeiramente. Ele olhou ao redor, observando os blocos de madeira e o macaco, como se os estivesse enxergando pela primeira vez. Um lampejo de humanidade atravessou seu rosto, na maneira como ele esfregou a mão sobre o bigode. Ele se levantou.

— Quem o levou?

— Criaturas que estavam na água.

— Diabos!

A força de sua raiva fez com que eu me levantasse de um salto. Dei um passo atrás, sentindo que a loucura dele revolvia-se como uma tempestade. Ele pegou seu casaco de lona da parede e tirou um revólver de um dos armários.

— Isso é culpa sua! — esbravejou, enquanto vestia o casaco. — Foi você que o enfeitiçou! Tudo estava bem antes de você chegar. Eu nunca quis uma menina. Montgomery era um zé-ninguém, mas pelo menos era homem; pelo menos tinha a capacidade de raciocinar, não era como uma mulher histérica. Eu preferia que você tivesse morrido junto com a sua mãe tuberculosa e me deixado em paz!

Pisquei. Eu estava estranhamente tranquila, estranhamente lúcida, mas meu corpo estava tremendo.

— Como você sabe que a minha mãe morreu de tuberculose? O relatório médico dizia apenas que fora uma doença prolongada.

Os olhos do meu pai se estreitaram. Ele girou o tambor do revólver e o encaixou no lugar, carregando as balas em suas câmaras.

— Eu sei porque Montgomery viajou para comprar suprimentos seis meses antes que ela morresse. Ele mandou Balthazar de volta com uma carta, dizendo-me para ir à Inglaterra. Aqueles médicos charlatões não podiam salvá-la, e ele sabia que eu seria capaz.

Uma fúria lenta desabrochou dentro de mim, tomando conta das minhas costelas, esticando meus nervos como cordas de piano.

— Mas você não foi até lá.

— É claro que não. Eu tinha bastante trabalho aqui.

— Mas você poderia ter ido. Poderia tê-la salvado.

Ele agitou a mão.

— Não me ouviu, garota? Eu tinha trabalho a fazer. Esse é o típico raciocínio falho de uma mulher, colocando necessidades mortais acima da pesquisa, que sobreviverá ao tempo — disse ele, endireitando o casaco. — Vou até a aldeia. Se ele não estiver lá, estará esquartejado em algum lugar da selva.

Meu pai saiu do laboratório, deixando-me sozinha.

"Ele está louco", dizia a mim mesma. "Ele não está bem." Mesmo assim, eu não sentia nenhuma piedade. Ele poderia ter salvado minha mãe, e não o fez. Meus dedos se fecharam, cerrando os punhos. Olhei para o macaco, que segurava um dos blocos, e soube que estava prestes a fazer algo terrível.

Talvez eu fosse um pouco louca também.

Capítulo 40

Meu coração batia forte, e não por causa do medo. Com uma energia sombria que serpenteava minha pele, enfiando-se em meu nariz e boca como fumaça. Consumindo-me. Controlando-me.

Coloquei os dedos entre as barras da jaula do macaco. Meu pai disse que não iria operar aquele animal. Tinha uma nova técnica — substituição celular. Pretendia transformar o macaco de dentro para fora. Mas não era possível destruir o espírito do animal. Ele sempre seria um animal.

Sempre sentiria dor.

Meu polegar deslizou para o trinco da jaula, uma versão modificada das maçanetas das portas projetadas por meu pai. O macaco tinha cinco dedos, mas eram pequenos demais para se encaixar no mecanismo especial. A fúria crescia dentro de mim, aumentando e inchando até que eu achei que fosse explodir. Minhas unhas tocaram o metal frio com um estalido. O macaco inclinou a cabeça, observando o que eu fazia.

Abri a porta da jaula com força.

O macaco saiu da jaula com um ímpeto inacreditável, empurrando a porta e fazendo as dobradiças rangerem, um ruído que acelerou a minha pulsação. Ele correu por cima da mesa, esbarrando nos blocos e na prancheta do meu pai, jogando-os ao chão, e saiu pela porta do laboratório bem antes que os papéis pousassem no chão.

Suspirei. Meu corpo se sentia vivo, exigindo mais e mais.

Escancarei a seguir a porta da gaiola do papagaio. O pássaro inclinou a cabeça. Joguei os blocos contra a gaiola, assustando-o para que saísse voando. Em seguida, libertei o porco e o bicho-preguiça, balançando a jaula para apressá-los.

— Saiam! — berrei. Era como se os pedaços e os fragmentos de tecidos animais dentro do meu corpo houvessem tomado conta de mim. — Saiam daqui!

Corri atrás do bicho-preguiça, espantando-o para fora do laboratório. Ele se prendeu a uma pilastra e escalou-a até o teto. Voltei-me para abrir mais jaulas, mas minha mão parou no ar.

Estavam todas vazias. Eu tinha libertado todos os animais. Mas a minha fome de destruição não fora saciada. Ao contrário, havia crescido, querendo libertar mais animais, fazer tudo que fosse possível para garantir que meu pai nunca pudesse continuar com seu trabalho.

Andei até a parede de estantes cheias de frascos de vidro, tremendo, saboreando meus pensamentos secretos. O vidro era algo muito delicado. Eu podia estilhaçá-lo, fazê-lo chover no chão. Meu coração saltou quando pensei naquilo, desejoso de causar mais destruição. A luz do sol refletia nos potes. O espécime vivo — o monstro parecido uma água-viva, com a bocarra aberta — nadava na minha direção dentro da sua jaula de vidro.

Abri um sorriso perverso. Antes que pudesse me conter, eu abri a porta do armário e agarrei o pote com as duas mãos, fazendo força para abrir a tampa. A coisa se contorcia e tentava me morder com voracidade. Segurei o pote contra o peito e despejei seu conteúdo no chão. O líquido pegajoso respingou nos meus pés e se amontoou em uma poça no meio da sala. A coisa ficou presa no gargalo do frasco, e eu o balancei até que se soltasse. Ela caiu no chão com um ruído aquoso.

Pisei no centro daquela coisa inchada com o salto da bota. Senti algo se esmagar. Pisei com mais força até conseguir cortar aquela coisa infernal ao meio.

A loucura tomou conta de mim como um redemoinho. Joguei o frasco no chão com toda a minha força, deixando que se quebrasse em milhares de estilhaços. Peguei outro frasco, dessa vez com um coração acinzentado que flutuava em um líquido cor de sangue. O fluido escorreu pelo gargalo como uma torrente, acumulando-se no chão e formando uma poça; o coração saiu por último, morto e inútil. O cheiro do conservante químico me causou tontura. Meus pulmões ardiam, desejando ar puro, mas eu atirei o frasco vazio contra o chão mesmo assim.

Dezenas de outros frascos, de todas as formas e tamanhos, brilhavam contra a luz do lampião, cada um deles contendo pedaços acinzentados de órgãos. Quase uma década de trabalho.

Minhas mãos estavam cobertas pelo fluido viscoso. Ele encharcava o meu vestido. Restos de tecido animal estavam presos na renda que decorava a barra. Destampei o próximo frasco, com os dedos deixando marcas úmidas no vidro. Dentro do pote, o tecido envelhecido saiu em camadas diáfanas como teias de aranha. Chegava a ser quase bonito. Eu reconhecia o que continha em cerca de metade dos frascos — baço, intestino grosso, cérebro. Entretanto, havia outros que eu não sabia o que eram. Eram esses os que mais me intrigavam e fascinavam ao mesmo tempo.

No chão, órgãos fétidos e fluidos conservantes se amontoavam enquanto eu esvaziava outro pote. Esfreguei a testa com o dorso da mão, deixando uma marca pegajosa. O cheiro do produto químico sufocava meus poros. Sorri, estendendo a mão para pegar o próximo frasco. Pronta para quebrar o vidro contra o chão.

— Juliet, pare!

Edward apareceu na porta, correndo na minha direção. Ele agarrou o frasco antes que eu pudesse largá-lo. Minhas mãos cobertas de fluido deixaram manchas escuras em sua camisa quando ele tentou tirar o pote de mim.

— Solte! — gritei. Minha visão estava enegrecida pela raiva. — Eu tenho que destruir isso!

— Juliet, acalme-se! Pare! Acabou.

O pote escorregou das minhas mãos, quebrando-se no chão. Um último ato de destruição.

Edward não se abalou com o barulho.

— Está tudo terminado — disse ele, respirando com dificuldade.

Engoli em seco, repentinamente tomando consciência da substância pegajosa que cobria meu rosto, os pedaços de tecido orgânico acinzentado grudados à minha pele. Eu havia destruído o laboratório em um arroubo de insanidade. Uma agitação de pânico tomou conta do fundo do meu cérebro.

— Ele poderia tê-la salvado — falei. — Mas achou que seu trabalho era mais importante.

Edward acariciou meu rosto com o dorso dos dedos, limpando os restos de órgãos e do líquido viscoso, com olhos profundos e fortes.

— Você não precisa explicar nada — disse ele.

Engoli em seco, procurando os olhos dele. É claro que não precisava. Edward também tinha suas cicatrizes. Fosse lá o que tivesse feito, ou do que estivesse fugindo, nós não éramos tão diferentes. Edward não se importava com o fato de eu ser um pouco louca ou de não seguir os rumos da razão o tempo todo. Assim como eu não me importava com o que ele havia feito, aquilo que o forçara a fugir de Londres. Nós dois tínhamos fantasmas no passado que nos ajudavam a compreender profundamente um ao outro — um nível que Montgomery nunca conseguiria alcançar. Montgomery podia ser capaz de fazer coisas malignas, mas ele, em essência, não era uma pessoa má. Não no fundo do seu ser. Não importava quanto meu pai o pressionasse, ele sempre seria aquele garoto gentil e esforçado, incapaz de contar uma mentira, mesmo que sua vida dependesse disso. Edward e eu éramos feitos de um material diferente. Talvez não fôssemos malignos, contudo havia algo de errado conosco, algo que fora rasgado na trama que nos criara.

Algo quente e úmido escorria e entrava pelo cano das minhas botas: os fluidos dos frascos com os espécimes. Edward acariciava meu rosto. Havia algo que não estava certo em relação a um rapaz que conseguia sobreviver a vinte dias no mar e não se fazia de rogado quando estava com uma garota meio louca, coberta por cacos de vidro e restos de órgãos apodrecidos.

"Ele está fingindo não se importar, assim como eu também finjo." E ele era muito bom naquilo — na verdade, melhor do que eu.

Fechei os dedos ao redor do tecido da sua camisa.

— O que aconteceu com você? — sussurrei, sem fôlego. — Do que você está fugindo?

Por um momento, seus olhos castanhos com manchas douradas piscaram, e ele soube que eu não estava falando sobre o seu pai dominador. Eu queria saber do que ele realmente fugira, a origem daquelas cicatrizes tão profundas. Ele balançou a cabeça, quase violentamente.

— Não tem importância. Nós voltaremos a Londres e nada disso fará diferença. Seremos apenas eu e você. Juliet...

Eu sabia o que ele queria dizer. Ele me amava. Ele amava a garota suja, quase enlouquecida, que estava em pé sobre uma poça de formol. Mas ele recobraria os sentidos depois que estivéssemos em Londres. Ele ocultaria suas cicatrizes com a mesma maestria, e encontraria uma garota como Lucy: meiga, rica e sensata. E era assim que as coisas deveriam ser. Além disso, eu já havia tomado minha decisão. Montgomery.

Mesmo assim, por que eu ainda pensava na caverna atrás da cachoeira? Por que meus pensamentos saltavam do rosto de Montgomery para o de Edward tarde da noite, logo antes que o sono tomasse conta de mim?

— Montgomery — falei, mas minha voz ficou estrangulada. Imaginei que, se dissesse aquele nome, acabaria por evocar o seu espírito e ajudaria a aliviar a tensão que torturava o seu coração. — Montgomery voltará conosco também.

O queixo de Edward se agitou com um espasmo. Seus dedos encontraram a minha cintura, e ele me puxou para perto de si até que nossos corpos se tocassem. Os líquidos conservantes molharam suas roupas, prendendo-nos um ao outro. Mas ele não me soltou. Seus olhos estavam dilatados, negros como a noite. — Eu quero lhe dizer uma coisa.

Balancei a cabeça negativamente com força. Não queria que ele dissesse que me amava, porque reconhecia um pouco de mim mesma nele. Um pouco demais. E aquilo me amedrontava.

Coloquei meus dedos sobre seus lábios.

— Meu pai levou os cães para a aldeia. Ele vai encontrar Montgomery. Nós voltaremos a Londres e nunca mais falaremos sobre este lugar.

Em meu quarto, despi o vestido manchado e o enfiei pelas barras de ferro da minha pequena janela. A ilha poderia ficar com sua lama, o sal e o suor. Lavei o rosto para remover os produtos químicos que faziam a pele das mãos e do rosto arder e, em seguida, peguei o velho vestido de musselina que usava quando cheguei à ilha. Não queria as roupas elegantes da minha mãe. Queria voltar a me sentir como realmente era.

Um arrepio subiu pelas minhas costas quando me curvei para atar o cadarço das botas. Aquela sensação estranha de estar sendo observada. Virei-me rapidamente para observar a janela, mas não havia nada. Entretanto, um cheiro familiar e suave pairava no ar — cheiro de cachorro molhado.

— Quem está aí?

A ponta de uma bota apareceu por trás da porta entreaberta.

— Estou vendo você aí — adverti. — Apareça.

Balthazar avançou, olhando pela abertura da porta. Seus olhos ainda eram humanos; não havia regredido como os outros.

Levei as mãos aos botões em frente ao meu peito, fechando-os rapidamente.

— O que você está fazendo aqui? — esbravejei. Será que ele me viu enquanto eu estava nua? Ele recuou como se eu o tivesse atacado, e aquilo me fez sentir uma boa dose de remorso. Balthazar não era um animal que ficava à espreita, observando as pessoas. Era inocente como uma criança.

Abri a porta. Ele estava segurando a caixa de madeira do laboratório que continha as novas doses do meu soro.

— Desculpe-me. Não estou zangada com você — disse-lhe.

Ele me entregou a caixa timidamente.

— Vim lhe trazer isso.

Eu a peguei, sentindo-me culpada. — Obrigada.

Suas mãos enormes, agora vazias, se remexiam nervosamente em seus bolsos.

— Eu também queria lhe pedir... queria pedir...

Indiquei o quarto com um movimento de cabeça. — Entre.

Tentei escutar o que ele dizia, porém minha cabeça estava agitada com tudo o que tinha que ser feito. Coloquei a caixa sobre a penteadeira. Ainda tínhamos que encher os potes e os cantis. Encontrar algo que pudesse nos proteger do sol. Uma arma também seria útil, como uma pistola ou uma faca. Revirei os baús, procurando a tesoura. Onde eu a havia deixado?

Olhei para Balthazar, que apoiava o peso do corpo ora em uma perna, ora em outra. — Sim? O que você queria pedir?

— Leve-me com você — disse ele. — Leve-me para Londres.

Minhas mãos se fecharam ao redor de algo duro e afiado, entre dois vestidos. A tesoura. Mas, ao mesmo tempo, meus dedos ficaram entorpecidos.

— O que você quer dizer com isso? — perguntei.

— Montgomery disse que você vai embora da ilha. Você e os outros... cinco-dedos — comentou ele, com o lábio trêmulo. — Eu tenho cinco dedos — disse ele, erguendo a mão. — Já cruzei o mar. Estive em Londres. Posso fingir. Como atores no teatro, Montgomery disse. E eu vou ajudá-la. Você precisará de um criado — completou ele. Sua boca se abriu naquele sorriso estranho e resfolegante, um indício de que ele estava nervoso.

Apoiei-me contra a penteadeira, fechando os olhos. Percebi que ele passara um bom tempo compondo aquele pedido. Não podia negar que ele seria capaz de se passar por um humano — um homem mutilado, deformado, do qual as pessoas se esquivariam nas ruas. Mas não era essa a causa da minha hesitação.

O fato é que eu tinha muito medo de tirar Balthazar, ou qualquer outra das criações do meu pai, da ilha. As descobertas brilhantes e horríveis do meu pai tinham que continuar perdidas naquele pequeno pedaço de terra no Pacífico Sul, exiladas com ele, sem nunca poderem sair.

Balthazar ainda sorria. Ele demonstrava tanta esperança em seu rosto que me cortava o coração. Observei meu reflexo no espelho quebrado, sabendo que não teria forças para lhe dizer a verdade.

— Promete que você não vai contar a ninguém? — perguntei. Odiei a mim mesma por mentir. Destruir o laboratório do meu pai foi simples, mas contar uma única mentira para aquela criatura com cara de cachorro fazia meu estômago virar. Ele assentiu, entusiasmado. Engoli em seco, tentando não deixar que a bile subisse. — Você não poderá contar a ninguém sobre este lugar. Terá que ser um segredo.

Ele confirmou com a cabeça mais uma vez, vigorosamente.

— Como atores no teatro — disse ele, juntando as mãos.

Olhei para um ponto logo acima da sua orelha. Aquilo fez com que a mentira viesse mais facilmente.

— Então você pode vir.

Seu rosto se abriu em um sorriso genuíno. Ele coçou o nariz, tentando esconder a alegria que sentia. Meu coração se desfez ao longo do septo ventricular.

Enfiei a tesoura no bolso. — Mas nós não iremos a lugar nenhum se meu pai não encontrar Montgomery — emendei, inclinando a cabeça de lado, perguntando a mim mesma se Balthazar tinha noção de que seu mentor fora capturado. — Alguns dos nativos o levaram. Não sei para onde. Quero que você seja forte, não importa o que aconteça. E que não se preocupe. Pode fazer isso?

Ele coçou a parte de trás do pescoço.

— Não estou preocupado. Sei onde Montgomery está.

Meu corpo se enrijeceu. — Você sabe? Onde ele está?

— Está com Ajax. Ouvi os pássaros falando a respeito.

Olhei para ele, sem palavras. Os pássaros estavam falando? Todos aqueles sussurros que eu ouvi na selva não eram a minha imaginação, então. Mas não era aquilo que me incomodava mais. — Ajax? Jaguar? Tem certeza?

— Ah, sim, senhorita. Tenho certeza.

Afundei na cama. Balthazar estava tão calmo... será que não sabia?

— Ajax é perigoso — disse-lhe, cuidadosamente. — Ele não é mais como costumava ser. É um animal agora. Ele regrediu. Você sabe o que isso quer dizer?

Balthazar franziu a testa. Ele achava que Jaguar ainda era o homem que contava histórias de ninar para Alice, foi o que ele disse, e isso me chamou a atenção.

— Mas meu pai foi à aldeia...

Balthazar balançou a cabeça. — Ele não vai encontrar Montgomery lá. Ajax está quase sempre...

— ... em sua cabana no meio da selva — concluí. Meu pai estava indo na direção errada. Quando voltasse, Jaguar poderia já ter matado Montgomery. Se é que já não o tinha feito.

Eu tinha que voltar à cabana.

Capítulo 41

Corri até o estábulo. O medo deixava meus passos tão leves quanto um suspiro. Os olhos astutos de Jaguar assombravam meus pensamentos. Meu pai acreditava que Jaguar e o monstro eram a mesma criatura, mas eu sabia que não. E isso também não significava que ele fosse menos perigoso. Jaguar era um homem inteligente, e não havia nada que pudesse conter seus instintos predatórios. Em relação à verdadeira natureza do monstro, tudo o que eu podia fazer era formular algumas teorias: uma besta que tinha regredido por conta própria. Algo que escapara do laboratório. Algo pior do que todos os meus pesadelos.

Meu pai saíra com Duquesa, o mais ágil dentre os cavalos. Duque bufou e remexeu o feno com o casco quando eu entrei. Toquei seu focinho aveludado, percebendo o medo em seus olhos arregalados.

— Nós vamos encontrá-lo — disse-lhe, pousando a mão na faixa branca de pelos que lhe circundava o focinho. Peguei a sela, cambaleando sobre seu peso. Duquesa ainda tinha um leve cheiro do óleo que Montgomery aplicara na última vez em que a limpara.

— Você não deveria ir até lá — disse uma voz atrás de mim. Quase larguei a sela. Edward estava no vão da porta, respirando com dificuldade, um pouco desgrenhado. — Não é seguro.

Apoiei a sela contra o joelho, tentando levantá-la até as costas de Duque. O esforço me fez grunhir. — Meu pai foi à aldeia, mas Montgomery não está lá. Jaguar o pegou.

— É perigoso! Jaguar regrediu. Todos os animais regrediram. E o monstro...

— Eu já vi o monstro — falei. A lembrança das garras se fechando ao redor das barras da janela do meu quarto fazia meu sangue correr rapidamente pelas veias. Pensei no estábulo escuro, o cheiro do monstro, o peso de sua presença tão perto de mim. — Ele poderia ter me matado, e não o fez.

— Você não pode pensar que ele simplesmente não teve interesse por você? Ele não tem a capacidade de raciocinar, Juliet. É somente um animal.

Endireitei a sela. — Passe-me aquela correia — pedi-lhe.

Ele não se moveu. Passei por ele e arranquei a correia da parede. Em seguida, afivelei-a de um lado da sela e passei-a por baixo da barriga de Duque. Enfiei a ponta pela fivela e puxei a correia com toda a minha força, mas não consegui prendê-la.

— Diabos! — resmunguei.

A mão de Edward tocou a minha. Engoli em seco, desejando que ele simplesmente se afastasse e tornasse as coisas mais fáceis para nós dois.

— Não vá — disse ele. A suavidade em sua voz tocou um lugar profundo dentro de mim.

— Eu tenho de ir. Lamento. Montgomery...

— Preciso lhe dizer uma coisa — falou ele, manipulando as correias e a fivela como se fosse a mim que ele quisesse segurar e as amarras da sela não fossem um substituto à altura.

Ele precisava se desapegar de mim. Somente se isso acontecesse eu conseguiria me desapegar dele.

— Não diga nada — respondi, quase implorando. — Eu amo Montgomery.

Mas, no fundo, meu Deus, eu queria que ele dissesse. Que me beijasse com sofreguidão e desse um fim àquela atração terrível que havia entre nós.

Seus lábios se entreabriram. Meu queixo caiu, e tive que me esforçar para conseguir respirar. Percebi que eu me sentira atraída por ele desde que o vira pela primeira vez. Tão desolado, tão ferido. Ele estava tão perto que eu conseguia sentir o cheiro do sal em suas roupas. O desejo ardia em seus olhos, roubava-me o ar, e eu me aproximava cada vez mais.

Duque bateu com o casco no chão, soltando um relincho estridente, e aquele momento se desfez.

Edward soltou a respiração com dificuldade. Eu recuei, assustada com o que estava prestes a fazer. Meus dedos voltaram rapidamente a se ocupar da fivela, embora sem nenhuma destreza.

— Então, deixe que eu vá com você — disse ele.

Neguei com um movimento de cabeça e montei no cavalo, ajeitando as pregas do meu vestido apressadamente ao redor da sela. — Só há um cavalo.

Na verdade, se eu ficasse perto de Edward por mais um momento, não conseguiria não me atirar em seus braços cheios de cicatrizes.

Sob a copa das árvores da selva, já começava a escurecer. O caminho era fácil de seguir, mas as folhas se mesclavam em meio à luz mortiça do crepúsculo, escondendo os caminhos laterais que me levariam à cabana.

Eu só tinha uma ideia vaga da sua localização: perto da praia, nas proximidades do riacho sinuoso. Eu esperava que Duque conhecesse o caminho até a cabana melhor do que eu. Encontrei algo parecido com uma abertura e guiei-o naquela direção, porém ele empacou. Forcei os saltos das minhas botas contra seus flancos, mas ele não se moveu.

— Vá em frente, seu pangaré velho! — resmunguei.

Um rosnado surgiu entre as árvores. Os músculos de Duque se retesaram, um mero segundo de advertência antes que ele se empinasse sobre as patas traseiras e saísse correndo pela trilha. Agarrei-lhe a crina e me inclinei sobre seu pescoço, tentando me manter na sela enquanto as folhas e galhos batiam contra o meu rosto.

Dei um gemido quando ele repentinamente saiu do caminho e se embrenhou por uma trilha estreita. Inclinei-me ainda mais para a frente, quase lhe abraçando o pescoço. Galhos finos se prendiam e puxavam meus cabelos. Apertei os olhos para conseguir mantê-los focados. Um único galho baixo bastaria para me jogar ao chão.

A trilha se transformou abruptamente em um vale. A cada solavanco eu quase ia pelos ares. Pressionei os flancos de Duque com os tornozelos, puxando as rédeas com força. Mas foi inútil. Ele só diminuiu o passo quando chegamos ao fundo do vale. Seu galope se transformou em trote, e o trote diminuiu até um passo de caminhada. Olhei ao redor, desconsolada.

Estávamos totalmente perdidos.

Um impacto, ou farfalhar, soava atrás de nós a todo minuto, e, quando eu me virava, não conseguia enxergar nada. Meu coração estava acelerado.

Outro impacto, mais próximo.

Minha garganta se fechou. Tudo em que eu conseguia pensar era nos pés de Alice encharcados de sangue. As três garras que entravam pela minha janela. As pegadas úmidas na varanda. Fechei os olhos com força, contando até cinco. Duque navegava pelo labirinto de árvores sem nenhum esforço. Quando abri os olhos, fiquei chocada ao perceber quanto a selva havia escurecido. A noite estava caindo rapidamente.

Mais adiante, algo brilhou entre as árvores, tão claro que fez várias manchas brancas surgirem nos meus olhos. Conforme nos aproximamos, percebi que era o reflexo do sol poente no telhado de metal. Minhas mãos apertaram as rédeas com força. O teto estava manchado pela ferrugem, com apenas algumas pequenas áreas brilhantes.

A cabana de Jaguar.

Duque parou nos limites da clareira. Observei a cabana silenciosa, imaginando o que encontraria ali dentro. Talvez um jaguar selvagem, pronto para atacar qualquer coisa quente e viva que entrasse pela porta. Apeei de Duque e amarrei-o a um mourão com um nó rápido. Subi na varanda de madeira, com o mesmo medo que sentira na primeira vez em que estive ali. As pegadas com três dedos haviam desaparecido fazia muito tempo, mas continuavam a existir na minha memória.

Espiei pelo vidro das janelas, mas o interior da cabana estava escuro. Virei o trinco da porta antes que minha coragem sumisse. A porta se abriu alguns centímetros, mas em seguida parou. Talvez estivesse trancada ou presa em alguma coisa. Forcei-a, apoiando meu peso contra ela. Com mais força a seguir, e depois ainda mais, até que ela cedeu subitamente. Caí dentro da cabana de Jaguar.

Abalada, levantei-me e fiquei em pé. Parecia estar tão vazia e abandonada quanto antes, embora a flor tivesse desaparecido da cornija. Afastei folhas mortas com a minha bota e encontrei os estilhaços de vidro do vaso. Fui correndo até a janela para ver se Duque ainda estava lá, precisando daquela certeza para poder me acalmar.

Ele pastava calmamente sob os restos de luz, no mesmo lugar onde eu o deixara. Respirei fundo, apoiando a cabeça contra o vidro gelado da janela. Não sabia se tinha vontade de rir ou de chorar.

Duque repentinamente ergueu a cabeça. Pedaços de capim lhe caíram da boca. Ele parecia estar olhando direto para mim, com as orelhas agitadas, embora eu soubesse que estava escuro demais para que pudesse enxergar dentro da cabana. Uma sensação ruim tomou conta de mim. Senti-me presa. Um impulso irresistível de sair da cabana pulsava em minhas entranhas. Talvez fossem os pedaços de cervo dentro de mim, o instinto animal que sentia a aproximação de um predador.

Abri a porta com força.

Montgomery estava sob o umbral da porta, com a camisa rasgada e o cabelo solto.

— Juliet? — perguntou ele, confuso, mas eu agarrei sua camisa com os punhos. Toquei seu rosto, seu peito, seu cabelo, para ter certeza de que ele era real.

— Você está aqui — disse-lhe. — Está vivo.

— O que você está fazendo aqui?

Enterrei meu rosto em seu peito. Minha respiração estava entrecortada. Ele estava vivo. Nós iríamos sair da ilha, todos juntos, vivos. Comecei a tremer. Ele passou um braço ao redor das minhas costas.

— Tente se acalmar — Montgomery pediu. — Tudo vai ficar bem. Vamos, sente-se — disse ele, levando-me até o que restava da cama. — O que você está fazendo aqui? — perguntou. — É perigoso. Eu disse que você não deveria voltar à selva.

— Eu tinha que encontrá-lo. Onde está Jaguar? Você está bem? O que aconteceu na praia?

Ele afastou o cabelo. Havia um corte novo em seu braço, mas não sangrava mais. Ele começou a responder, e me levantei de um salto.

Uma figura enchia o vão da porta.

— Jaguar — disse eu. Enfiei a mão no bolso. Encontrei a forma da tesoura.

Ele parou sob o batente da porta, os olhos felinos encarando Montgomery e a mim. Caminhava ereto, mas com certa dificuldade. Não usava roupas. Pelos dourados lhe cobriam o corpo, como uma cabeleira espessa. Havia regredido, mas não tanto quanto os outros. Puxei a tesoura do meu bolso, e Montgomery me forçou a guardá-la.

— Nós podemos confiar nele.

"Confiar nele?" Jaguar entrou na cabana, mas manteve distância, preferindo ficar perto das paredes da sala. Ele se movia com graça e fluidez ainda mais naturais do que na última vez em que eu o vira, como se estivesse a ponto de passar a andar sobre quatro patas. Suas garras longas batiam contra as tábuas do piso. Seria capaz de cortar nossa garganta com um único golpe. Mesmo assim, eu devia "confiar" nele?

Seus olhos dourados encontraram os meus. Senti algo se agitar dentro de mim, o medo e a incredulidade misturados em uma única sensação.

— Ele perdeu a capacidade de falar, mas não o raciocínio. Ele não é como os outros — explicou Montgomery, sentando-se na cadeira. — Ele conspirou com as criaturas aquáticas para que virassem o nosso barco e me arrastou até aqui.

Virei minha cabeça rapidamente para encarar Jaguar.

— Foi você? Nós quase nos afogamos!

— Eles queriam a mim. Não estavam tentando me matar. Queriam somente me avisar. Não sabiam se poderiam confiar em você ou em Edward.

Observei Jaguar com o canto dos olhos. Ele se agachou no canto da cabana. Parte do seu corpo estava oculta pelas sombras, tão imóvel que nem seus bigodes se moviam.

— Avisá-lo do quê? — perguntei, sem fôlego.

Montgomery passou a mão pelos cabelos, focando os olhos em Jaguar.

— As criaturas vão atacar o forte. Querem pegar o doutor, mas matarão qualquer um que cruze seu caminho.

Os pelos no meu braço se arrepiaram. — E quando farão isso?

— Esta noite.

— Hoje? Edward está lá! — bradei, levantando-me rapidamente e começando a andar pela cabana. — Precisamos sair da ilha agora.

Mesmo assim, Montgomery continuou sentado. Ele coçou o queixo. Havia algo mais, e ele não queria me dizer o que era.

— O que foi?

Um rosnado baixo veio do canto da sala. Jaguar emergiu das sombras, aproximando-se devagar da lareira. Dei um passo para trás, mas Montgomery parecia não estar preocupado com Jaguar.

O salto da sua bota batia nervosamente contra as tábuas apodrecidas do piso. Em seguida, ele se levantou de repente.

— Não é nada. Você tem razão, precisamos partir.

Ele saiu da cabana e saltou da varanda até o chão para desamarrar as rédeas de Duque. Corri atrás dele, mas, súbito, a pata áspera de Jaguar estava no meu braço, impedindo-me de prosseguir. Um grito subiu até os meus lábios, mas morreu com a mesma velocidade. Só precisei encarar rapidamente os olhos de Jaguar para saber que ele não tinha a intenção de me machucar.

— O que você quer? — sussurrei, sentindo o peso de estar sozinha com ele.

Ele girou a palma da minha mão para cima. Engoli em seco, lembrando-me da sensação de ter sua língua na minha pele.

Em seguida, ele expôs uma garra longa e negra e traçou com ela alguns riscos em meu antebraço — levemente, no início, e aumentando a pressão depois. O bastante para arranhar, mas não para me fazer sangrar. Prendi a respiração. A dor era aceitável, mas o que ele estava fazendo não era.

"Está escrevendo."

Jaguar entalhou três arranhões cuidadosos na minha pele. Três linhas retas paralelas. E um círculo tosco ao redor delas.

— Três? — perguntei. Significaria três dedos nos pés? Três marcas de garras cruzando o peito das vítimas?

Ele simplesmente rosnou mais alto e voltou ao canto sombrio onde estivera antes.

Capítulo 42

A NOITE CAIU COMPLETAMENTE, e nós cavalgamos de volta ao forte sob o luar. Montgomery pressionava os calcanhares contra os flancos de Duque, fazendo com que o cavalo avançasse pelo terreno. Eu abracei Montgomery, pressionando o rosto contra seus ombros. As folhas passavam por nós, quase despercebidas. Mas não rápido o bastante. Minhas preocupações pairavam entre nós, fora do meu alcance. Eu queria arranhar o ar, forçar-nos a ir mais rápido. Cada minuto que passava era um minuto no qual as criaturas poderiam atacar. E Edward estava à nossa espera, no complexo, sem saber sobre a tempestade que se aproximava.

O luar refletia nos cristais de mica presentes nas rochas que compunham as paredes do forte quando chegamos. Montgomery apeou de Duque e me ajudou a descer do cavalo, que resfolegava. Corremos até o forte e começamos a bater no portão.

Balthazar veio abrir o portão. Eu entrei rapidamente, tropeçando, ainda agitada após a cavalgada ligeira. O rosto de Balthazar se abriu em um sorriso quando viu Montgomery, mas o sorriso desapareceu ao perceber as expressões vazias em nosso rosto.

— Todos estão em segurança? — perguntou Montgomery, ofegante.

Balthazar confirmou com um movimento de cabeça. Seus olhos iam de um lado para outro, nervosamente. Talvez não fosse muito inteligente, entretanto era capaz de sentir que havia algo errado.

— Onde está Edward? — perguntei.

Balthazar apontou um dedo grosso para o depósito.

— Está em seu quarto.

Uma onda de alívio tomou conta de mim como a luz do luar. Comecei a avançar pelo pátio enlameado, mas meus pés pararam quando ouvi Montgomery falar.

— E o doutor? Pelo menos deveríamos avisá-lo.

— Ainda não voltou — disse Balthazar.

Montgomery me olhou com uma expressão de dúvida.

— Ele partiu? Por quê?

Respirei fundo. Havíamos planejado todos os aspectos da nossa fuga, mas nunca faláramos sobre o que aconteceria com meu pai. Nunca tive a intenção de levá-lo conosco, e, menos ainda, de lhe dizer adeus. Presumi que Montgomery sentiria o mesmo. Mas, olhando para seu rosto agora, eu percebia que ele ainda estava preso ao que os ligava. Montgomery ainda pensava nele como em um pai, mesmo depois de tudo o que acontecera.

— Ele foi até a aldeia procurar por você.

O silêncio caiu sobre nós por alguns instantes. Eu sabia o que ele estava pensando. As bestas haviam encontrado meu pai em algum lugar da selva e lhe arrancado o coração, como fizeram com os outros. Talvez nunca mais o víssemos. Pela primeira vez, parecia real. Poderíamos sair sem nos despedir, apenas um pequeno barco navegando pelo oceano, para nunca mais regressar.

Comecei a falar, mas Montgomery apertou os dedos ao redor do meu braço e me puxou para longe de Balthazar. — Não faz diferença. Vou pegar a carroça. Vá chamar Edward e pegue a água e o resto dos suprimentos. O mais rápido que puder.

Um grito veio da selva, estridente e ameaçador.

"Eles estão chegando."

O portão estava aberto. Balthazar foi até lá, estendendo as mãos para pegar a enorme viga de madeira e travá-lo. Montgomery correu para ajudar. Eles apoiaram seus corpos contra a porta, apressando-se para fechá-la.

— Rápido — disse Montgomery, olhando por cima do ombro.

Meu coração estava tomado pelo pânico. Meus pés pareciam estar afundados em melaço. Não conseguia me mover rápido o bastante. As criaturas, por sua vez, se moviam como relâmpagos. Elas chegariam pelos telhados ou quebrariam o portão.

Fui até o quarto e enfiei minhas coisas na velha mala de viagem. Um lençol poderia ajudar a nos proteger do sol. As joias da minha mãe, junto com a escova de cabelo e o pente de prata, poderiam ser vendidos. A caixa com as doses do meu medicamento. Meus pensamentos corriam, tentando abarcar todas as coisas espalhadas que eu não poderia levar. Flores de alfazema ressecadas que Alice deixara sobre a minha penteadeira. Os belos vestidos da minha mãe. A cópia do *Compêndio de Referência Anatômica Longman,* que eu recuperara da nossa biblioteca em Belgrave Square... Não, eu nunca mais quereria ver aquele livro outra vez.

Arrastei a mala para fora e corri sob o beiral até chegar ao quarto de Edward. Uma nuvem cobria a lua, lançando sombras por todo o pátio. Meus olhos me pregavam peças. Pensei estar vendo formas subindo pelas janelas, subindo no telhado. Mas, quando balançava a cabeça, não havia nada lá.

Puck se juntou a Balthazar no portão. Eles pressionavam os ouvidos contra as tábuas de madeira, entreolhando-se com expressão confusa. Não sabiam que as bestas estavam do lado de fora, planejando um ataque. Perguntei a mim mesma se ofereceriam resistência. Puck olhou para mim. Sua boca coberta de escamas se abriu em um sorriso ameaçador.

Puck poderia ser selvagem o bastante para entrar em combate. Mas Balthazar não seria capaz disso. Balthazar se encolheria em um canto e deixaria que as bestas o destroçassem. Ele percebeu que eu o olhava, e seu rosto se iluminou. Novamente, senti uma onda de culpa por ter mentido. Porém, não tive escolha. Se ele regredisse como os outros, se ficasse violento em meio às ruas abarrotadas de Londres...

Uma telha se quebrou ao cair no chão. Saltei, observando os telhados. Imaginei que as bestas estavam lá, aguardando, espreitando, comandadas por um monstro de garras negras.

Minha mão encontrou a maçaneta de Edward e pressionou o estranho dispositivo da fechadura.

— Temos que partir — falei, apressadamente.

Mas o quarto estava vazio. O cheiro de enxofre de um fósforo aceso havia pouco tempo ainda pairava no ar. O lampião estava ao lado do colchonete no qual ele dormia. Ao lado havia uma pilha de roupas que Montgomery lhe emprestara, um velho par de sapatos, uma pilha de livros da estante do salão e uma garrafa de cristal.

"Podemos vender isto", pensei, apanhando-a.

A garrafa deixou um anel de umidade sobre um dos livros. A capa atraiu minha atenção. Eu vira aquele livro em meio aos outros, na estante do salão, quando chegara, mas ele desaparecera depois de algum tempo.

Eduardo III.

Eu lera aquele livro muito tempo antes, quando o volume estava na nossa biblioteca, em Belgrave Square. Era uma das peças pouco conhecidas atribuída por algumas pessoas a Shakespeare. O livro estava encadernado com um tecido verde-escuro, em tamanho padrão, sem nada de especial a não ser por uma inscrição folheada a ouro na lombada: três linhas retas dentro de um círculo.

O mesmo símbolo que Jaguar desenhara na minha pele.

Minhas mãos começaram a tremer. Folheei o livro, quase arrancando as páginas. Metade delas estava com o canto dobrado. Algumas foram arrancadas. Um longo corte passava pela contracapa, feito com um instrumento bastante afiado. Deixei que o livro se abrisse em uma das páginas marcadas. Algumas linhas estavam sublinhadas em tinta preta, várias e várias vezes, com tanta força que o papel chegou a se rasgar.

E ele nasceu daquela linhagem sangrenta
Que nos assombrou junto com nossos ancestrais.
Testemunhas da nossa vergonha tão marcante...
Daquele nome sombrio, Eduardo, o Príncipe Negro de Gales.

Eduardo, o Príncipe Negro. Tentei me lembrar de tudo o que lera sobre o personagem do Príncipe Negro. Eduardo III era um rapaz que crescera sob a tutela de um pai cruel — um general — que o forçara a seguir uma carreira militar vitoriosa, através da ambição e da brutalidade, transformando o pobre garoto em um demônio. Nada muito diferente da história que Edward havia nos contado. Senti que meus pés fraquejavam e ajoelhei no chão, folheando freneticamente as páginas marcadas.

Tudo estava lá. A mesma história. A mesma pessoa.

Edward mentira para nós. Ele não era Edward Prince. Ele era o "Príncipe Eduardo", o Príncipe Negro das peças de Shakespeare. Esse era seu mistério. Tinha roubado sua identidade de uma obra pouco conhecida.

O livro caiu das minhas mãos. Aquela descoberta podia ter um de dois significados possíveis: Edward poderia simplesmente estar fugindo, como nos dissera desde o início, buscando uma nova identidade para escapar de algum crime ou, talvez, de uma garota que ele tivesse engravidado. "Ou então..."

O suor escorria pelo meu rosto. Eu o enxuguei, respirando fundo. Lutei para conseguir pensar com a cabeça em vez do coração, que queria gritar, alegando a inocência de Edward. Mas meu coração era fraco. Eu tinha que arrancá-lo do meu peito e pensar logicamente.

Ou então Edward era uma das criações do meu pai.

Recebera o mesmo nome de um personagem de Shakespeare, assim como Balthazar, Cymbeline e todos os outros.

Assim como eu.

Uma ideia tênue começou a se formar na minha cabeça. Alice sempre evitava Edward, assim como Cymbeline e todos os outros criados. Será que sabiam? Será que o evitavam porque o temiam? Porque sabiam que ele era o monstro?

Meu corpo caiu ao chão. Não, era impossível. Os assassinatos do monstro começaram antes que chegássemos à ilha. A menos que... Edward nunca tivesse posto os pés no Viola. Ele poderia ter deixado a ilha em seu bote, fugindo de alguma coisa — do meu pai —, e o destino o trouxera de volta.

Minha mente estava agitada, tentando me lembrar onde ele estava quando os assassinatos aconteceram. Por várias vezes ele fugira para o seu quarto ou desaparecera em meio à noite. Centenas de chances de matar. Porém, ele estava conosco na aldeia quando Alice foi assassinada. Não. Não era totalmente verdade. Ele fugiu depois de atirar em Antígonus. Podia ter chegado ao forte antes de nós, matado Alice, fugido e nos alcançado mais tarde. De qualquer maneira, estava coberto de sangue e arranhões quando nos encontrou.

Espinhos, dissera ele. Provavelmente foram as unhas de Alice.

Revirei as pilhas de roupas, rasgando as costuras, procurando nos bolsos, tentando encontrar mais evidências. Arranquei os lençóis que cobriam seu colchonete de palha. Meu coração se recusava a acreditar em minha cabeça. Edward não era um monstro. Ele tinha me protegido. Protegera meu pai! Eu vira a expressão em seu rosto quando ele atirou em Antígonus. Ficou branco como um cadáver, horrorizado pelo que fizera. Nunca seria capaz de matar uma pessoa com as próprias garras. Ele não tinha garras! E eu vira o monstro. Sentira o seu cheiro acre. Conhecia a opressão daquela presença.

Procurei pela tesoura e enfiei as pontas afiadas no colchão, abrindo um rasgo no tecido. Enfiei as mãos e puxei punhados de palha, tateando em busca de qualquer coisa que pudesse me dizer a verdade.

Nada.

Apertei a palha entre meus punhos. A marca de Jaguar em meu braço parecia zombar de mim. Jaguar sabia. Tentou nos avisar. Provavelmente, meu pai também sabia, entretanto nos induziu a acreditar que Edward era um completo estranho. Será que realmente tentou matá-lo naquele primeiro dia, quando o empurrou do ancoradouro? Um castigo por fugir da ilha, talvez. Uma lição para mostrar à sua criatura quem estava no comando. O que teria usado para criar Edward? Outra pantera? Um cão de caça? Provavelmente o fizera enquanto Montgomery estava fora da ilha. Provavelmente se sentia muito orgulhoso por criar algo ainda mais perfeitamente humano que Alice, ainda mais inteligente que Jaguar. Até que sua criação perfeita o abandonou.

Furiosa, joguei o colchonete retalhado contra a parede. A palha caiu pelo chão úmido sob o colchão. Prendi a respiração. Havia marcas de garras no chão de pedra e lama. Longas. Profundas. Furiosas. Entre elas, manchas no tom marrom-escuro do sangue ressecado. Havia pegadas entre elas. Pegadas feitas por pés com três dedos.

Meu sangue gelou. Algo reluzente brilhou entre as marcas de garras, e eu o peguei. Um botão de prata, igual aos outros que havia na camisa de Edward quando o encontramos no barco à deriva.

Meu coração apertado queria negar tudo. Mas a verdade era evidente. O rosto marcado pelas cicatrizes era apenas uma máscara para um monstro sanguinário. Eu não sabia como meu pai havia conseguido, ou como Edward deixara aquelas pegadas ensanguentadas. Sabia apenas que a verdade da situação me arrepiava até os ossos.

Senti uma respiração quente na minha nuca. Em seguida, uma voz falou em meu ouvido, familiar e aterrorizante ao mesmo tempo.

— Não corra, Juliet — disse Edward, antes de colocar sua mão sobre a minha boca.

Capítulo 43

Lutei para tentar fugir, mas ele era inacreditavelmente forte.

— Prometa que não vai gritar, e eu a soltarei — disse ele. Sua mão prendia meu queixo, silenciando meus gritos. Eu ainda sentia um cheiro tênue de óleo de lampião e enxofre em sua pele.

Concordei com um rápido movimento de cabeça. A pressão desapareceu, e eu saltei para longe dele, encostando-me contra a parede oposta e enchendo os pulmões de ar. Montgomery estava do lado de fora. Se eu gritasse, ele chegaria correndo. Mas seria rápido o bastante?

— Não faça isso — falou Edward, lendo meus pensamentos. — Ele não poderá ajudá-la.

Algo primitivo e resistente, a parte animal do meu ser, tomou o controle dos meus músculos. Minha cabeça ficou em silêncio enquanto se rendia àquela profunda força animal. Com um rosnado, eu atirei a garrafa de cristal contra ele. Ele se defendeu com o cotovelo, contudo ela explodiu em milhares de estilhaços de vidro. Elas caíram pelo chão como uma chuva de primavera nos degraus de pedra, e, por um momento, eu estava de volta à casa de Belgrave Square, observando a chuva da tarde cair na rua. Pisquei, imaginando que havia cometido um grande erro. Afinal, nós não éramos animais, pelo menos, não inteiramente. Naquele quarto, junto comigo, estava Edward. Edward, que salvara minha vida. Que viera até a ilha para me proteger.

E que me amava.

O amor era uma característica humana. Qualquer que fosse o material que meu pai tivesse usado, Edward era humano agora. Será que merecia morrer por causa disso?

Minha parte primitiva estava interessada apenas em sobreviver, e era mais forte. Empurrei-o para conseguir fugir, arranhando a porta até que ela se abrisse. Do lado de fora, o pátio estava cheio de sombras. Eu podia ouvir os passos leves das bestas e sua respiração tênue. Estavam por toda parte e em lugar nenhum. Cerrei os dentes e corri pelo pátio até chegar ao estábulo. Ouvi Edward correr, a poucos passos de mim. Eu só tinha uma chance.

Abri a porta do estábulo.

— Montgomery! — gritei.

Mas a carroça havia desaparecido. Duque não estava em sua baia. Corri até a selaria. Vazia. Nada daquilo tinha importância agora. Edward já estava na porta do estábulo.

Recuei contra a parede da selaria, perdida entre todos os arreios e couros de sela que estavam pendurados. Edward se aproximou lentamente, com as mãos estendidas e as palmas voltadas para baixo, como se quisesse acalmar algum animal assustado.

— Está tudo bem, Juliet. Não vou machucá-la.

Talvez ele devesse ter uma aparência diferente — sinistra ou monstruosa. Mas não tinha. Ele ainda era o mesmo náufrago ferido e maltratado que se agarrava a uma fotografia amassada no Curitiba. Seus olhos com manchas douradas eram inteligentes e profundos, olhos que ainda assombravam meus sonhos.

Balancei a cabeça, com o sentimento de traição entre os dentes. — Como você foi capaz de fazer tudo isso, Edward?

— Eu tentei lhe contar — disse ele, com aqueles olhos escuros me consumindo. — Antes que nós partíssemos, eu pretendia contar... mas o que você diria? Você não ia mais querer me ver.

— Você é um monstro! — sibilei. — Você matou todas aquelas criaturas. Você matou Alice!

Meu pé esbarrou em algo no chão que retiniu com o som do metal. O forcado. Abaixei-me rapidamente, mas Edward me interceptou em um átimo de segundo, movendo-se mais rápido do que seria humanamente possível. Ele arrancou o forcado das minhas mãos e o atirou para dentro de uma das baias. Avancei sobre Edward, porém ele me pegou como se eu fosse uma boneca de pano e me empurrou contra a parede.

Seus olhos ardiam.

— Não — sussurrou. — Não lute contra mim. Isso vai apenas forçar a transformação.

— Que transformação? — perguntei. Tinha a sensação de que seus dedos poderiam quebrar meu pulso como um graveto. — Que transformação?

Mas ele não respondeu. Não precisava fazê-lo. Eu vi as pegadas com três dedos, as garras de mais de 15 centímetros. Ele estava tão perto que eu podia ver suas narinas se dilatando. Suas pupilas estavam grandes e negras, levemente alongadas como as de um animal. Prendi a respiração.

— É impossível. Aquela vez, no meio da floresta, ele estava nos perseguindo...

— Aquilo foi só um lince que escapou das jaulas do laboratório. Você já estava muito assustada. Não foi difícil convencê-la de que era o monstro. Tudo o que eu queria era trazê-la de volta ao forte, onde eu poderia cuidar de você. Nunca quis machucá-la. Ou a qualquer um deles. Eu não consigo nem mesmo me lembrar de ter matado todos eles... é assim que as coisas são. Eu me transformo em outra criatura.

Seu queixo se moveu com um espasmo.

— Foi assim que o seu pai me criou. Ele tentou uma nova técnica, algo revolucionário que não envolvia cirurgia. Disse que usou um composto químico retirado do sangue humano. Essa substância muda a constituição celular dos tecidos animais. Ele pensou que, no meu caso, havia transformado um animal em um ser humano, mas estava errado — disse Edward. Seus olhos escuros poderiam engolir o mundo inteiro. — É impossível destruir o animal.

Seus dedos estavam avermelhados e inchados, e eu podia sentir os ossos batendo uns contra os outros sob sua pele enquanto ele me empurrava contra a parede. Lembrei-me do que meu pai dissera sobre o macaco.

"Uma nova técnica. Ela muda a constituição em nível celular, sem precisar usar um bisturi."

Edward fora o primeiro que ele criara daquele jeito. E agora estava tentando repetir o procedimento.

— Não sou um monstro, Juliet. Sou tudo o que o seu pai planejava. Inteligente, compassivo, leal. Mas também tenho um lado negro. Pareço humano, mas a carne e o sangue do animal ainda vivem dentro de mim. Seus ossos estão junto dos meus. Seu sangue corre pelas minhas veias — completou. Seus olhos estavam brilhando, famintos. — Eu mal consigo controlá-lo.

— Onde ele o conseguiu? — perguntei, com a voz rouca.

Ele inclinou a cabeça. — Do que está falando?

— Você disse que ele usou sangue humano para extrair as características celulares que o tornariam um homem. De quem era o sangue que ele usou?

Edward balançou a cabeça negativamente. — Não sei. Nunca soube.

— E o animal? — perguntei. — Ele deve ter começado o trabalho com algum tipo de criatura.

Edward olhou para a porta, como se se lembrasse da sensação de viver na selva.

— Ele não usou somente um. Seu pai começou com um chacal, mas acrescentou características celulares de outros. Uma garça. Uma raposa. Esses são apenas os que tenho certeza, mas há outros. Posso senti-los.

Ele flexionou as mãos, estudando os ossos como se mal pudesse acreditar no que havia se transformado. — O doutor explicou o processo, mas manteve os registros a meu respeito em segredo. Em relação ao que eu era... não consigo me lembrar. Eu só me lembro de ter despertado no laboratório, acorrentado a uma mesa, e ver um homem grisalho fazendo anotações. Ele estava deslumbrado. Pensava que eu era um grande sucesso. Eu conhecia algumas coisas... palavras, objetos. O resto eu descobri através dos livros. Li sobre as roupas dos homens, os mercados de flores de Londres e a biologia dos primatas. Criei minha própria história a partir das páginas de romances e peças de teatro. Meu nome veio de *Eduardo III*. A história do Viola veio de *Noite de Reis*. A mansão da minha família, Chesney Wold, veio de uma obra de Charles Dickens.

Ele prosseguiu, inabalável. — Os criados, como Alice e os outros, eram gentis, mas creio que eu lhes causava algum desconforto. Eu permanecia aqui no forte e nunca interagia com os aldeões. Mas, após algumas semanas, uma coisa estranha aconteceu. Eu estava perto da praia, à noite. Uma das criaturas sofreu um corte na perna. O cheiro de sangue... eu não me lembro dos detalhes. Demorou vários dias para encontrarem o corpo.

— E meu pai não se importava de ter criado um monstro?

— Seu pai não sabia. Ninguém sabia. Eu escondia as provas. Alice me viu certa vez limpando o sangue que eu tinha nas mãos e na boca. Ela desconfiava, mas era simples mantê-la calada. Ela se assustava com muita facilidade. Entretanto, aquilo aconteceu uma segunda vez. E uma terceira... Eles ainda não encontraram todos os corpos. A ausência de agentes infecciosos por aqui faz com que a decomposição demore mais para ocorrer — disse ele, com a voz estrangulada. — Eu peguei o bote e parti antes que algum deles percebesse. Antes que eu voltasse a matar.

De repente, ele parecia tão vulnerável e perdido quanto na primeira vez em que eu o vira, deitado no fundo do bote.

— Pensei que ia morrer naquele barco. Quando o seu navio me encontrou, quando o assistente do doutor me trouxe de volta à vida e estava se dirigindo para o mesmo local de onde eu saíra, parecia que seria impossível escapar desta ilha. Como se o meu destino estivesse atrelado a este lugar. No meio de tudo, havia você. A filha dele. Você não tinha ideia de quem ele era, do que ele era capaz de fazer, ou dos outros monstros que poderia criar.

Ele remexeu o bolso e tirou um pedaço de papel amassado e rasgado. Eu o peguei com as mãos trêmulas. As bordas estavam muito desgastadas, tão puídas e flexíveis quanto um pedaço de tecido. A fotografia.

— Você perguntou o que era isso. É uma mulher segurando uma garotinha pela mão em um jardim. Costumava ficar na estante do salão junto com as outras fotografias. Eu a peguei antes de fugir porque queria me lembrar da razão pela qual estava fugindo. Para me lembrar de que existe algo de bom no mundo, flores, felicidade e famílias. Era um mundo ao qual eu não pertencia, não importando o quanto eu desejasse fazer parte dele — disse ele, fazendo uma pausa. — É uma fotografia que retrata você e a sua mãe.

Pensei nele deixando a ilha, com as mãos ainda ensanguentadas, pronto para morrer sob o sol, sem água e sem comida. Mas ele não havia morrido. Acima de tudo, nós dois éramos sobreviventes.

Ele se apoiou contra a porta. — Pensei que pudesse compensar as coisas que fiz. Fazer algo da maneira certa, pelo menos uma vez. Protegê-la dele.

As telhas vibraram acima de nós. Um rosnado, próximo demais.

— As bestas estão no telhado — falei em um sussurro. — Eles vão nos matar. Solte-me, Edward. Por favor.

— Não poderão passar por mim. Eles sabem o que sou agora — afirmou, com uma gota de suor escorrendo lentamente pelo rosto. Uma das criaturas grunhia do lado de fora, mas ele não se deixou abalar.

Percebi um balde velho, que estaria vazio se não fosse por um cravo de ferraduras. Aproximei-me dele lentamente, com a respiração compassada.

— Meu pai o reconheceu quando chegamos naquele primeiro dia. Foi por isso que ele tentou afogá-lo.

— Ele estava furioso por eu ter fugido. Naquela primeira noite, ele disse que me perdoaria, desde que eu lhe obedecesse e mantivesse minha identidade em segredo.

Movi a mão em direção ao balde, milímetro por milímetro.

— Por que precisou se incomodar com isso? O que importaria se Montgomery e eu soubéssemos?

Ele hesitou. — Seu pai pensou que seria melhor que você não soubesse. Para ele, tudo não passa de um grande experimento.

— O que quer dizer com isso?

— Ele tentou nos aproximar, Juliet. Estava tentando nos forçar a ter um relacionamento, para afastá-la de Montgomery. Ele encontrou uma utilidade para nós: queria saber o que aconteceria se um humano se acasalasse com uma de suas criaturas. Éramos apenas experimentos para ele.

Minhas pernas fraquejaram. Agarrei-me a um par de rédeas para não cair no chão. "Ele não seria capaz de fazer isso". Mesmo assim, eu sabia que ele seria. Fora do estábulo, uma janela de vidro se estilhaçou. Ouvi alguns gritos. Talvez fosse Puck; sua voz foi trazida pelo vento. O rifle grande desaparecera do armário onde as armas de fogo ficavam guardadas. Provavelmente Montgomery o levara consigo. Meu Deus, onde é que ele estaria agora?

— Mas nunca consegui levar o plano adiante — disse Edward, ignorando o caos que havia lá fora. — Eu nunca tentaria enganá-la. É diferente quando estou com você, Juliet. Consigo me controlar melhor quando você está por perto. Você abafa todos os outros ruídos na sala. Quando voltarmos a Londres, não precisarei matar. Se você me ajudar.

Aproximei ainda mais a minha mão do cravo para ferraduras, mas ele se aproximou, e seu olhar se fixou no balde. Fechei a mão, no entanto nós dois sabíamos o que eu estava tentando fazer.

— Por favor. Ele me fez assim. Você pode consertar as coisas.

Um tiro foi disparado no pátio. Edward se virou, grunhindo. Corri para a porta, mas ele me agarrou pela cintura e me puxou de volta.

— Montgomery! Estou aqui! — gritei, tentando me desvencilhar dos braços de Edward.

— Não percebe que ele não pode ajudá-la? — Edward grunhiu — Ele criou Alice. Ele é tão ruim quanto o doutor.

Ouvi alguém chamar meu nome lá fora. Montgomery gritava por mim. Outro tiro explodiu. Alguma coisa passou pela porta, deixando somente poeira atrás de si.

Edward ouviu meu gemido e se virou.

— Eles estão dentro das muralhas — falei.

Capítulo 44

ROSNADOS RASGAVAM O AR. Uma estante cheia de telhas caiu e se quebrou do lado de fora do estábulo. Mais dois tiros soaram.

Edward me arrastou até a selaria e bateu a porta, trancando-nos ali dentro. No momento em que ele ficou de costas para mim, eu peguei o cravo e o escondi entre as pregas da minha saia.

— Eu posso protegê-la, Juliet. Nós somos parecidos, você e eu. Somos filhos do mesmo monstro. Somos capazes de cometer as mesmas atrocidades.

Pressionei o polegar contra a ponta afiada do cravo.

— Isso não é verdade. Eu nunca matei.

— Ainda não. Mas você o faria. Para defender Montgomery. Para defender a si mesma — disse ele, avançando sobre mim. Eu gemi e me debati, e ele simplesmente arrancou o cravo da minha mão.

Edward estudou a ponta afiada, como se quisesse comprovar seu argumento. — Há uma escuridão poderosa dentro de você. Não negue; você sabe que é verdade. Você pode senti-la. É o animal que está dentro de você, debatendo-se, faminto por coisas inumanas. Assim como em mim.

Ele se virou e jogou o cravo contra a parede dos fundos, onde marcou a madeira com um baque surdo. Levei as mãos aos ouvidos e fechei os olhos com força. Mas eu sentia sua presença à minha frente, a frieza e as cicatrizes. Suas mãos subindo até meu rosto e acariciando a minha cabeça.

— Eu a amei desde o primeiro instante em que a vi. Totalmente. Apaixonadamente. Eu a amo mais do que ele — sussurrou Edward, com a boca a poucos centímetros da minha.

— Pare. Por favor — pedi-lhe, apertando os olhos com mais força. Eu queria tentar escapar, mas meu corpo não obedecia. — Você sabe que é impossível. Você é um assassino...

Suas mãos se enrolaram no meu cabelo, puxando-o.

— E o que você acha que Montgomery está fazendo lá fora? Não está ouvindo os tiros? Somos todos animais! Todos nós lutamos para sobreviver.

Sua pele ardia. Seus lábios roçavam o meu pescoço, e a minha garganta estava pronta para gritar. Minha visão estava embaçada e desfocada.

— Nós fomos feitos um para o outro. Não para servir ao experimento louco do seu pai, mas porque somos iguais — disse ele, colocando a palma da mão sobre o meu coração, tocando levemente a pele exposta acima do meu decote. Gemi quando ele me tocou. O medo e a excitação estavam separados por uma linha tão tênue que eu não conseguia saber qual deles tinha o controle sobre o meu coração. Além disso, será que ele estaria errado? Eu sabia a respeito da escuridão que ele mencionava. Por mais que eu amasse Montgomery, ele nunca conseguiria entender o que eu sentia, não com a mesma sensibilidade de Edward.

Algo se chocou contra a porta, e a tranca de madeira se quebrou. A porta se abriu. Edward girou, quase derrubando o lampião. Montgomery estava a três passos de distância. Suas roupas estavam cobertas de lama.

— Vou abrir uma cratera no seu peito, seu maldito.

— Montgomery, não! — gritei. Não deveria me importar com a segurança de Edward. Ele era um monstro, um assassino, e a última pessoa a quem eu deveria defender. Mas era tarde demais.

Montgomery hesitou por um instante, e aquilo foi o suficiente para que Edward o atacasse. Um grunhido baixo borbulhou no peito de Edward antes que ele saltasse, batendo na arma de Montgomery e jogando-a ao chão.

Gritei. Era como se, de repente, Edward fosse uma criatura totalmente diversa, selvagem e violenta. Seus olhos com manchas douradas haviam desaparecido, e agora eram negros como a noite, com exceção de uma borda amarelada ao redor das pupilas felinas. Suas roupas se esticavam sobre músculos, que pareciam crescer a cada segundo. O jeito como ele se movia era calculado, ameaçador, como se estivesse prestes a atacar sua presa.

Ele derrubou Montgomery com a força de três homens.

Eu queria gritar para mandá-lo parar, porém minha voz havia desaparecido. Edward estava se transformando. "Seus ossos estão junto dos meus", dissera ele. "Seu sangue corre pelas minhas veias". A parte animal dentro dele — o chacal, a raposa e quaisquer outros pedaços e partes de animais que meu pai acrescentara — vivia à espreita, esperando pela chance de transformar Edward no monstro que o Dr. Moreau havia criado.

Seus dedos estavam vermelhos e encaroçados, tão inchados que eu imaginei que poderiam se romper e verter sangue. Enquanto eu observava, seus dedos pareciam crescer. Tendões se repuxavam. Os ossos do metacarpo raspavam uns contra os outros. Os pelos em seus braços escureceram até ele parecer quase tão bestial quanto os cachorros selvagens que espreitam nos limites das fazendas.

Apertei as mãos contra os olhos, acreditando que aquela transformação só poderia ser uma ilusão de ótica. Mas, quando voltei a olhar, a situação ainda era a mesma. Os ligamentos palmares da mão de Edward se retorciam e estalavam, forçando os dedos a se dobrar. Ele agarrou a porta para fechá-la com força. A maneira como seus dedos se modificavam fazia com que a marca de suor contra a porta tivesse apenas três dedos. Assim como as pegadas com três dedos na varanda da cabana. Mas de qual animal ele haveria herdado aquela característica? Qual animal tinha apenas três dedos nas patas?

"Uma garça." Um dos animais que Edward descreveu. A lembrança quase me derrubou.

Montgomery lutou para ficar em pé. O sangue escorria pelos dedos de Edward, embora ele não os tivesse cortado. Ele fechou as mãos dolorosamente e soltou um rugido profundo. Três garras negras surgiram dos dedos de cada mão. Elas eram retráteis, de modo que, em sua forma humana, não havia nenhum sinal daquela característica na superfície. Uma das garras na sua mão direita tinha desaparecido. Aquela que eu cortara com a tesoura.

Cambaleei, e meu quadril se chocou violentamente contra o canto do cavalete onde as selas eram guardadas, mas não senti nada. O choque havia me entorpecido por dentro. Eu não queria acreditar naquilo. Era difícil definir a mudança em Edward. Ele estava maior. Mais tenebroso. E, mesmo assim, enquanto eu observava seu rosto e seu corpo, era impossível escolher uma característica que fosse claramente diferente. Diria que suas unhas tinham se tornado escuras, e, mesmo assim, quando olhava com mais atenção, elas não haviam mudado. Era como olhar para as estrelas. Só era possível vê-las claramente se observadas com o canto dos olhos.

Mas as garras não eram uma ilusão criada pelos meus olhos. Ele as ergueu como se fossem facas assassinas na direção de Montgomery.

— Edward, pare! — gritei. Mas ele parecia não me ouvir.

Edward prensou Montgomery contra a parede onde os arreios ficavam pendurados com tanta força que as tábuas estalaram. A costura da sua camisa se rasgara no lugar dos ombros. Ele ficara maior. Esfreguei os olhos, tentando enxergar com mais clareza.

Montgomery conseguiu se desvencilhar e escapar das garras. Correias de couro caíram por toda parte, emaranhando-se ao redor deles. Se conseguisse me aproximar, eu poderia passar uma daquelas correias ao redor do pescoço de Edward, como um garrote.

Edward fechou seu punho retorcido. O sangue escorria pelas garras negras. De repente, elas se retraíram, e ele socou Montgomery com tanta força que a parede rachou sob o seu peso.

— Pare! — gritei.

Montgomery voltou a se levantar. Um filete de sangue lhe escorria pelo canto da boca. Edward tentou socá-lo outra vez, mas Montgomery se esquivou. Havia algo prateado em sua mão. Um bridão usado como freio nos cabrestos dos cavalos, com pontas protuberantes que saíam dos dois lados dos anéis, algo tão perigoso quanto uma adaga. Ou garras. Ele usou o bridão para golpear a lateral do pescoço de Edward com violência.

Edward uivou e arrancou o pedaço ensanguentado de metal da pele. Por um instante, ele voltou a se parecer com o antigo Edward, e meu coração se apertou. Quase corri para ajudá-lo.

Montgomery agarrou meu braço. — Corra! — disse ele.

Mas correr era inútil. Edward já estava bloqueando a porta. Suas garras estavam estendidas. Seu rosto estava tão negro quanto as nuvens que precedem uma tempestade. Ele avançou sobre Montgomery, agachando-se no exato momento em que Montgomery voltou a atacá-lo com a ponta afiada do bridão de metal. Os dois caíram no chão, engalfinhando-se sobre o feno. A poeira entupia a minha garganta e cegava meus olhos. As garras de Edward eram como facas. Ele golpeou

Montgomery, raspando-as em seu braço. Encostei-me contra a parede. Havia os arreios de couro pendurados à minha frente, estendendo-se como uma cortina. Arranquei um deles e enrolei a tira de couro ao redor da mão, esperando uma oportunidade de usá-la para laçar o pescoço de Edward.

No momento em que eu estava prestes a atacar, eles rolaram pelo chão, batendo contra a mesa onde o lampião fora colocado. Ele caiu no chão. As chamas ganharam vida quando tocaram no feno.

— O feno está pegando fogo! — gritei.

Montgomery golpeou o queixo de Edward com o punho, afastando-o por tempo o bastante para que pudesse se levantar. Edward também tentou se levantar, esquivando-se do punho de Montgomery. Mas este girou a perna, trazendo-a para trás do tornozelo de Edward num movimento rápido. Edward estatelou-se no chão. Sua cabeça bateu contra a quina da mesa com um forte ruído de ossos se quebrando.

Montgomery ergueu os punhos, pronto para atacar, mas Edward não se levantou mais. Seus olhos estavam fechados. Uma poça de sangue se formava por baixo da sua cabeça. Subitamente, ele voltou a parecer um rapaz inocente, e o meu coração gritou, dizendo que estávamos cometendo um erro terrível. Seria tudo aquilo uma peça que meus olhos estavam pregando? Ou minha mente? Montgomery se agachou para verificar-lhe a pulsação, mas eu agarrei seu braço.

— Deixe-o aí — falei.

— Preciso dar um fim nisso.

Ele pegou a velha pá de ferro no canto. Uma imagem passou pela minha cabeça: a borda de metal descendo e dilacerando o pescoço de Edward. Meu estômago se revirou. Olhei para o sangue que escorria pelo cabelo negro de Edward, um sangue quente e fluido e um gemido tão baixo que eu mal consegui ouvir saiu de sua boca.

Ainda estava vivo.

Olhei para Montgomery. A cabeça enferrujada da pá estava presa em um emaranhado de correias de couro, e ele as puxava, irritado.

Um rosnado soou do lado de fora. O fogo lançava um calor desconfortável na minha direção, até que, com uma chuva de faíscas, uma das vigas que sustentava o telhado se partiu e caiu. Gritei e cobri minha cabeça. Montgomery correu na minha direção, ainda segurando o cabo da pá. Eu a arranquei das suas mãos e a joguei no chão.

— Ele não é mais uma ameaça para nós — disse-lhe. — Vamos embora, senão acabaremos queimando com ele.

Saímos do estábulo. Apenas o luar iluminava o pátio.

— Balthazar está carregando a carroça do lado de fora da muralha — disse Montgomery, apressado. — Preciso somente atrelar Duque a ela.

Ele se virou para ir em direção ao portão, mas eu o agarrei pelo braço. Duquesa, a pequena égua que meu pai havia levado para tentar encontrar Montgomery, estava no pátio. Estava amarrada descuidadamente ao corredor da varanda, com os olhos lívidos e agitados em meio ao caos.

Fiquei paralisada. — Meu pai voltou — falei.

Montgomery hesitou. Sombras corriam nos limites do pátio, roubando a minha atenção.

— Eu sei. Ele voltou há meia hora — disse ele, lentamente. — As criaturas o perseguiram até aqui. Ele se trancou em seu laboratório, em pânico — prosseguiu, passando a mão pelos cabelos, relutante. — Está nos esperando. Diz que é o único lugar seguro na ilha.

— Nenhum lugar é seguro.

Ele engoliu em seco. — Eu disse a ele que iríamos pegar algumas coisas e nos juntaríamos a ele. Não sabia o que mais poderia falar. Não fui capaz de lhe dizer...

Eu respirei fundo, sentindo o peso da fúria que crescia

dentro de mim. Imaginei meu pai do outro lado da porta de metal, ouvindo os rosnados do lado de fora, suas preciosas criações tentando encontrar uma maneira de matá-lo. Esperando por Montgomery e por mim, e nós nunca chegaríamos. Percebi que nunca o veríamos novamente. O laboratório era uma fortaleza. Ele poderia sobreviver ali dentro por vários dias, talvez até semanas — se não fosse pego pelo fogo. A fumaça já estava saindo pelas frestas do celeiro. As paredes do laboratório eram de zinco e estanho, então não se queimariam facilmente. Ele poderia escapar. E depois, o que aconteceria? Ele voltaria a fazer seus experimentos?

Alguma coisa se quebrou no salão, e Montgomery agarrou minha mão. — Depressa!

Nós desamarramos Duquesa e corremos para fora do portão principal, onde Balthazar estava empilhando potes no fundo da carroça. Havia enchido os poucos frascos de vidro do laboratório, os que eu não tinha destruído, com água para a nossa viagem. Eles batiam uns contra os outros como os tubos de vidro na minha caixa de madeira. O tratamento estava guardado em segurança, no fundo da minha velha bolsa de viagem, e Montgomery já a colocara na carroça. Fiz um cálculo rápido, seria o suficiente para várias semanas. Eu tinha tudo de que precisava.

Ainda assim, uma mão invisível me puxava na direção do complexo. Ela me atraía de volta às chamas, ao laboratório com paredes de zinco e estanho pintadas de vermelho, com a tinta se inchando em bolhas que ardiam com as chamas e borbulhavam como sangue.

— Esqueci meu remédio — disse eu, repentinamente. A mentira deixou a minha boca seca. — Preciso buscá-lo.

Montgomery olhou para a coluna de fumaça que subia em direção ao céu. Em seguida, concentrou a sua atenção em atar as últimas fivelas ao redor de Duque.

— Rápido! — bradou ele, com o cabelo encharcado pelo suor.

Voltei correndo para dentro do complexo. A mentira dilacerava o meu coração, mas a mão invisível era forte demais. O pátio estava em silêncio, exceto pelo rugido das chamas. O fogo havia espantado as bestas. O incêndio furioso se refletia nas janelas de vidro do salão. Lá dentro, eu pude ver o piano, a mesa de jantar e a fotografia da minha mãe. O fogo consumiria cada fragmento daquelas lembranças. E todas as evidências da obra terrível do meu pai.

Mas não havia outra maneira. Aquele tipo de ciência não deveria existir. Não poderíamos desejar rivalizar com o poder de Deus. Ainda assim, uma pequena parte de mim lamentava-se ao ver tudo aquilo destruído. Aquela parte de mim, o lado mais negro, viveria comigo para sempre, pelo que eu percebia. Enquanto o sangue dos Moreau corresse nas minhas veias. Foi o que levou meu pai à loucura. O sangue maldito queria fazer o mesmo comigo, e eu não sabia se era forte o suficiente para impedi-lo.

Corri até o meu quarto e peguei outra caixa de madeira, mais simples, para que Montgomery não desconfiasse caso eu voltasse de mãos vazias. Não deixei que meus pensamentos se apegassem aos poucos pertences que eu estava deixando para trás. Quando a manhã chegasse, todas as evidências da minha existência na ilha teriam desaparecido também.

Encarei as paredes vermelhas do laboratório. A mão invisível se apertou ao meu redor. A Casa do Sangue. Será que meu pai estava lá dentro, entocado com uma garrafa de conhaque Elk Hill e um bom livro? Esperando que o restante de nós se juntasse a ele, sem suspeitar de que estávamos prestes a fugir e deixá-lo para trás?

Aquela era a mão que estava me puxando: meu pai. Para dizer adeus, arranhar seu rosto ou simplesmente ficar do lado de fora da porta e encontrar a paz enquanto as chamas o consumiam. Algum tipo de fim.

Fora do portão principal, Montgomery e Balthazar esperavam por mim. Tudo o que eu tinha a fazer era atravessá-lo e nunca olhar para trás. Esquecer o fim. Navegaríamos para Londres e nunca mais pensaríamos naquela ilha.

Mas meus pés me levaram até a porta do laboratório. O calor do celeiro, nas proximidades, me fazia suar. A tinta vermelha borbulhava na superfície de metal das paredes, e eu levei minha mão até elas. Será que ele estava logo do outro lado, esperando por nós?

Ele me deixara para trás sem uma carta sequer. Por que eu não deveria fazer o mesmo com ele? Os jornais o chamaram de gênio, porém nunca mencionaram a garotinha que ele abandonara. O mundo sabia apenas que o Dr. Henri Moreau era um amálgama de projetos brilhantes de pesquisa e histórias macabras. Será que ele era mais do que apenas isso para mim? Seria um pai? Ele considerava que eu não era nada além de outro de seus experimentos, uma oportunidade de ver o que aconteceria quando humanos e criaturas se reproduzissem.

A raiva recrudesceu dentro de mim. Encostei as pontas dos dedos contra a porta que ardia, deixando a dor me queimar e inflar minha ira. Alguma coisa atraiu minha atenção pelo canto do olho: uma sombra que se esgueirava sob o beiral. Ela não corria. Não atacava. Avançava furtivamente, com os olhos brilhando ao luar.

— Jaguar — murmurei.

Talvez eu devesse sentir medo, mas não sentia. Não era a mim que ele estava caçando.

Ele parou a poucos passos de distância. Aquela era a criatura que Montgomery certa vez chamara de irmão. Será que éramos realmente tão diferentes? Todos éramos animais, de certa forma. Até mesmo uma garota de 16 anos precisava comer, beber e sobreviver, e poderia até matar para satisfazer essas necessidades.

Um ruído dentro do laboratório chamou a atenção de Jaguar. Ele passou por mim, com a cauda roçando contra os meus pés enquanto se movia graciosamente em direção à porta. Moveu a pata grossa na direção da fechadura, tentando segurá-la com garras tão longas quanto meus dedos. Tentou algumas vezes, fazendo cortes na porta, mas incapaz de agarrar a maçaneta. Um grunhido se formou em sua garganta, grave e irritado. Seus olhos dourados olharam para mim.

Eu sabia o que ele queria.

Mas virar uma maçaneta não significava simplesmente abrir uma porta. Aquilo seria um assassinato. Jaguar não hesitaria em atacar meu pai e retalhá-lo por inteiro. Era exatamente isso o que ele queria, o que todos queriam. Vingança. Se Jaguar fosse capaz de falar, ele diria que tinha que ser daquela forma. Meu pai era brilhante. Ele escaparia do laboratório em chamas. Ele começaria tudo outra vez. Haveria outra ilha. Outro Jaguar. Outro Edward. Ou pior.

Meus dedos pousaram na maçaneta.

As patas traseiras de Jaguar se retesaram, prontas para saltar. Mas como eu poderia abrir aquela porta, sabendo o que havia do outro lado? Nada de adeus. Nada de reconciliação. Apenas um fim amargo e selvagem.

A porta do estábulo estalou e rachou-se ao meio. Uma chuva de faíscas caiu sobre o chão. Dentro de mais um minuto, toda a estrutura viria abaixo. Edward seria morto, queimado vivo ou esmagado sob as vigas que cairiam do teto. Embora a lógica me dissesse que Edward não devia viver, meu coração dizia que ele também não merecia morrer. Não era culpa dele. Era do seu criador, que se escondia em uma sala trancada enquanto seus filhos eram queimados vivos.

Edward disse que eu poderia consertar as coisas.

Talvez eu pudesse.

Meus dedos tatearam a fechadura. As chamas haviam alcançado o alojamento dos criados. Iriam se espalhar rapidamente e depois engoliriam o salão e, por último, o meu quarto. Ao meu lado, as garras de Jaguar afundavam no chão de terra do pátio, prontas para atacar.

Girei a maçaneta.

A porta se abriu muito facilmente na minha mão. O dispositivo de segurança do meu pai levava em conta a destreza limitada dos animais, mas o objetivo não era enganá-los. Ele era arrogante demais para pensar que um de nós o trairia.

Abri uma fresta na porta. Somente o necessário. Uma fresta.

Afastei-me, sentindo o rosto arder pelo calor. Jaguar se esgueirou para dentro.

O telhado do celeiro desabou com um estrondo. O calor queimou meu rosto enquanto eu segurava a caixa de madeira com força contra o peito e voltava para o portão. Montgomery estava no umbral, chamando por mim. Se ele vira ou não a porta aberta, eu não sabia. Sua mão se prendeu à minha, e ele me puxou do forte em chamas em direção ao ar frio da noite, onde Duque arrastava o casco no chão, pronto para sair em disparada. Balthazar pegou as rédeas enquanto subíamos na carroça e desapareceu na selva, deixando as ruínas em chamas para trás.

Capítulo 45

NA FAIXA DE AREIA À beira do oceano, ainda era possível ouvir o crepitar das chamas. As criaturas começaram a uivar conforme o fogo se intensificava, enchendo a noite com gritos selvagens. Montgomery me abraçava no fundo da carroça, com as mãos cobrindo as minhas orelhas. Mas nada era capaz de afastar aqueles sons. Eles me assombravam desde que eu era criança. E me assombrariam para sempre.

Balthazar levou a carroça até o ancoradouro. Nosso barco pintado de azul e branco esperava, amarrado a uma das pilastras, pronto para nos levar até o mar. Somente quando Balthazar desceu do banco do cocheiro foi que eu me lembrei da promessa que fizera. "Você pode vir conosco", eu lhe dissera. Mas nunca tivera a intenção de trazê-lo. Alguém descobriria o que ele era e tentaria replicá-lo. Alguém levaria aquilo longe demais, como meu pai fez.

Balthazar inclinou a cabeça ao perceber minha hesitação. Eu segurei sua mão e desci da carroça. Montgomery já estava levando uma pilha de frascos para o ancoradouro. Seus passos eram firmes e determinados, como se ele estivesse tão pronto para deixar a ilha quanto eu, mesmo que aquilo significasse ter que abandonar o lugar que ele chamava de lar havia seis anos.

Seria ele que diria a verdade a Balthazar, ou seria eu? Nunca falamos a respeito, porém eu sabia que Montgomery sentia o mesmo. A ilha era a prisão do meu pai, seu túmulo, e todas as evidências do seu trabalho tinham que ser enterradas com ele. Até mesmo Balthazar.

Balthazar pegou dois potes de água, com a língua pendendo para fora da boca, e seguiu Montgomery pelo atracadouro. Senti meu coração pesar. Se eu o deixasse para trás, será que aquilo faria de mim um monstro também? Balthazar era o único inocente entre nós. Não havia matado. Eu duvidava de que ele fosse capaz de fazê-lo.

Apoiei um dos potes no antebraço, observando os dois sobre o luar. Muitos outros deveriam estar conosco. Alice. Edward. Suas cinzas prendiam suas almas àquela ilha horrenda.

Montgomery voltou para buscar um pequeno baú que continha um conjunto de porcelana chinesa muito caro. Ele olhou para mim. Percebi que sua determinação crescera, como se ele estivesse se petrificado diante da tarefa horrível de deixar Balthazar para trás.

— Não temos escolha — sussurrei. Passei o pote para o outro braço para equilibrar o peso. — Eles foram amaldiçoados no momento em que foram criados.

Ele não respondeu, mas ergueu o baú sobre um ombro e começou a andar pela doca. Balthazar pegou outra carga e seguiu Montgomery como uma sombra. Eu afastei o cabelo que me cobria os olhos e voltei a olhar na direção do forte incendiado. Eu não conseguia ver as chamas, mas a coluna de fumaça dizia o bastante.

Abracei o pote com força e corri pelo atracadouro. Montgomery já estava carregando mais coisas. Havia um toque de urgência em cada um dos seus movimentos. Eu temia o momento em que entraríamos no escaler e remaríamos para longe. Temia o que diríamos a Balthazar, abandonado na doca, o último ser inocente na ilha.

— Mais uma viagem deve ser o bastante — sussurrou Montgomery. Pegamos os últimos volumes, Montgomery desatrelou Duque e o empurrou.

— Ande logo, garotão — disse ele, mas sua voz ficou embargada. Duque deu alguns passos para trás, contudo não foi embora. Suas orelhas estavam empinadas, alertas, observando seu mestre, pronto para segui-lo até os confins da terra. Montgomery pegou o último dos potes de água e não voltou a olhar para o cavalo.

Cada passo que avançávamos pela doca era um a menos que eu daria na ilha. Mais um passo em direção à Inglaterra. Montgomery e eu teríamos uma vida juntos. Confortável. Tranquila. Nunca falaríamos sobre o passado. Se ele sabia da minha participação no assassinato do meu pai, nunca diria nada, assim como eu nunca perguntaria se ele sentia saudade de Balthazar. Esqueceríamos Edward também. Não, isso seria impossível.

Eu nunca me esqueceria de Edward.

Mais um passo. E mais outro. E, finalmente, estávamos ao lado do barco.

— Não temos escolha — falei, sentindo as cordas vocais tremerem. Os olhos de Montgomery refletiam as mesmas emoções confusas que eu sentia. Por um momento, estudei seu rosto sob o luar, imaginando se os laços entre nós seriam diferentes quando voltássemos a Londres. Por ora, parecia que ele e eu ficaríamos juntos para sempre.

Estendi a mão para a corda que prendia o escaler, mas Montgomery tocou meu ombro suavemente. Ele me virou para encará-lo outra vez. Suas feições eram tensas, mas seus lábios se entreabriram. — Juliet...

Ele me puxou para si e me beijou profundamente. Minha surpresa se desfez e eu correspondi ao beijo. Minha mão encontrou o contorno rígido do seu peito e eu puxei o tecido da sua camisa com dedos trêmulos. Queria abraçá-lo para sempre. Não queria acreditar em nada que não fosse a verdade de Montgomery, alguém que, mesmo com todos os defeitos, era tão firme quanto o mar e tão honesto quanto o sol. Meus olhos se encheram de lágrimas inesperadas, e eu o beijei com mais força, desesperadamente. Não era um final feliz. Montgomery e eu retornaríamos ao mundo real, mas só sobraria angústia para Balthazar e os outros.

Montgomery se afastou, relutante. Engoliu em seco. Tinha tanto medo do futuro quanto eu. Por um momento, havia somente ele, eu, o mar e o desconhecido.

— Certo — disse ele, respirando fundo. — Chegou a hora.

Montgomery subiu no barco e se firmou. Pediu que Balthazar e eu lhe passássemos os volumes. Trabalhamos de maneira eficiente, sem trocar uma só palavra. Ele acomodou a carga cuidadosamente, para impedir que o barco virasse se alguma tormenta nos atingisse. Em seguida, ele saiu do barco e esfregou o cabelo desgrenhado pelo vento com as mãos.

Senti um enjoo terrível, como se tivesse passado um dia inteiro sem tomar minha injeção. Era a vergonha do que eu tinha que fazer retorcendo minhas entranhas. Eu não conseguia encontrar as palavras para dizer a Balthazar que iríamos deixá-lo para trás.

Finalmente, Montgomery pigarreou.

— Hora de partir. Você primeiro, Juliet.

Olhei para ele, surpresa. Iríamos simplesmente embarcar e começar a navegar, deixando Balthazar para trás, confuso e decepcionado, enquanto remávamos para longe? Observei o rosto de Montgomery, e ele me pareceu feito de pedra. Ele estendeu a mão, e eu a segurei, hesitante, e embarquei no escaler, que balançava. Acomodei-me entre dois baús no fundo do barco, tentando conter as lágrimas.

— Eu não queria que as coisas terminassem assim — falei, encolhendo-me. Eu sabia que ele entenderia o que eu queria dizer. Não estava abandonando apenas Balthazar, mas todos eles: meu pai, Edward e os restos de todos aqueles que morreram de forma tão injusta. Aquela ilha e as coisas que aconteceram ali nunca deveriam ter existido.

— Eu também não — disse Montgomery, sussurrando tão baixo que o vento poderia carregar suas palavras para longe. Mas ele manteve o olhar fixo em mim, o que era estranho. Eu continuava olhando para Balthazar, sentindo a culpa me esmagar, e ainda mais culpada pelo fato de que seria Montgomery quem teria que lhe contar a verdade.

— Acho que chegou a hora — declarou ele.

Eu concordei com um aceno de cabeça, apertando meus joelhos com mais força. Não tinha coragem de olhar para o rosto de Balthazar. Podia ser covardia, mas eu não seria capaz de viver com a imagem da decepção estampada em seu rosto pelo resto da minha vida.

— Eu lamento muito, Juliet — disse Montgomery, agachando-se rapidamente ao lado da pilastra e soltando a corda mais depressa do que o meu cérebro foi capaz de perceber. "Lamenta?" Por que ele não entrou no barco?

Aquilo me atingiu como um vagalhão. Ele não voltaria à Inglaterra comigo.

Ele não voltaria à Inglaterra comigo.

O peso daquela descoberta me esmagava contra o fundo do escaler. Olhei para ele e, depois, para Balthazar, que se esforçava para não olhar para mim. Balthazar sabia o tempo todo. Não era um adeus a Balthazar.

Era de mim que eles estavam se despedindo.

Eu tentei me levantar, engatinhando, quando o barco se inclinou. — Montgomery, não... espere.

Mas ele já havia empurrado o barco para o mar e me lançado à deriva. Tudo o que nos ligava agora era um pedaço fino de corda que ele segurava muito frouxamente, pronto para me libertar a qualquer momento.

— Não se atreva! — gritei, engatinhando até a proa do barco. — Não solte essa corda! — protestei, sentindo meu joelho bater contra a quina afiada de um dos baús e meus olhos se encherem de lágrimas, e não somente por causa da dor. — Não se atreva a me abandonar, Montgomery James!

Quando me levantei para segurar a ponta da proa, a corda desfiada se soltou da mão de Montgomery. Segundos. Poucos segundos antes, Montgomery a segurava, e agora eu estava totalmente à deriva. Sozinha. Olhei para ele, atordoada.

— Lamento muito — disse ele, com o rosto marcado pela tristeza. — Não posso partir. Sou a única família que eles têm. Tenho responsabilidades para com eles.

— Mas... e quanto a mim? — indaguei entre soluços enquanto o barco se afastava. Estendi meus braços em busca de uma mão que eu sabia que nunca iria se aproximar. — Você também tem responsabilidades para comigo!

— Você estará melhor sem mim. Pode esquecer tudo isso. Tudo o que eu faria seria prendê-la a este lugar — disse ele, com a voz embargada. — Não posso voltar para lá. Sou um criminoso. Uma aberração.

— Você é Montgomery! — gritei. — Podemos ficar juntos.

Ele balançou a cabeça. Seu rosto estava úmido de suor.

— Não. Eu devo ficar na ilha.

Aquela traição me atingiu mais profundamente do que qualquer cirurgia que meu pai pudesse ter feito. Montgomery desviou o olhar, assim como eu planejara desviar o olhar do rosto entristecido de Balthazar. Uma onda bateu no bote, e me afastei ainda mais do ancoradouro, agarrando a borda do barco como se minha vida dependesse daquilo.

— Não! — gritei uma última vez. Soluços bloquearam minha garganta. Eu não sabia que Montgomery era tão selvagem quanto as criaturas que criara, e tão incapaz de abandoná-las?

O cheiro da fumaça pairava no ar, e tudo parecia estar muito errado, como se outras coisas além do complexo estivessem se queimando.

Talvez ele tenha dito alguma outra coisa. Eu não tinha certeza. A doca ficava cada vez menor a cada onda, até que Montgomery e Balthazar não eram nada além de uma peça que os olhos me pregavam. Enquanto era arrastada para o mar, entre as bugigangas que serviriam para eu comprar a passagem e a comida que Edward tinha guardado com tanto cuidado, a ilh*a tomou forma* no horizonte. Eu percebi labaredas onde outrora fora o complexo. Duas colunas de fumaça subiam rumo às estrelas: uma do vulcão e outra do forte. Até que não vi mais nada, quando as ondas giraram o barco e a ilha desapareceu na noite, exceto pelo brilho das labaredas que destruíam as paredes vermelhas do laboratório do meu pai.

Agradecimentos

TENHO MUITA SORTE POR HAVER trabalhado com uma equipe maravilhosa para poder transformar este livro em um produto acabado. Agradeço imensamente à minha editora incrível, Kristin Daly Rens, e ao restante da equipe Balzer + Bray/HarperCollins, incluindo a editora-assistente Sara Sargent, as designers Alison Klapthor e Alison Donalty, pelo belo projeto, Renée Cafiero, por uma revisão e preparação textual maravilhosas, Emilie Polster e Stephanie Hoffman, no Marketing, e Caroline Sun, Olivia DeLeon e Alison Lisnow, na divulgação. Qualquer escritor ficaria empolgado se tivesse todos vocês em sua equipe, e fico muito feliz por ter essa sorte.

Também agradeço enormemente ao time de agentes literários e ninjas faixa-preta: Josh, Tracey e Quinlan, da Adams Literary. Pura e simplesmente, vocês fizeram o sonho de uma escritora virar realidade, e isso mudou a minha vida para sempre.

Obrigada também ao meu grupo de crítica literária, o *Secret Gardeners*, assim como os meus leitores preliminares Constance, Lauren, Kim, Ameliann e, especialmente, Melissa, que lê o meu trabalho e me dá *feedbacks* inspirados desde aquele primeiro (e horrível) livro de fotos, há muitos e muitos anos. Gostaria também de reconhecer os grupos *Lucky 13s* e *Friday the Thirteeners* pelo apoio moral, e parabenizá-los pela publicação de suas primeiras obras. Foi um ano incrível!

É claro, meus pais, Peggy e Tim, desempenharam um papel enorme no desenvolvimento do meu amor pela literatura. Vocês e toda a família da Highland Books são o meu lar favorito quando estou fora de casa, e são o melhor lugar onde uma criança pode crescer. Obrigada também a todos os amigos e familiares que me deram apoio por meio de telefonemas frenéticos, sessões de fotos, listas de músicas e bolos em forma de livros. E ao meu marido, Jesse, que me deu a coragem para acreditar em mim mesma. Vocês fazem com que cada dia seja melhor do que o anterior. Finalmente, quero tornar pública a minha admiração por H. G. Wells, cujo livro *A Ilha do Doutor Moreau* me inspirou a criar esta história. Nunca vou me esquecer da minha adolescência, quando li as obras de Wells, e de ser exposta a ideias tão emocionantes e inteligentes sobre o mundo que habitamos.

Esta relação poderia ocupar muitas e muitas páginas, porque tenho muito mais pessoas para agradecer por todo o apoio generoso que me deram no decorrer do caminho. Poder segurar este livro em minhas mãos é uma sensação incomparável, e nunca conseguirei encontrar as palavras necessárias para expressar a cada um de vocês o quanto sou grata por todo o encorajamento e estímulo que recebi.